Friedrich Engels

Der Ursprung der Familie, des Privateigentums und des Staats

Im Anschluß an Lewis H. Morgans Forschungen

Dietz Verlag Berlin
1989

Der Ausgabe liegen folgende Editionsprinzipien zugrunde: Rechtschreibung und Zeichensetzung sind, soweit vertretbar, modernisiert. Der Lautstand und die Silbenzahl der Wörter wurden nicht verändert. Allgemein übliche Abkürzungen wurden beibehalten. Alle in eckigen Klammern stehenden Überschriften, Wörter und Wortteile stammen von der Redaktion. Offensichtliche Druck- oder Schreibfehler wurden stillschweigend korrigiert.

Fußnoten von Engels sind durch hochgestellte Ziffern mit Stern, Fußnoten der Redaktion durch hochgestellte Ziffern gekennzeichnet. Auf Anmerkungen der Redaktion wird durch hochstehende Ziffern in eckigen Klammern verwiesen.

Für Hinweise auf Karl Marx/Friedrich Engels: Werke, Berlin 1956 ff., wird das Sigle MEW verwendet.

Der Verlag

Engels, Friedrich: Der Ursprung der Familie, des Privateigentums und des Staats : im Anschluß an Lewis H. Morgans Forschungen / Friedrich Engels. – 17. Aufl. – Berlin : Dietz Verl., 1989. – 260 S. : 3 Abb.
(Bücherei des Marxismus-Leninismus)

ISBN 3-320-00296-1

Mit 3 Abbildungen
17. Auflage 1989

Lizenznummer 1 · LSV 0036
Lektor: Waltraud Bergemann/Inge Neumann
Typographie: Horst Kinkel
Reihenentwurf: Gerhard Schmidt
Umschlag: Kurt Tuma
Printed in the German Democratic Republic
Fotosatz: Druckerei Neues Deutschland Berlin
Druck und Bindearbeit:
LVZ-Druckerei »Hermann Duncker«, Leipzig
Best.-Nr. 737 673 4

00350

Vorworte

1. Zur ersten Auflage 1884.
   Geschrieben bis 26. Mai 1884.
   Erstmalig (auszugsweise) veröffentlicht in: Die Neue Zeit (Stuttgart), II. Jahrgang 1884, Heft 9, S. 420–422; vollständig in: Friedrich Engels: Der Ursprung der Familie, des Privateigenthums und des Staats. Im Anschluß an Lewis H. Morgan's Forschungen, Hottingen – Zürich 1884.
   Nach: MEW, Bd. 21, S. 27–29.
   Dem Text liegt die vierte deutsche Auflage von 1891 (1892) zugrunde.

2. Zur vierten Auflage 1891.
   Geschrieben bis 16. Juni 1891.
   Erstmalig veröffentlicht unter dem Titel »Zur Urgeschichte der Familie (Bachofen, MacLennan, Morgan)« in: Die Neue Zeit (Stuttgart), IX. Jahrgang 1890–91, Zweiter Band, S. 460–467.
   Nach: MEW, Bd. 22, S. 211–222.
   Dem Text liegt die vierte deutsche Auflage von 1891 (1892) zugrunde.

Der Ursprung der Familie,

des

Privateigenthums

und des Staats.

Im Anschluss

an

Lewis H. Morgan's Forschungen

von

Friedrich Engels.

Hottingen-Zürich.
Druck der Schweizerischen Genossenschaftsbuchdruckerei.
1884.

Titelblatt der Erstausgabe

1
Zur ersten Auflage 1884[1]

Die nachfolgenden Kapitel bilden gewissermaßen die Vollführung eines Vermächtnisses. Es war kein Geringerer als Karl Marx, der sich vorbehalten hatte, die Resultate der Morganschen Forschungen im Zusammenhang mit den Ergebnissen seiner – ich darf innerhalb gewisser Grenzen sagen unsrer – materialistischen Geschichtsuntersuchung darzustellen und dadurch erst ihre ganze Bedeutung klarzumachen. Hatte doch Morgan die von Marx vor vierzig Jahren entdeckte materialistische Geschichtsauffassung in Amerika in seiner Art neu entdeckt und war von ihr, bei Vergleichung der Barbarei und der Zivilisation, in den Hauptpunkten zu denselben Resultaten geführt worden wie Marx. Und wie »Das Kapital« von den zünftigen Ökonomen in Deutschland jahrelang ebenso eifrig ausgeschrieben wie hartnäckig totgeschwiegen wurde, ganz so wurde Morgans »Ancient Society«[1*] behandelt von den Wortführern der »prähistorischen« Wissenschaft in England. Meine Arbeit kann nur einen geringen Ersatz bieten für das, was meinem verstorbenen Freunde zu tun nicht mehr vergönnt war. Doch liegen mir in seinen ausführlichen Auszügen aus Morgan kritische Anmerkungen vor, die ich hier wiedergebe, soweit es irgend angeht.[2]

Nach der materialistischen Auffassung ist das in letzter Instanz bestimmende Moment in der Geschichte: die Produktion und Reproduktion des unmittelbaren Lebens. Diese ist aber selbst wieder doppelter Art. Einerseits die Erzeugung von Lebensmitteln, von Gegenständen der Nahrung, Kleidung,

[1*] »Ancient Society, or Researches in the Lines of Human Progress from Savagery, through Barbarism to Civilization«. By Lewis H. Morgan. London, Macmillan and Co., 1877. Das Buch ist in Amerika gedruckt und in London merkwürdig schwer zu haben. Der Verfasser ist vor einigen Jahren gestorben.

Wohnung und den dazu erforderlichen Werkzeugen; andrerseits die Erzeugung von Menschen selbst, die Fortpflanzung der Gattung. Die gesellschaftlichen Einrichtungen, unter denen die Menschen einer bestimmten Geschichtsepoche und eines bestimmten Landes leben, werden bedingt durch beide Arten der Produktion: durch die Entwicklungsstufe einerseits der Arbeit, andrerseits der Familie. Je weniger die Arbeit noch entwickelt ist, je beschränkter die Menge ihrer Erzeugnisse, also auch der Reichtum der Gesellschaft, desto überwiegender erscheint die Gesellschaftsordnung beherrscht durch Geschlechtsbande. Unter dieser, auf Geschlechtsbande begründeten Gliederung der Gesellschaft entwickelt sich indes die Produktivität der Arbeit mehr und mehr; mit ihr Privateigentum und Austausch, Unterschiede des Reichtums, Verwertbarkeit fremder Arbeitskraft und damit die Grundlage von Klassengegensätzen: neue soziale Elemente, die im Lauf von Generationen sich abmühen, die alte Gesellschaftsverfassung den neuen Zuständen anzupassen, bis endlich die Unvereinbarkeit beider eine vollständige Umwälzung herbeiführt. Die alte, auf Geschlechtsverbänden beruhende Gesellschaft wird gesprengt im Zusammenstoß der neu entwickelten gesellschaftlichen Klassen; an ihre Stelle tritt eine neue Gesellschaft, zusammengefaßt im Staat, dessen Untereinheiten nicht mehr Geschlechtsverbände, sondern Ortsverbände sind, eine Gesellschaft, in der die Familienordnung ganz von der Eigentumsordnung beherrscht wird und in der sich nun jene Klassengegensätze und Klassenkämpfe frei entfalten, aus denen der Inhalt aller bisherigen *geschriebnen* Geschichte besteht.

Es ist das große Verdienst Morgans, diese vorgeschichtliche Grundlage unsrer geschriebnen Geschichte in ihren Hauptzügen entdeckt und wiederhergestellt und in den Geschlechtsverbänden der nordamerikanischen Indianer den Schlüssel gefunden zu haben, der uns die wichtigsten, bisher unlösbaren Rätsel der ältesten griechischen, römischen und deutschen Geschichte erschließt. Es ist aber seine Schrift kein Eintagswerk. An die vierzig Jahre hat er mit seinem Stoff gerungen, bis er ihn vollständig beherrschte. Darum aber ist auch sein Buch eins der wenigen epochemachenden Werke unsrer Zeit.

In der nachfolgenden Darstellung wird der Leser im ganzen und großen leicht unterscheiden, was von Morgan herrührt und was ich hinzugesetzt. In den geschichtlichen Abschnitten über Griechenland und Rom habe ich mich nicht auf Morgans Belege beschränkt, sondern hinzugefügt, was mir zu Gebote stand. Die Abschnitte über Kelten und Deutsche gehören wesentlich mir an; Morgan verfügte hier fast nur über Quellen zweiter Hand und für die deutschen Zustände – außer Tacitus – nur über die schlechten liberalen Verfälschungen des Herrn Freeman. Die ökonomischen Ausführungen, die bei Morgan für seinen Zweck hinreichend, für den meinigen aber durchaus ungenügend, sind alle von mir neu bearbeitet. Und endlich bin ich selbstredend verantwortlich für alle Schlußfolgerungen, soweit nicht Morgan ausdrücklich zitiert wird.

2
Zur vierten Auflage 1891[3]

Die früheren starken Auflagen dieser Schrift sind seit fast einem halben Jahr vergriffen, und der Verleger [J. H. W. Dietz] hat schon seit längerer Zeit die Besorgung einer neuen Auflage von mir gewünscht. Dringendere Arbeiten hielten mich bis jetzt davon ab. Seit dem Erscheinen der ersten Auflage sind sieben Jahre verflossen, in denen die Kenntnis der ursprünglichen Familienformen bedeutende Fortschritte gemacht hat. Es war hier also die nachbessernde und ergänzende Hand fleißig anzuwenden; und zwar um so mehr, als die beabsichtigte Stereotypierung des gegenwärtigen Textes mir fernere Änderungen für einige Zeit unmöglich machen wird.

Ich habe also den ganzen Text einer sorgfältigen Durchsicht unterworfen und eine Reihe von Zusätzen gemacht, wodurch, wie ich hoffe, der heutige Stand der Wissenschaft gebührende Berücksichtigung gefunden hat. Ferner gebe ich im weitern Verlauf dieses Vorworts eine kurze Übersicht über die Entwicklung der Geschichte der Familie von Bachofen bis Morgan; und zwar hauptsächlich deswegen, weil die englische chauvinistisch angehauchte prähistorische Schule noch fortwährend ihr möglichstes tut, die durch Morgans Entdeckungen vollzogne Umwälzung der urgeschichtlichen Anschauungen totzuschweigen, wobei sie jedoch in der Aneignung von Morgans Resultaten sich keineswegs geniert. Auch anderwärts wird diesem englischen Beispiel stellenweise nur zu sehr gefolgt.

Meine Arbeit hat verschiedne Übertragungen in fremde Sprachen erfahren. Zuerst italienisch: »L'origine della famiglia, della proprietà privata e dello stato«. Versione riveduta dall' autore, di Pasquale Martignetti. Benevento 1885. Dann rumänisch: »Originea familiei, proprietăţii private şi a statului«. Traducere de Joan Nădejde, in der Jassyer Zeitschrift

»Contemporanul«[4], September 1885 bis Mai 1886. Ferner dänisch: »Familjens, Privatejendommens og Statens Oprindelse«. Dansk af Forfatteren gennemgaaet Udgave, besørget af Gerson Trier. København 1888. Eine französische Übersetzung von Henri Ravé, der die gegenwärtige deutsche Ausgabe zugrunde liegt, ist unter der Presse.

Bis zum Anfang der sechziger Jahre kann von einer Geschichte der Familie nicht die Rede sein. Die historische Wissenschaft stand auf diesem Gebiet noch ganz unter dem Einflusse der fünf Bücher Mosis. Die darin ausführlicher als anderswo geschilderte patriarchalische Familienform wurde nicht nur ohne weiteres als die älteste angenommen, sondern auch – nach Abzug der Vielweiberei – mit der heutigen bürgerlichen Familie identifiziert, so daß eigentlich die Familie überhaupt keine geschichtliche Entwicklung durchgemacht hatte; höchstens gab man zu, daß in der Urzeit eine Periode geschlechtlicher Regellosigkeit bestanden haben könne. – Allerdings kannte man außer der Einzelehe auch die orientalische Vielweiberei und die indisch-tibetanische Vielmännerei; aber diese drei Formen ließen sich nicht in eine historische Reihenfolge ordnen und figurierten zusammenhangslos nebeneinander. Daß bei einzelnen Völkern der alten Geschichte sowie bei einigen noch existierenden Wilden die Abstammung nicht vom Vater, sondern von der Mutter gerechnet, also die weibliche Linie als die allein gültige angesehn wurde; daß bei vielen heutigen Völkern die Ehe innerhalb bestimmter größerer, damals nicht näher untersuchter Gruppen verboten ist und daß diese Sitte sich in allen Weltteilen findet – diese Tatsachen waren zwar bekannt, und es wurden immer mehr Beispiele davon gesammelt. Aber man wußte nichts damit anzufangen, und selbst noch in E. B. Tylors »Researches into the Early History of Mankind etc. etc.« (1865) figurieren sie als bloße »sonderbare Gebräuche« neben dem bei einigen Wilden geltenden Verbot, brennendes Holz mit einem Eisenwerkzeug zu berühren, und ähnlichen religiösen Schnurrpfeifereien.

Die Geschichte der Familie datiert von 1861, vom Erscheinen von Bachofens »Mutterrecht«. Hier stellt der Verfasser die folgenden Behauptungen auf: 1. daß die Menschen im Anfang in schrankenlosem Geschlechtsverkehr gelebt, den er, mit einem schiefen Ausdruck, als Hetärismus bezeichnet; 2. daß ein solcher Verkehr jede sichere Vaterschaft ausschließt, daß daher die Abstammung nur in der weiblichen Linie – nach Mutterrecht – gerechnet werden konnte und daß dies ursprünglich bei allen Völkern des Altertums der Fall war; 3. daß in Folge hiervon den Frauen, als den Müttern, den einzigen sicher bekannten Eltern der jüngeren Generation, ein hoher Grad von Achtung und Ansehn gezollt wurde, der sich nach Bachofens Vorstellung zu einer vollständigen Weiberherrschaft (Gynaikokratie) steigerte; 4. daß der Übergang zur Einzelehe, wo die Frau *einem* Mann ausschließlich gehörte, eine Verletzung eines uralten Religionsgebots in sich schloß (d. h. tatsächlich eine Verletzung des altherkömmlichen Anrechts der übrigen Männer auf dieselbe Frau), eine Verletzung, die gebüßt oder deren Duldung erkauft werden mußte durch eine zeitlich beschränkte Preisgebung der Frau.

Die Beweise für diese Sätze findet Bachofen in zahllosen, mit äußerstem Fleiß zusammengesuchten Stellen der altklassischen Literatur. Die Entwicklung vom »Hetärismus« zur Monogamie und vom Mutterrecht zum Vaterrecht vollzieht sich nach ihm, namentlich bei den Griechen, infolge einer Fortentwicklung der religiösen Vorstellungen, einer Einschiebung neuer Gottheiten, Repräsentanten der neuen Anschauungsweise, in die altüberlieferte Göttergruppe, die Vertreterin der alten Anschauung, so daß die letztere mehr und mehr von der ersteren in den Hintergrund gedrängt wird. Es ist also nicht die Entwicklung der tatsächlichen Lebensbedingungen der Menschen, sondern der religiöse Widerschein dieser Lebensbedingungen in den Köpfen derselben Menschen, der nach Bachofen die geschichtlichen Veränderungen in der gegenseitigen gesellschaftlichen Stellung von Mann und Weib bewirkt hat. Hiernach stellt Bachofen die »Oresteia« des Äschylos dar als die dramatische Schilderung des Kampfes zwischen dem untergehenden Mutterrecht und dem in der Heroenzeit aufkommenden und siegenden Vaterrecht. Klytämnestra hat, um ihres Buhlen Ägisthos willen, ihren vom Trojanerkrieg heimkehrenden Gatten Agamemnon erschlagen; aber ihr und Agamemnons Sohn Orestes rächt den Mord des Vaters, indem er seine Mutter erschlägt. Dafür verfolgen ihn die Erinnyen, die dämonischen Schützerinnen des Mutterrechts, wonach der Muttermord das schwerste, unsühnbarste Verbrechen. Aber Apollo, der den Orestes durch sein Orakel zu dieser Tat aufgefordert, und Athene, die als Richterin aufgerufen wird – die beiden Götter, die hier die neue, vaterrechtliche Ordnung vertreten –, schützen ihn; Athene hört beide Parteien an. Die ganze Streitfrage faßt sich kurz zusammen in der nun stattfindenden Debatte zwischen Orestes und den Erinnyen. Orest beruft sich darauf, daß Klytämnestra einen doppelten Frevel begangen: indem sie *ihren* Gatten und damit auch *seinen* Vater getötet. Warum denn verfolgten die Erinnyen ihn und nicht sie, die weit Schuldigere? Die Antwort ist schlagend:

»Sie war dem Mann, den sie erschlug, *nicht blutsverwandt.*«[5]

Der Mord eines nicht blutsverwandten Mannes, selbst wenn er der Gatte der Mörderin, ist sühnbar, geht die Erinnyen nichts an; ihres Amtes ist nur die Verfolgung des Mords unter Blutsverwandten, und da ist, nach Mutterrecht, der schwerste und unsühnbarste der Muttermord. Nun tritt Apollo für Orestes als Verteidiger auf; Athene läßt die Areopagiten – die athenischen Gerichtsschöffen – abstimmen; die Stimmen sind gleich für Freisprechung und Verurteilung; da gibt Athene als Vorsitzerin ihre Stimme für Orestes ab und spricht ihn frei. Das Vaterrecht hat den Sieg errungen über das Mutterrecht, die »Götter jungen Stamms«, wie sie von den Erinnyen selbst bezeichnet werden, siegen über die Erinnyen, und diese lassen sich schließlich auch bereden, im Dienst der neuen Ordnung ein neues Amt zu übernehmen.

Diese neue, aber entschieden richtige Deutung der »Oresteia« ist eine der schönsten und besten Stellen im ganzen Buch, aber sie beweist gleichzeitig, daß Bachofen mindestens ebensosehr an die Erinnyen, Apollo und Athene glaubt, wie seinerzeit Äschylos; er glaubt eben, daß sie in der griechischen Heroenzeit das Wunder vollbrachten, das Mutterrecht zu stürzen durch das Vaterrecht. Daß eine solche Auffassung, wo die Religion als der entscheidende Hebel der Weltgeschichte gilt, schließlich auf reinen Mystizismus hinauslaufen muß, ist klar. Es ist daher eine saure und keineswegs immer lohnende Arbeit, sich durch den dicken Quartanten Bachofens durchzuarbeiten. Aber alles das schmälert nicht sein bahnbrechendes Verdienst; er, zuerst, hat die Phrase von einem unbekannten Urzustand mit regellosem Geschlechtsverkehr ersetzt durch den Nachweis, daß die altklassische Literatur uns Spuren in Menge aufzeigt, wonach vor der Einzelehe in der Tat bei Griechen und Asiaten ein Zustand existiert hat, worin nicht nur ein Mann mit mehreren Frauen, sondern eine Frau mit mehreren Männern geschlechtlich verkehrte, ohne gegen die Sitte zu verstoßen; daß diese Sitte nicht verschwand, ohne Spuren zu hinterlassen in einer beschränkten Preisgebung, wodurch die Frauen das Recht auf Einzelehe erkaufen mußten; daß daher die Abstammung ursprünglich nur in weiblicher Linie, von Mutter zu Mutter gerechnet werden konnte; daß diese Alleingültigkeit der weiblichen Linie sich noch lange in die Zeit der Einzelehe mit gesicherter oder doch anerkannter Vaterschaft hinein erhalten hat; und daß diese ursprüngliche Stellung der Mütter, als der einzigen sichern Eltern ihrer Kinder, ihnen und damit den Frauen überhaupt, eine höhere gesellschaftliche Stellung sicherte, als sie seitdem je wieder besessen haben. Diese Sätze hat Bachofen zwar nicht in dieser Klarheit ausgesprochen – das verhinderte seine mystische Anschauung. Aber er hat sie bewiesen, und das bedeutete 1861 eine vollständige Revolution.

Bachofens dicker Quartant war deutsch geschrieben, d. h. in der Sprache der Nation, die sich damals am wenigsten für die Vorgeschichte der heutigen Familie interessierte. Er blieb daher unbekannt. Sein nächster Nachfolger auf demselben Gebiet trat 1865 auf, ohne von Bachofen je gehört zu haben.

Dieser Nachfolger war J. F. McLennan, das grade Gegenteil seines Vorgängers. Statt des genialen Mystikers haben wir hier den ausgetrockneten Juristen; statt der überwuchernden dichterischen Phantasie die plausiblen Kombinationen des plädierenden Advokaten. McLennan findet bei vielen wilden, barbarischen und selbst zivilisierten Völkern alter und neuer Zeit eine Form der Eheschließung, bei der der Bräutigam, allein oder mit seinen Freunden, die Braut ihren Verwandten scheinbar gewaltsam rauben muß. Diese Sitte muß das Überbleibsel sein einer früheren Sitte, worin die Männer eines Stammes sich ihre Frauen auswärts, von anderen Stämmen, wirklich mit Gewalt raubten. Wie entstand nun diese »Raubehe«? Solange die Männer hinreichend Frauen im eignen Stamm finden konnten, war durchaus kein Anlaß dazu vorhanden. Nun finden wir aber ebenso häufig, daß bei unentwickelten Völkern gewisse Gruppen existieren (die um 1865 noch häufig mit den Stämmen selbst identifiziert wurden), innerhalb deren die Heirat verboten war, so daß die Männer ihre Frauen und die Frauen ihre Männer außerhalb der Gruppe zu nehmen genötigt sind, während bei andern die Sitte besteht, daß die Männer einer gewissen Gruppe genötigt sind, ihre Frauen nur innerhalb ihrer eignen Gruppe zu nehmen. McLennan nennt die ersteren exogam, die zweiten endogam, und konstruiert nun ohne weiteres einen starren Gegensatz zwischen exogamen und endogamen »Stämmen«. Und obwohl seine eigne Untersuchung der Exogamie ihn mit der Nase darauf stößt, daß dieser Gegensatz in vielen, wo nicht den meisten oder gar allen Fällen nur in seiner Vorstellung besteht, so macht er ihn doch zur Grundlage seiner gesamten Theorie. Exogame Stämme können hiernach ihre Frauen nur von andren Stämmen beziehn; und bei dem der Wildheit entsprechenden permanenten Kriegszustand zwischen Stamm und Stamm habe dies nur geschehn können durch Raub.

McLennan fragt nun weiter: Woher diese Sittc der Exogamie? Die Vorstellung der Blutsverwandtschaft und Blutschande könne nichts damit zu tun haben, das seien Dinge, die sich erst viel später entwickelt. Wohl aber die unter Wilden vielverbreitete Sitte, weibliche Kinder gleich nach der Geburt zu töten. Dadurch entstehe ein Überschuß von Männern in jedem einzelnen Stamm, dessen notwendige nächste Folge sei, daß mehrere Männer eine Frau in Gemeinschaft besäßen: Vielmännerei. Die Folge hiervon sei wieder, daß man wußte, wer die Mutter eines Kindes war, nicht aber, wer der Vater, daher: Verwandtschaft gerechnet nur in der weiblichen Linie mit Ausschluß der männlichen – Mutterrecht. Und eine zweite Folge des Mangels an Frauen innerhalb des Stammes – ein Mangel, gemildert, aber nicht beseitigt durch die Vielmännerei – war eben die systematische, gewaltsame Entführung von Frauen fremder Stämme.

»Da Exogamie und Vielmännerei aus einer und derselben Ursache entspringen – dem Mangel der Gleichzahl zwischen beiden Geschlechtern –, müssen wir *alle exogamen Racen als ursprünglich der Vielmännerei ergeben ansehn*... Und deshalb müssen wir es für unbestreitbar ansehn, daß unter exogamen Racen das erste Verwandtschaftssystem dasjenige war, welches Blutbande nur auf der Mutterseite kennt.« (McLennan, »Studies in Ancient History«, 1886. »Primitive Marriage«, p. 124.)[6]

Es ist das Verdienst McLennans, auf die allgemeine Verbreitung und große Bedeutung dessen, was er Exogamie nennt, hingewiesen zu haben. *Entdeckt* hat er die Tatsache der exogamen Gruppen keineswegs, und verstanden hat er sie erst recht nicht. Von früheren, vereinzelten Notizen bei vielen Beobachtern – eben den Quellen McLennans – abgesehn, hatte Latham (»Descriptive Ethnology«, 1859) diese Institution bei den indischen Magars genau und richtig beschrieben und gesagt, daß sie allgemein verbreitet sei und in allen Weltteilen vorkomme – eine Stelle, die McLennan selbst anführt. Und unser Morgan hatte sie ebenfalls bereits 1847 in seinen Briefen über die Irokesen (im »American Review«)[7] und 1851 in »The League of the Iroquois« bei diesem Volksstamm nachgewiesen und richtig beschrieben, während, wie wir sehn werden, der Advokatenverstand McLennans hier eine weit größere Verwirrung angerichtet hat als Bachofens mystische Phantasie auf dem Gebiet des Mutterrechts. Es ist McLennans ferneres Verdienst, die mutterrechtliche Abstammungsordnung als die ursprüngliche erkannt zu haben, obwohl ihm, wie er später auch anerkennt, Bachofen hier zuvorgekommen war. Aber auch hier ist er nicht im klaren; er spricht stets von »Verwandtschaft nur in weiblicher Linie« (kinship through females only) und wendet diesen für eine frühere Stufe richtigen Ausdruck fortwährend auch auf spätere Entwicklungsstufen an, wo Abstammung und Vererbung zwar noch ausschließlich nach weiblicher Linie gerechnet, aber Verwandtschaft auch nach männlicher Seite anerkannt und ausgedrückt wird. Es ist die Beschränktheit des Juristen, der sich einen festen Rechtsausdruck schafft und diesen unverändert fort anwendet auf Zustände, die ihn inzwischen unanwendbar gemacht.

Bei all ihrer Plausibilität, scheint es, kam die Theorie McLennans doch ihrem eignen Verfasser nicht zu fest gegründet vor. Wenigstens fällt ihm selbst auf, es sei

»bemerkenswert, daß die Form des« (scheinbaren) »Frauenraubs am ausgeprägtesten und ausdruckvollsten ist grade bei den Völkern, wo *männliche* Verwandtschaft« (soll heißen Abstammung in männlicher Linie) »herrscht« (S. 140).

Und ebenso:

»Es ist eine sonderbare Tatsache, daß, soviel wir wissen, der Kindermord nirgendswo systematisch betrieben wird, wo die Exogamie und die älteste Verwandtschaftsform nebeneinander bestehn« (S. 146).

Beides Tatsachen, die seiner Erklärungsweise direkt ins Gesicht schlagen und denen er nur neue, noch verwickeltere Hypothesen entgegenhalten kann.

Trotzdem fand seine Theorie in England großen Beifall und Anklang: McLennan galt hier allgemein als Begründer der Geschichte der Familie und als erste Autorität auf diesem Gebiet. Sein Gegensatz von exogamen und endogamen »Stämmen«, so sehr man auch einzelne Ausnahmen und Modifikationen konstatierte, blieb doch die anerkannte Grundlage der herrschenden Anschauungsweise und wurde die Scheuklappe, die jeden freien Überblick über das untersuchte Gebiet und damit jeden entscheidenden Fortschritt unmöglich machte. Der in England und nach englischem Vorbild auch anderswo üblich gewordenen Überschätzung McLennans ist es Pflicht, die Tatsache entgegenzuhalten, daß er mit seinem rein mißverständlichen Gegensatz von exogamen und endogamen »Stämmen« mehr Schaden angerichtet, als er durch seine Forschungen genützt hat.

Indes kamen schon bald mehr und mehr Tatsachen ans Licht, die in seinen zierlichen Rahmen nicht paßten. McLennan kannte nur drei Formen der Ehe: Vielweiberei, Vielmännerei und Einzelehe. Als aber einmal die Aufmerksamkeit auf diesen Punkt gelenkt, fanden sich mehr und mehr Beweise, daß bei unentwickelten Völkern Eheformen bestanden, worin eine Reihe von Männern eine Reihe von Frauen gemeinsam besaßen; und *Lubbock* (»The origin of Civilisation«, 1870) erkannte diese Gruppenehe (Communal marriage) als geschichtliche Tatsache an.

Gleich darauf, 1871, trat *Morgan* mit neuem und in vieler Beziehung entscheidendem Material auf. Er hatte sich überzeugt, daß das bei den Irokesen geltende, eigentümliche Verwandtschaftssystem allen Ureinwohnern der Vereinigten Staaten gemeinsam, also über einen ganzen Kontinent verbreitet sei, obwohl es den Verwandtschaftsgraden, wie sie sich aus dem dort geltenden Ehesystem tatsächlich ergeben, direkt widerspricht. Er bewog nun die amerikanische Bundesregierung, auf Grund von ihm selbst aufgesetzter Fragebogen und Tabellen Auskunft über die Verwandtschaftssysteme der übrigen Völker einzuziehn, und fand aus den Antworten, 1. daß das amerikanisch-indianische Verwandtschaftssystem auch in Asien und in etwas modifizierter Form in Afrika und Australien bei zahlreichen Volksstämmen in Geltung sei, 2. daß es sich vollständig erkläre aus einer in Hawaii und andern australischen Inseln eben im Absterben begriffenen Form der Gruppenehe, und 3. daß aber neben dieser Eheform auf denselben Inseln ein Verwandtschaftssystem in Geltung sei, das sich nur durch eine noch urwüchsigere, jetzt ausgestorbne Form der Gruppenehe erklären lasse. Die gesammelten Nachrichten nebst seinen Schlußfolgerungen daraus veröffentlichte er in seinen »Systems of Consanguinity and Affinity«, 1871, und führte damit die Debatte auf ein unendlich umfassenderes Gebiet. Indem er, von den Verwandtschaftssystemen ausgehend, die ihnen entsprechenden Familienformen wiederkonstruierte, eröffnete er einen neuen Forschungsweg und einen weiterreichenden Rückblick in die Vorgeschichte der Menschheit. Erhielt diese Methode Geltung, so war die niedliche Konstruktion McLennans in Dunst aufgelöst.

McLennan verteidigte seine Theorie in der Neuauflage von »Primitive Marriage« (»Studies in Ancient History«, 1876). Während er selbst eine Geschichte der Familie aus lauter Hypothesen äußerst künstlich kombiniert, verlangt er von Lubbock und Morgan nicht nur Beweise für jede ihrer Behauptungen, sondern Beweise von der unanfechtbaren Bündigkeit, wie allein sie in einem schottischen Gerichtshof zugelassen werden. Und das tut derselbe Mann, der aus dem engen Verhältnis zwischen Mutterbruder und Schwestersohn bei den Deutschen (Tacitus, »Germania«, c. 20), aus Cäsars Bericht, daß die Briten je zehn oder zwölf ihre Frauen gemeinsam haben, und aus allen anderen Berichten der alten Schriftsteller über Weibergemeinschaft bei Barbaren ohne Zaudern den Schluß zieht, bei allen diesen Völkern habe Vielmännerei geherrscht! Man meint einen Staatsanwalt zu hören, der sich bei Zurechtmachung seines Falls jede Freiheit erlauben kann, der aber vom Verteidiger für jedes Wort den formellsten juristisch gültigen Beweis beansprucht.

Die Gruppenehe sei eine pure Einbildung, behauptet er und fällt damit weit hinter Bachofen zurück. Die Verwandtschaftssysteme bei Morgan seien bloße Vorschriften gesellschaftlicher Höflichkeit, bewiesen durch die Tatsache, daß die Indianer auch einen Fremden, Weißen, als Bruder oder Vater anreden. Es ist, als wollte man behaupten, die Bezeichnungen Vater, Mutter, Bruder, Schwester seien bloße sinnlose Anredeformen, weil katholische Geistliche und Äbtissinnen ebenfalls mit Vater und Mutter, Mönche und Nonnen, ja selbst Freimaurer und englische Fachvereinsgenossen in solenner Sitzung als Bruder und Schwester angeredet werden. Kurz, McLennans Verteidigung war elend und schwach.

Noch aber blieb ein Punkt, wo er nicht gefaßt worden war. Der Gegensatz von exogamen und endogamen »Stämmen«, auf dem sein ganzes System beruhte, war nicht nur unerschüttert, er wurde sogar allgemein als Angelpunkt der gesamten Geschichte der Familie anerkannt. Man gab zu, McLennans Versuch, diesen Gegensatz zu erklären, sei ungenügend und widerspreche den von ihm selbst aufgezählten Tatsachen. Aber der Gegensatz selbst, die Existenz zweier einander ausschließender Arten von selbständigen und unabhängigen Stämmen, wovon die eine Art ihre Weiber innerhalb des Stamms nahm, während dies der andern Art absolut verboten war – dies galt als unbestreitbares Evangelium. Man vergleiche z. B. Giraud-Teulons »Origines de la famille« (1874) und selbst noch Lubbocks »Origin of Civilisation« (4. Auflage, 1882).

An diesem Punkt setzt Morgans Hauptwerk an: »Ancient Society« (1877), das Werk, das der gegenwärtigen Arbeit zugrunde liegt. Was Morgan 1871 nur noch dunkel ahnte, das ist hier mit vollem Bewußtsein entwickelt. Endogamie und Exogamie bilden keinen Gegensatz; exogame »Stämme« sind bis jetzt nirgends nachgewiesen. Aber zur Zeit, wo die Gruppenehe noch herrschte – und sie hat aller Wahrscheinlichkeit nach überall einmal geherrscht –, gliederte sich der Stamm in eine Anzahl von auf Mutterseite blutsverwandten Gruppen,

Gentes, innerhalb deren strenges Eheverbot herrschte, so daß die Männer einer Gens ihre Frauen zwar innerhalb des Stammes nehmen konnten und in der Regel nahmen, aber sie außerhalb ihrer Gens nehmen mußten. So daß, wenn die Gens streng exogam, der die Gesamtheit der Gentes umfassende Stamm ebensosehr endogam war. Damit war der letzte Rest der McLennanschen Künstelei endgültig abgetan.

Hiermit aber begnügte sich Morgan nicht. Die Gens der amerikanischen Indianer diente ihm ferner dazu, den zweiten entscheidenden Fortschritt auf dem von ihm untersuchten Gebiet zu machen. In dieser nach Mutterrecht organisierten Gens entdeckte er die Urform, woraus sich die spätere, vaterrechtlich organisierte Gens entwickelt hatte, die Gens, wie wir sie bei den antiken Kulturvölkern finden. Die griechische und römische Gens, allen bisherigen Geschichtsschreibern ein Rätsel, war erklärt aus der indianischen und damit eine neue Grundlage gefunden für die ganze Urgeschichte.

Diese Wiederentdeckung der ursprünglichen mutterrechtlichen Gens als der Vorstufe der vaterrechtlichen Gens der Kulturvölker hat für die Urgeschichte dieselbe Bedeutung wie Darwins Entwicklungstheorie für die Biologie und Marx' Mehrwertstheorie für die politische Ökonomie. Sie befähigte Morgan, zum erstenmal eine Geschichte der Familie zu entwerfen, worin wenigstens die klassischen Entwicklungsstufen im ganzen und großen, soweit das heute bekannte Material erlaubt, vorläufig festgestellt sind. Daß hiermit eine neue Epoche der Behandlung der Urgeschichte beginnt, ist vor aller Augen klar. Die mutterrechtliche Gens ist der Angelpunkt geworden, um den sich diese ganze Wissenschaft dreht; seit ihrer Entdeckung weiß man, in welcher Richtung und wonach man zu forschen und wie man das Erforschte zu gruppieren hat. Und dementsprechend werden jetzt auf diesem Gebiet ganz anders rasche Fortschritte gemacht als vor Morgans Buch.

Die Entdeckungen Morgans sind jetzt allgemein anerkannt, oder vielmehr angeeignet von den Prähistorikern auch in

England. Aber fast bei keinem findet sich das offene Zugeständnis, daß es Morgan ist, dem wir diese Revolution der Anschauungen verdanken. In England ist sein Buch soweit wie möglich totgeschwiegen, er selbst mit herablassendem Lob wegen seiner *früheren* Leistungen abgefertigt worden; an den Einzelheiten seiner Darstellung klaubt man eifrig herum, von seinen wirklich großen Entdeckungen schweigt man hartnäckig. »Ancient Society« ist in der Originalausgabe vergriffen; in Amerika ist für so etwas kein lohnender Absatz; in England wurde das Buch, scheint es, systematisch unterdrückt, und die einzige Ausgabe dieses epochemachenden Werks, die noch im Buchhandel zirkuliert, ist – die deutsche Übersetzung.

Woher diese Zurückhaltung, in der es schwer ist, nicht eine Totschweigungs-Verschwörung zu sehen, besonders gegenüber den zahlreichen bloßen Höflichkeitszitaten und andern Beweisen von Kamaraderie, wovon die Schriften unsrer anerkannten Prähistoriker wimmeln? Etwa weil Morgan ein Amerikaner ist und es sehr hart ist für die englischen Prähistoriker, daß sie, trotz alles höchst anerkennenswerten Fleißes im Zusammentragen von Material, für die bei der Ordnung und Gruppierung dieses Materials geltenden allgemeinen Gesichtspunkte, kurz für ihre Ideen, angewiesen sind auf zwei geniale Ausländer, auf Bachofen und Morgan? Den Deutschen konnte man sich noch gefallen lassen, aber den Amerikaner? Gegenüber dem Amerikaner wird jeder Engländer patriotisch, wovon ich in den Vereinigten Staaten ergötzliche Beispiele gesehn.[8] Nun kommt aber noch dazu, daß McLennan der sozusagen amtlich ernannte Stifter und Führer der englischen prähistorischen Schule war; daß es gewissermaßen zum prähistorischen guten Ton gehörte, nur mit der höchsten Ehrfurcht von seiner verkünstelten, vom Kindermord durch Vielmännerei und Raubehe zur muterrechtlichen Familie führenden Geschichtskonstruktion zu reden; daß der geringste Zweifel an der Existenz voneinander absolut ausschließenden exogamen und endogamen »Stämmen« für frevelhafte Ketzerei galt; daß also Morgan, indem er alle diese geheiligten Dogmen in Dunst auflöste, eine Art von Sakrileg beging. Und obendrein löste er sie auf in einer Weise, die nur ausgesprochen zu werden brauchte, um sofort einzuleuchten, so daß die bisher zwischen Exogamie und Endogamie ratlos umhertaumelnden McLennan-Verehrer sich fast mit der Faust vor den Kopf schlagen und ausrufen mußten: Wie konnten wir so dumm sein und das nicht schon lange selbst finden!

Und wenn das noch nicht der Verbrechen genug waren, um der offiziellen Schule jede andere Behandlung außer kühler Beiseiteschiebung zu verbieten, so machte Morgan das Maß übervoll, indem er nicht nur die Zivilisation, die Gesellschaft der Warenproduktion, die Grundform unserer heutigen Gesellschaft, in einer Weise kritisierte, die an Fourier erinnert, sondern von einer künftigen Umgestaltung dieser Gesellschaft in Worten spricht, die Karl Marx gesagt haben könnte. Es war also wohlverdient, wenn McLennan ihm entrüstet vorwirft, »die historische Methode sei ihm durchaus antipathisch«[9], und wenn Herr Professor Giraud-Teulon in Genf ihm dies noch 1884 bestätigt. Wankte doch derselbe Herr Giraud-Teulon noch 1874 (»Origines de la famille«) hülflos im Irrgarten der McLennanschen Exogamie herum, aus dem ihn Morgan erst befreien mußte!

Auf die übrigen Fortschritte, die die Urgeschichte Morgan verdankt, brauche ich hier nicht einzugehn; im Verlauf meiner Arbeit findet sich das Nötige darüber. Die vierzehn Jahre, die seit dem Erscheinen seines Hauptwerkes verflossen, haben unser Material für die Geschichte der menschlichen Urgesellschaften sehr bereichert; zu den Anthropologen, Reisenden und Prähistorikern von Profession sind die vergleichenden Juristen getreten und haben teils neuen Stoff, teils neue Gesichtspunkte gebracht. Manche Einzelhypothese Morgans ist dadurch schwankend oder selbst hinfällig geworden. Aber nirgendwo hat das neu gesammelte Material dazu geführt, seine großen Hauptgesichtspunkte durch andere zu verdrängen. Die von ihm in die Urgeschichte gebrachte Ordnung gilt in ihren Hauptzügen noch heute. Ja, man kann sagen, sie findet mehr und mehr allgemeine Anerkennung in demselben Maß, worin seine Urheberschaft dieses großen Fortschritts verheimlicht wird.[1*]

London, 16. Juni 1891 *Friedrich Engels*

[1*] Auf der Rückreise von New York im September 1888 traf ich einen ehemaligen Kongreßdeputierten für den Wahlbezirk von Rochester, der Lewis Morgan gekannt hatte. Er wußte mir leider nicht viel von ihm zu erzählen. Morgan habe in Rochester als Privatmann gelebt, nur mit seinen Studien beschäftigt. Sein Bruder sei Oberst und in Washington im Kriegsministerium angestellt gewesen; durch Vermittlung dieses Bruders habe er es fertiggebracht, die Regierung für seine Forschungen zu interessieren und mehrere seiner Werke auf öffentliche Kosten herauszugeben; er, der Erzähler, habe sich auch während seiner Kongreßzeit mehrfach dafür verwandt.

Der Ursprung der Familie, des Privateigentums und des Staats[10]

Geschrieben Ende März bis 26. Mai 1884.
Erstmalig veröffentlicht in: Friedrich Engels: Der Ursprung der Familie, des Privateigenthums und des Staats. Im Anschluß an Lewis H. Morgan's Forschungen, Hottingen-Zürich 1884.
Nach: MEW, Bd. 21, S. 30—173.
Dem Text liegt die vierte deutsche Auflage von 1891 (1892) zugrunde.

Максиму Ковалевскому
въ Лондонѣ [illegible] от автора.

Der Ursprung
der
Familie, des Privateigenthums
und
des Staats.

Im Anschluß an Lewis H. Morgan's Forschungen

von

Friedrich Engels.

Vierte Auflage.

Sechstes und siebentes Tausend.

Stuttgart
Verlag von J. H. W. Dietz
1892.

Titelblatt der vierten deutschen Ausgabe
mit einer Widmung des Autors für Maxim Kowalewski

I
Vorgeschichtliche Kulturstufen

Morgan ist der erste, der mit Sachkenntnis eine bestimmte Ordnung in die menschliche Vorgeschichte zu bringen versucht; solange nicht bedeutend erweitertes Material zu Änderungen nötigt, wird seine Gruppierung wohl in Kraft bleiben.

Von den drei Hauptepochen: Wildheit, Barbarei, Zivilisation beschäftigen ihn selbstredend nur die ersten zwei und der Übergang zur dritten. Jede der beiden teilt er ein in eine untere, mittlere und obere Stufe, je nach den Fortschritten der Produktion der Lebensmittel; denn, sagt er:

»Die Geschicklichkeit in dieser Produktion ist entscheidend für den Grad menschlicher Überlegenheit und Naturbeherrschung; von allen Wesen hat nur der Mensch es bis zu einer fast unbedingten Herrschaft über die Erzeugung von Nahrungsmitteln gebracht. Alle großen Epochen menschlichen Fortschritts fallen, mehr oder weniger direkt, zusammen mit Epochen der Ausweitung der Unterhaltsquellen.«[11]

Die Entwicklung der Familie geht daneben, bietet aber keine so schlagenden Merkmale zur Trennung der Perioden.

1. Wildheit

1. *Unterstufe.* Kindheit des Menschengeschlechts, das, wenigstens teilweise, auf Bäumen lebend, wodurch allein sein Fortbestehn gegenüber großen Raubtieren erklärlich, noch in seinen ursprünglichen Sitzen, tropischen oder subtropischen Wäldern sich aufhielt. Früchte, Nüsse, Wurzeln dienten zur Nahrung; die Ausbildung artikulierter Sprache ist Hauptergebnis dieser Zeit. Von allen Völkern, die innerhalb der geschichtlichen Periode bekannt geworden sind, gehörte kein einziges mehr diesem Urzustand an. So lange Jahrtausende er auch gedauert haben mag, so wenig können wir ihn

aus direkten Zeugnissen beweisen; aber die Abstammung des Menschen aus dem Tierreich einmal zugegeben, wird die Annahme dieses Übergangs unumgänglich.

2. *Mittelstufe.* Beginnt mit der Verwertung von Fischen (wozu wir auch Krebse, Muscheln und andere Wassertiere zählen) zur Nahrung und mit dem Gebrauch des Feuers. Beides gehört zusammen, da Fischnahrung erst vermittelst des Feuers vollständig vernutzbar wird. Mit dieser neuen Nahrung aber wurden die Menschen unabhängig von Klima und Lokalität; den Strömen und Küsten folgend, konnten sie selbst im wilden Zustand sich über den größten Teil der Erde ausbreiten. Die roh gearbeiteten, ungeschliffenen Steinwerkzeuge des früheren Steinalters, die sogenannten paläolithischen, die ganz oder größtenteils in diese Periode fallen, sind in ihrer Verbreitung über alle Kontinente Beweisstücke dieser Wanderungen. Die neubesetzten Zonen wie der ununterbrochen tätige Findungstrieb, verbunden mit dem Besitz des Reibfeuers, brachten neue Nahrungsmittel auf; so stärkmehlhaltige Wurzeln und Knollen, in heißer Asche oder in Backgruben (Erdöfen) gebacken; so Wild, das mit Erfindung der ersten Waffen, Keule und Speer, gelegentliche Zugabe zur Kost wurde. Ausschließliche Jägervölker, wie sie in den Büchern figurieren, d. h. solche, die *nur* von der Jagd leben, hat es nie gegeben; dazu ist der Ertrag der Jagd viel zu ungewiß. Infolge andauernder Unsicherheit der Nahrungsquellen scheint auf dieser Stufe die Menschenfresserei aufzukommen, die sich von jetzt an lange erhält. Die Australier und viele Polynesier stehn noch heute auf dieser Mittelstufe der Wildheit.

3. *Oberstufe.* Beginnt mit der Erfindung von Bogen und Pfeil, wodurch Wild regelmäßiges Nahrungsmittel, Jagd einer der normalen Arbeitszweige wurde. Bogen, Sehne und Pfeil bilden schon ein sehr zusammengesetztes Instrument, dessen Erfindung lange, gehäufte Erfahrung und geschärfte Geisteskräfte voraussetzt, also auch die gleichzeitige Bekanntschaft mit einer Menge andrer Erfindungen. Vergleichen wir die Völker, die zwar Bogen und Pfeil kennen, aber noch nicht die

Töpferkunst (von der Morgan den Übergang in die Barbarei datiert), so finden wir in der Tat bereits einige Anfänge der Niederlassung in Dörfern, eine gewisse Beherrschung der Produktion des Lebensunterhalts, hölzerne Gefäße und Geräte, Fingerweberei (ohne Webstuhl) mit Fasern von Bast, geflochtene Körbe von Bast oder Schilf, geschliffene (neolithische) Steinwerkzeuge. Meist auch hat Feuer und Steinaxt bereits das Einbaum-Boot und stellenweise Balken und Bretter zum Hausbau geliefert. Alle diese Fortschritte finden wir z. B. bei den nordwestlichen Indianern Amerikas, die zwar Bogen und Pfeil, aber nicht die Töpferei kennen. Für die Wildheit war Bogen und Pfeil, was das eiserne Schwert für die Barbarei und das Feuerrohr für die Zivilisation: die entscheidende Waffe.

2. Barbarei

1. *Unterstufe.* Datiert von der Einführung der Töpferei. Diese ist nachweislich in vielen Fällen und wahrscheinlich überall entstanden aus der Überdeckung geflochtener oder hölzerner Gefäße mit Lehm, um sie feuerfest zu machen; wobei man bald fand, daß der geformte Lehm auch ohne das innere Gefäß den Dienst leistete.

Bisher konnten wir den Gang der Entwicklung ganz allgemein, als gültig für eine bestimmte Periode aller Völker, ohne Rücksicht auf die Lokalität, betrachten. Mit dem Eintritt der Barbarei aber haben wir eine Stufe erreicht, worauf sich die verschiedne Naturbegabung der beiden großen Erdkontinente geltend macht. Das charakteristische Moment der Periode der Barbarei ist die Zähmung und Züchtung von Tieren und die Kultur von Pflanzen. Nun besaß der östliche Kontinent, die sog. Alte Welt, fast alle zur Zähmung tauglichen Tiere und alle kulturfähigen Getreidearten außer einer; der westliche, Amerika, von zähmbaren Säugetieren nur das Lama, und auch dies nur in einem Teil des Südens, und von allen Kulturgetreiden nur eins, aber das beste: den Mais. Diese verschiednen Naturbedingungen bewirken, daß von nun an die Bevölkerung jeder Halbkugel ihren besondern Gang geht und die Marksteine an den Grenzen der einzelnen Stufen in jedem der beiden Fälle verschieden sind.

2. *Mittelstufe.* Beginnt im Osten mit der Zähmung von Haustieren, im Westen mit der Kultur von Nährpflanzen mittelst Berieselung und dem Gebrauch von Adoben (an der Sonne getrockneten Ziegeln) und Stein zu Gebäuden.

Wir beginnen mit dem Westen, da hier diese Stufe bis zur europäischen Eroberung nirgends überschritten wurde.

Bei den Indianern der Unterstufe der Barbarei (wozu alle östlich des Mississippi gefundnen gehörten) bestand zur Zeit ihrer Entdeckung schon eine gewisse Gartenkultur von Mais und vielleicht auch Kürbissen, Melonen und andern Gartengewächsen, die einen sehr wesentlichen Bestandteil ihrer Nahrung lieferte; sie wohnten in hölzernen Häusern, in verpalisadierten Dörfern. Die nordwestlichen Stämme, besonders die im Gebiet des Kolumbiaflusses, standen noch auf der Oberstufe der Wildheit und kannten weder Töpferei noch Pflanzenkultur irgendeiner Art. Die Indianer der sog. Pueblos in Neu-Mexiko dagegen, die Mexikaner, Zentral-Amerikaner und Peruaner zur Zeit der Eroberung standen auf der Mittelstufe der Barbarei; sie wohnten in festungsartigen Häusern von Adoben oder Stein, bauten Mais und andre nach Lage und Klima verschiedne Nährpflanzen in künstlich berieselten Gärten, die die Hauptnahrungsquelle lieferten, und hatten sogar einige Tiere gezähmt – die Mexikaner den Truthahn und andre Vögel, die Peruaner das Lama. Dazu kannten sie die Verarbeitung der Metalle – mit Ausnahme des Eisens, weshalb sie noch immer der Steinwaffen und Steinwerkzeuge nicht entbehren konnten. Die spanische Eroberung schnitt dann alle weitere selbständige Entwicklung ab.

Im Osten begann die Mittelstufe der Barbarei mit der Zähmung milch- und fleischgebender Tiere, während Pflanzenkultur hier noch bis tief in diese Periode unbekannt geblieben zu sein scheint. Die Zähmung und Züchtung von Vieh und die Bildung größerer Herden scheinen den Anlaß gegeben zu haben zur Aussonderung der Arier und Semiten aus der übrigen Masse der Barbaren. Den europäischen und asiatischen Ariern sind die Viehnamen noch gemeinsam, die der Kulturpflanzen aber fast gar nicht.

Die Herdenbildung führte an geeigneten Stellen zum Hirtenleben; bei den Semiten in den Grasebenen des Euphrat und Tigris, bei den Ariern in denen Indiens, des Oxus und Jaxartes, des Don und Dnjepr. An den Grenzen solcher Weideländer muß die Zähmung des Viehs zuerst vollführt worden sein. Den späteren Geschlechtern erscheinen so die Hirtenvölker als aus Gegenden stammend, die, weit entfernt die Wiege des Menschengeschlechts zu sein, im Gegenteil für ihre wilden Vorfahren und selbst für Leute der Unterstufe der Barbarei fast unbewohnbar waren. Umgekehrt, sobald diese Barbaren der Mittelstufe einmal an Hirtenleben gewöhnt, hätte es ihnen nie einfallen können, freiwillig aus den grastragenden Stromebenen in die Waldgebiete zurückzukehren, in denen ihre Vorfahren heimisch gewesen. Ja selbst als sie weiter nach Norden und Westen gedrängt wurden, war es den Semiten und Ariern unmöglich, in die westasiatischen und europäischen Waldgegenden zu ziehn, ehe sie durch Getreidebau in den Stand gesetzt wurden, ihr Vieh auf diesem weniger günstigen Boden zu ernähren und besonders zu überwintern. Es ist mehr als wahrscheinlich, daß der Getreidebau hier zuerst aus dem Futterbedürfnis fürs Vieh entsprang und erst später für menschliche Nahrung wichtig wurde.

Der reichlichen Fleisch- und Milchnahrung bei Ariern und Semiten, und besonders ihrer günstigen Wirkung auf die Entwicklung der Kinder, ist vielleicht die überlegene Entwicklung beider Racen zuzuschreiben. In der Tat haben die Pueblos-Indianer von Neu-Mexiko, die auf fast reine Pflanzenkost reduziert sind, ein kleineres Gehirn als die mehr fleisch- und fischessenden Indianer der niedern Stufe der Barbarei. Jedenfalls verschwindet auf dieser Stufe allmählich die Menschenfresserei und erhält sich nur als religiöser Akt oder, was hier fast identisch, als Zaubermittel.

3. *Oberstufe.* Beginnt mit dem Schmelzen des Eisenerzes und geht über in die Zivilisation vermittelst der Erfindung der Buchstabenschrift und ihrer Verwendung zu literarischer Aufzeichnung. Diese Stufe, die, wie gesagt, nur auf der östlichen Halbkugel selbständig durchgemacht wird, ist an Fortschritten der Produktion reicher als alle vorhergehenden zusammengenommen. Ihr gehören an die Griechen zur Heroenzeit, die italischen Stämme kurz vor der Gründung Roms, die Deutschen des Tacitus, die Normannen der Wikingerzeit.

Vor allem tritt uns hier zuerst entgegen die eiserne, von Vieh gezogene Pflugschar, die den Ackerbau auf großer Stufe, den *Feldbau,* möglich machte, und damit eine für damalige Verhältnisse praktisch unbeschränkte Vermehrung der Lebensmittel; damit auch die Ausrodung des Waldes und seine Verwandlung in Ackerland und Wiese – die wieder, auf großem Maßstab, ohne die eiserne Axt und den eisernen Spaten unmöglich blieb. Damit kam aber auch rasche Vermehrung der Bevölkerung und dichte Bevölkerung auf kleinem Gebiet. Vor dem Feldbau müssen sehr ausnahmsweise Verhältnisse vorgekommen sein, wenn eine halbe Million Menschen sich unter einer einzigen Zentralleitung sollte vereinigen lassen; wahrscheinlich war das nie geschehn.

Die höchste Blüte der Oberstufe der Barbarei tritt uns entgegen in den homerischen Gedichten, namentlich in der »Ilias«. Entwickelte Eisenwerkzeuge; der Blasbalg; die Handmühle; die Töpferscheibe; die Öl- und Weinbereitung; eine entwikkelte, ins Kunsthandwerk übergehende Metallbearbeitung; der Wagen und Streitwagen; der Schiffbau mit Balken und Planken; die Anfänge der Architektur als Kunst; ummauerte Städte mit Türmen und Zinnen; das homerische Epos und die gesamte Mythologie – das sind die Haupterbschaften, die die Griechen aus der Barbarei hinübernahmen in die Zivilisation. Wenn wir damit die Beschreibung der Germanen bei Cäsar und selbst Tacitus vergleichen, die am Anfang derselben

Kulturstufe standen, aus der in eine höhere überzugehn die homerischen Griechen sich anschickten, so sehn wir, welchen Reichtum der Entwicklung der Produktion die Oberstufe der Barbarei in sich faßt.

Das Bild, das ich hier von der Entwicklung der Menschheit durch Wildheit und Barbarei zu den Anfängen der Zivilisation nach Morgan skizziert habe, ist schon reich genug an neuen und, was mehr ist, unbestreitbaren, weil unmittelbar der Produktion entnommenen Zügen. Dennoch wird es matt und dürftig erscheinen, verglichen mit dem Bild, das sich am Ende unsrer Wanderschaft entrollen wird; erst dann wird es möglich sein, den Übergang aus der Barbarei in die Zivilisation und den schlagenden Gegensatz beider ins volle Licht zu stellen. Vorderhand können wir Morgans Einteilung dahin verallgemeinern: Wildheit – Zeitraum der vorwiegenden Aneignung fertiger Naturprodukte; die Kunstprodukte des Menschen sind vorwiegend Hülfswerkzeuge dieser Aneignung. Barbarei – Zeitraum der Erwerbung von Viehzucht und Ackerbau, der Erlernung von Methoden zur gesteigerten Produktion von Naturerzeugnissen durch menschliche Tätigkeit. Zivilisation – Zeitraum der Erlernung der weiteren Verarbeitung von Naturerzeugnissen, der eigentlichen Industrie und der Kunst.

II
Die Familie

Morgan, der sein Leben großenteils unter den noch jetzt im Staat New York ansässigen Irokesen zugebracht und in einen ihrer Stämme (den der Senekas) adoptiert worden, fand unter ihnen ein Verwandtschaftssystem in Geltung, das mit ihren wirklichen Familienbeziehungen im Widerspruch stand. Bei ihnen herrschte jene, beiderseits leicht lösliche Einzelehe, die Morgan als »Paarungsfamilie« bezeichnet. Die Nachkommenschaft eines solchen Ehepaars war also vor aller Welt offenkundig und anerkannt; es konnte kein Zweifel sein, auf wen die Bezeichnungen Vater, Mutter, Sohn, Tochter, Bruder, Schwester anzuwenden seien. Aber der tatsächliche Gebrauch dieser Ausdrücke widerspricht dem. Der Irokese nennt nicht nur seine eignen Kinder, sondern auch die seiner Brüder seine Söhne und Töchter; und sie nennen ihn Vater. Die Kinder seiner Schwester dagegen nennt er seine Neffen und Nichten und sie ihn Onkel. Umgekehrt nennt die Irokesin, neben ihren eignen Kindern, diejenigen ihrer Schwestern ihre Söhne und Töchter, und diese nennen sie Mutter. Die Kinder ihrer Brüder dagegen nennt sie ihre Neffen und Nichten, und sie heißt ihre Tante. Ebenso nennen die Kinder von Brüdern sich untereinander Brüder und Schwestern, desgleichen die Kinder von Schwestern. Die Kinder einer Frau und die ihres Bruders dagegen nennen sich gegenseitig Vettern und Kusinen. Und dies sind nicht bloß leere Namen, sondern Ausdrücke tatsächlich geltender Anschauungen von Nähe und Entferntheit, Gleichheit und Ungleichheit der Blutsverwandtschaft; und diese Anschauungen dienen zur Grundlage eines vollständig ausgearbeiteten Verwandtschaftssystems, das mehrere hundert verschiedne Verwandtschaftsbeziehungen eines einzelnen Individuums auszudrücken imstande ist. Noch mehr. Dies System ist nicht nur in voller Geltung bei allen amerikanischen

Indianern (bis jetzt ist keine Ausnahme gefunden), sondern es gilt auch fast unverändert bei den Ureinwohnern Indiens, bei den dravidischen Stämmen in Dekan und den Gaurastämmen in Hindustan. Die Verwandtschaftsausdrücke der südindischen Tamiler und der Seneka-Irokesen im Staate New York stimmen noch heute überein für mehr als zweihundert verschiedne Verwandtschaftsbeziehungen. Und auch bei diesen indischen Stämmen, wie bei allen amerikanischen Indianern, stehn die aus der geltenden Familienform entspringenden Verwandtschaftsbeziehungen im Widerspruch mit dem Verwandtschaftssystem.

Wie nun dies erklären? Bei der entscheidenden Rolle, die die Verwandtschaft bei allen wilden und barbarischen Völkern in der Gesellschaftsordnung spielt, kann man die Bedeutung dicses so weitverbreiteten Systems nicht mit Redensarten beseitigen. Ein System, das in Amerika allgemein gilt, in Asien bei Völkern einer ganz verschiednen Race ebenfalls besteht, von dem mehr oder weniger abgeänderte Formen überall in Afrika und Australien sich in Menge vorfinden, ein solches System will geschichtlich erklärt sein, nicht weggeredet, wie dies z. B. McLennan[6] versuchte. Die Bezeichnungen Vater, Kind, Bruder, Schwester sind keine bloßen Ehrentitel, sondern führen ganz bestimmte, sehr ernstliche gegenseitige Verpflichtungen mit sich, deren Gesamtheit einen wesentlichen Teil der Gesellschaftsverfassung jener Völker ausmacht. Und die Erklärung fand sich. Auf den Sandwichinseln (Hawaii) bestand noch in der ersten Hälfte dieses Jahrhunderts eine Form der Familie, die genau solche Väter und Mütter, Brüder und Schwestern, Söhne und Töchter, Onkel und Tanten, Neffen und Nichten lieferte, wie das amerikanisch-altindische Verwandtschaftssystem sie fordert. Aber merkwürdig! Das Verwandtschaftssystem, das in Hawaii in Geltung war, stimmte wieder nicht mit der dort tatsächlich bestehenden Familienform. Dort nämlich sind alle Geschwisterkinder, ohne Ausnahme, Brüder und Schwestern, und gelten für die gemeinsamen Kinder, nicht nur ihrer Mutter und deren Schwestern, oder ihres Vaters und dessen Brüder, sondern aller Geschwister ihrer Eltern ohne Unterschied. Wenn also das amerikanische Verwandtschaftssystem eine in Amerika nicht mehr bestehende, primitivere Form der Familie voraussetzt, die wir in Hawaii wirklich noch vorfinden, so verweist uns anderseits das hawaiische Verwandtschaftssystem auf eine noch ursprünglichere Familienform, die wir zwar nirgends mehr als bestehend nachweisen können, die aber bestanden haben *muß*, weil sonst das entsprechende Verwandtschaftssystem nicht hätte entstehn können.

»Die Familie«, sagt Morgan, »ist das aktive Element; sie ist nie stationär, sondern schreitet vor von einer niedrigeren zu einer höheren Form, im Maß wie die Gesellschaft von niederer zu höherer Stufe sich entwickelt. Die Verwandtschaftssysteme dagegen sind passiv; nur in langen Zwischenräumen registrieren sie die Fortschritte, die die Familie im Lauf der Zeit gemacht hat, und erfahren nur dann radikale Änderung, wenn die Familie sich radikal verändert hat.«[12]

»Und«, setzt Marx hinzu, »ebenso verhält es sich mit politischen, juristischen, religiösen, philosophischen Systemen überhaupt.«[2] Während die Familie fortlebt, verknöchert das Verwandtschaftssystem, und während dies gewohnheitsmäßig fortbesteht, entwächst ihm die Familie. Mit derselben Sicherheit aber, mit der Cuvier aus den bei Paris gefundnen Marsupialknochen eines Tierskeletts schließen konnte, daß dies einem Beuteltier gehörte und daß dort einst ausgestorbne Beuteltiere gelebt, mit derselben Sicherheit können wir aus einem historisch überkommenen Verwandtschaftssystem schließen, daß die ihm entsprechende, ausgestorbne Familienform bestanden hat.

Die eben erwähnten Verwandtschaftssysteme und Familienformen unterscheiden sich von den jetzt herrschenden dadurch, daß jedes Kind mehrere Väter und Mütter hat. Bei dem amerikanischen Verwandtschaftssystem, dem die hawaiische Familie entspricht, können Bruder und Schwester nicht Vater und Mutter desselben Kindes sein; das hawaiische Verwandtschaftssystem aber setzt eine Familie voraus, in der dies im Gegenteil die Regel war. Wir werden hier in eine Reihe von Familienformen versetzt, die den bisher gewöhnlich als allein geltend angenommenen direkt widersprechen. Die hergebrachte Vorstellung kennt nur die Einzelehe, daneben Vielweiberei *eines* Mannes, allenfalls noch Vielmännerei *einer* Frau, und verschweigt dabei, wie es dem moralisierenden Philister ziemt, daß die Praxis sich über diese von der offiziellen Gesellschaft gebotenen Schranken stillschweigend, aber ungeniert hinwegsetzt. Das Studium der Urgeschichte dagegen führt uns Zustände vor, wo Männer in Vielweiberei und ihre Weiber gleichzeitig in Vielmännerei leben und die gemeinsamen Kinder daher auch als ihnen *allen* gemeinsam gelten; Zustände, die selbst wieder bis zu ihrer schließlichen Auflösung in die Einzelehe eine ganze Reihe von Veränderungen durchmachen. Diese Veränderungen sind der Art, daß der Kreis, den das gemeinsame Eheband umfaßt und der ursprünglich sehr weit war, sich mehr und mehr verengert, bis er schließlich nur das Einzelpaar übrigläßt, das heute vorherrscht.

Indem Morgan auf diese Weise die Geschichte der Familie rückwärts konstruiert, kommt er in Übereinstimmung mit der Mehrzahl seiner Kollegen auf einen Urzustand, wo unbeschränkter Geschlechtsverkehr innerhalb eines Stammes herrschte, so daß jede Frau jedem Mann und jeder Mann jeder Frau gleichmäßig gehörte. Von einem solchen Urzustand ist schon seit dem vorigen Jahrhundert gesprochen worden, aber nur in allgemeinen Redensarten; erst Bachofen, und es ist dies eines seiner großen Verdienste, nahm ihn ernst und suchte nach Spuren dieses Zustandes in den geschichtlichen und religiösen Überlieferungen. Wir wissen heute, daß diese von ihm aufgefundnen Spuren keineswegs auf eine Gesellschaftsstufe des regellosen Geschlechtsverkehrs zurückführen, sondern auf eine weit spätere Form, die Gruppenehe. Jene primitive Gesellschaftsstufe, falls sie wirklich bestanden hat, gehört einer so weit zurückliegenden Epoche an, daß wir schwerlich erwarten dürfen, in sozialen Fossilien, bei zurückgebliebenen

Wilden, *direkte* Beweise für ihre einstige Existenz zu finden. Bachofens Verdienst besteht eben darin, diese Frage in den Vordergrund der Untersuchung gestellt zu haben.[1*]

Es ist neuerdings Mode geworden, diese Anfangsstufe des menschlichen Geschlechtslebens wegzuleugnen. Man will der Menschheit diese »Schande« ersparen. Und zwar beruft man sich, außer auf den Mangel jedes direkten Beweises, besonders auf das Beispiel der übrigen Tierwelt; aus dieser hat Letourneau (»L'évolution du mariage et de la famille«, 1888) zahlreiche Tatsachen zusammengestellt, wonach auch hier ein durchaus ungeregelter Geschlechtsverkehr einer niedrigen Stufe angehören soll. Aus allen diesen Tatsachen kann ich aber nur den Schluß ziehn, daß sie, für den Menschen und seine urzeitlichen Lebensverhältnisse, absolut nichts beweisen. Die Paarungen für längere Zeit bei Wirbeltieren erklären sich hinreichend aus physiologischen Ursachen, z. B. bei Vögeln durch die Hülfsbedürftigkeit des Weibchens während der Brütezeit; die bei Vögeln vorkommenden Beispiele treuer Monogamie beweisen nichts für die Menschen, da diese eben nicht von Vögeln abstammen. Und wenn strenge Monogamie der Gipfel aller Tugend ist, so gebührt die Palme dem Bandwurm, der in jedem seiner 50 bis 200 Proglottiden oder Leibesabschnitte einen vollständigen weiblichen und männlichen Geschlechtsapparat besitzt und seine ganze Lebenszeit damit zubringt, in jedem dieser Abschnitte sich mit sich selbst zu begatten. Beschränken wir uns aber auf die Säugetiere, so finden wir da

[1*] Wie wenig Bachofen verstand, was er entdeckt oder vielmehr erraten hatte, beweist er durch die Bezeichnung dieses Urzustandes als *Hetärismus*. Hetärismus bezeichnete den Griechen, als sie das Wort einführten, Verkehr von Männern, unverheirateten oder in Einzelehe lebenden, mit unverheirateten Weibern, setzt stets eine bestimmte Form der Ehe voraus, außerhalb der dieser Verkehr stattfindet, und schließt die Prostitution wenigstens schon als Möglichkeit ein. In einem andern Sinn ist das Wort auch nie gebraucht worden, und in diesem Sinn gebrauche ich es mit Morgan. Bachofens höchst bedeutende Entdeckungen werden überall bis ins Unglaubliche vermystifiziert durch seine Einbildung, die geschichtlich entstandnen Beziehungen von Mann und Weib hätten ihre Quelle in den jedesmaligen religiösen Vorstellungen der Menschen, nicht in ihren wirklichen Lebensverhältnissen.

alle Formen des Geschlechtslebens, Regellosigkeit, Anklänge der Gruppenehe, Vielweiberei, Einzelehe; nur die Vielmännerei fehlt, die konnten nur Menschen fertigbringen. Selbst unsre nächsten Verwandten, die Vierhänder, bieten uns alle möglichen Verschiedenheiten in der Gruppierung von Männchen und Weibchen; und wenn wir noch engere Grenzen ziehn und nur die vier menschenähnlichen Affen betrachten, so weiß Letourneau uns nur zu sagen, daß sie bald monogam, bald polygam sind, während Saussure bei Giraud-Teulon behauptet, sie seien monogam.[13] Auch die von Westermarck (»The History of Human Marriage«, London 1891) beigebrachten neueren Behauptungen von Monogamie der menschenähnlichen Affen sind noch lange keine Beweise. Kurzum, die Nachrichten sind der Art, daß der ehrliche Letourneau zugibt:

»Übrigens besteht bei den Säugetieren durchaus kein strenges Verhältnis zwischen dem Grad der intellektuellen Entwicklung und der Form des Geschlechtsverkehrs.«[14]

Und Espinas (»Des sociétés animales«, 1877) sagt geradezu:

»Die Horde ist die höchste soziale Gruppe, die wir bei den Tieren beobachten können. Sie ist, *so scheint es,* aus Familien zusammengesetzt, aber schon von Anfang an *stehn die Familie und die Horde im Widerstreit,* sie entwickeln sich in umgekehrtem Verhältnis.«[15]

Wie schon obiges zeigt, wissen wir über die Familien- und sonstigen geselligen Gruppen der menschenähnlichen Affen so gut wie nichts Bestimmtes; die Nachrichten widersprechen einander direkt. Das ist auch nicht zu verwundern. Wie widerspruchsvoll, wie sehr der kritischen Prüfung und Sichtung bedürftig sind schon die Nachrichten, die wir über wilde Menschenstämme besitzen; Affengesellschaften aber sind noch weit schwerer zu beobachten als menschliche. Bis auf weiteres also müssen wir jede Schlußfolgerung aus solchen absolut unzuverlässigen Berichten zurückweisen.

Dagegen bietet uns der angeführte Satz von Espinas einen besseren Anhaltspunkt. Horde und Familie sind bei den höheren Tieren nicht gegenseitige Ergänzungen, sondern Gegensätze. Espinas führt sehr hübsch aus, wie die Eifersucht der Männchen zur Brunstzeit jede gesellige Horde lockert oder zeitweilig auflöst.

»Wo die Familie eng geschlossen ist, bilden sich Horden nur in seltnen Ausnahmen. Dagegen da, wo freier Geschlechtsverkehr oder Polygamie herrscht, entsteht die Horde fast von selbst... Damit eine Horde entstehn kann, müssen die Familienbande gelockert und das Individuum wieder frei geworden sein. Daher finden wir bei den Vögeln so selten organisierte Horden... Bei den Säugetieren dagegen finden wir einigermaßen organisierte Gesellschaften, grade weil hier das Individuum nicht in der Familie aufgeht... Das Gemeingefühl der Horde kann also bei seinem Entstehn keinen größeren Feind haben als das Gemeingefühl der Familie. Stehen wir nicht an, es auszusprechen: Wenn sich eine höhere Gesellschaftsform als die Familie entwickelt hat, so kann es nur dadurch geschehn sein, daß sie Familien in sich aufnahm, die eine gründliche Veränderung erlitten hatten; was nicht ausschließt, daß diese Familien grade dadurch später die Möglichkeit fanden, sich unter unendlich günstigeren Umständen neu zu konstituieren.« (Espinas, l. c., zitiert bei Giraud-Teulon, »Origines du mariage et de la famille«, 1884, p. 518–520.)

Hier zeigt sich, daß die Tiergesellschaften allerdings einen gewissen Wert haben für den Rückschluß auf die menschlichen – aber nur einen negativen. Das höhere Wirbeltier kennt, soviel wir wissen, nur zwei Familienformen: Vielweiberei oder Einzelpaarung; in beiden ist nur *ein* erwachsenes Männchen, nur *ein* Gatte zulässig. Die Eifersucht des Männchens, zugleich Band und Schranke der Familie, bringt die Tierfamilie in Gegensatz zur Horde; die Horde, die höhere Geselligkeitsform, wird hier unmöglich gemacht, dort gelockert oder während der Brunstzeit aufgelöst, im besten Fall in ihrer Fortentwicklung gehemmt durch die Eifersucht der Männchen. Dies allein genügt zum Beweis, daß Tierfamilie und menschliche Urgesellschaft unverträgliche Dinge sind; daß die sich aus der Tierheit emporarbeitenden Urmenschen entweder gar keine Familie kannten oder höchstens eine, die bei den Tieren nicht vorkommt. Ein so waffenloses Tier wie der werdende Mensch mochte sich in geringer Zahl auch in der Isolierung durchschlagen, deren höchste Geselligkeitsform die Einzelpaarung ist, wie Westermarck sie nach Jägerberichten dem Gorilla und Schimpansen zuschreibt. Zur Entwicklung aus der Tierheit hinaus, zur Vollziehung des größten Fortschritts, den die Natur aufweist, gehörte ein weiteres Element: die Ersetzung der dem einzelnen mangelnden Verteidigungsfähigkeit durch die vereinte Kraft und Zusammenwirkung der Horde. Aus Verhältnissen wie denen, worin die menschenähnlichen Affen heute leben, wäre der Übergang zur Menschheit rein unerklärlich; diese Affen machen vielmehr den Eindruck abgeirrter Seitenlinien, die dem allmählichen Aussterben entgegengehn und jedenfalls im Niedergang begriffen sind. Das allein genügt, um jeden Parallelschluß von ihren Familienformen auf die des Urmenschen abzuweisen. Gegenseitige Duldung der erwachsenen Männchen, Freiheit von Eifersucht, war aber die erste Bedingung für die Bildung solcher größeren und dauernden Gruppen, in deren Mitte die Menschwerdung des Tiers allein sich vollziehen konnte. Und in der Tat, was finden wir als die älteste, ursprünglichste Form der Familie, die wir in der Geschichte unleugbar nachweisen und noch heute hier und da studieren können? Die Gruppenehe, die Form, worin ganze Gruppen von Männern und ganze Gruppen von Frauen einander gegenseitig besitzen und die nur wenig Raum läßt für Eifersucht. Und ferner finden wir auf späterer Entwicklungsstufe die Ausnahmsform der Vielmännerei, die erst recht allen Gefühlen der Eifersucht ins Gesicht schlägt und daher den Tieren unbekannt ist. Da aber die uns bekannten Formen der Gruppenehe von so eigentümlich verwickelten Bedingungen begleitet sind, daß sie mit Notwendigkeit auf frühere, einfachere Formen des geschlechtlichen Umgangs zurückweisen und damit in letzter Instanz auf eine dem Übergang aus der Tierheit in die Menschheit entsprechende Periode des regellosen Verkehrs, so führen uns die Hinweise auf die Tierehen grade wieder auf den Punkt, von dem sie uns ein für allemal hinwegführen sollten.

Was heißt denn das: regelloser Geschlechtsverkehr? Daß die jetzt oder zu einer früheren Zeit geltenden Verbotsschranken nicht gegolten haben. Dic Schranke der Eifersucht haben wir bereits fallen sehn. Wenn etwas, so steht dies fest, daß die Eifersucht eine relativ spät entwickelte Empfindung ist. Dasselbe gilt von der Vorstellung der Blutschande. Nicht nur waren Bruder und Schwester ursprünglich Mann und Frau, auch der Geschlechtsverkehr zwischen Eltern und Kindern ist noch heute bei vielen Völkern gestattet. Bancroft (»The Native Races of the Pacific States of North America«, 1875, vol. I) bezeugt dies von den Kaviats an der Behringstraße, von den Kadiaks bei Alaska, von den Tinnehs im Innern des britischen Nordamerika; Letourneau stellt Berichte derselben Tatsache zusammen von den Chippeway-Indianern, den Cucus in Chile, den Karaiben, den Karens in Hinterindien; von Erzählungen der alten Griechen und Römer über Parther, Perser, Scythen, Hunnen etc. zu schweigen. Ehe die Blutschande erfunden war (und sie *ist* eine Erfindung, und zwar eine höchst wertvolle), konnte der Geschlechtsverkehr zwischen Eltern und Kindern nicht abschreckender sein als zwischen andern Personen, die verschiednen Generationen angehören, und das kommt doch heute selbst in den philiströsesten Ländern vor, ohne großes Entsetzen zu erregen; sogar alte »Jungfern« von über sechzig heiraten zuweilen, wenn sie reich genug sind, junge Männer von ungefähr dreißig. Nehmen wir aber von den ursprünglichsten Familienformen, die wir kennen, die damit verknüpften Vorstellungen von Blutschande hinweg – Vorstellungen, die von den unsrigen total verschieden sind und ihnen häufig direkt widersprechen –, so kommen wir auf eine Form des Geschlechtsverkehrs, die sich nur als regellos bezeichnen läßt. Regellos insofern, als die später durch die Sitte gezogenen Einschränkungen noch nicht bestanden. Daraus folgt aber keineswegs notwendig für die alltägliche Praxis ein kunterbuntes Durcheinander. Einzelpaarungen auf Zeit sind keineswegs ausgeschlossen, wie sie denn selbst in der Gruppenehe jetzt die Mehrzahl der Fälle bilden.

Und wenn der neueste Ableugner eines solchen Urzustandes, Westermarck, jeden Zustand als Ehe bezeichnet, worin beide Geschlechter bis zur Geburt des Sprößlings gepaart bleiben, so ist zu sagen, daß diese Art Ehe im Zustand des regellosen Verkehrs sehr gut vorkommen konnte, ohne der Regellosigkeit, d.h. der Abwesenheit von durch die Sitte gezogenen Schranken des Geschlechtsverkehrs zu widersprechen. Westermarck geht freilich von der Ansicht aus, daß

»Regellosigkeit die Unterdrückung der individuellen Neigungen einschließt«, so daß »die Prostitution ihre echteste Form ist«.[16]

Mir scheint vielmehr, daß alles Verständnis der Urzustände unmöglich bleibt, solange man sie durch die Bordellbrille anschaut. Wir kommen bei der Gruppenehe auf diesen Punkt zurück.

Nach Morgan entwickelte sich aus diesem Urzustand des regellosen Verkehrs, wahrscheinlich sehr frühzeitig:

1. Die *Blutsverwandtschaftsfamilie,* die erste Stufe der Familie. Hier sind die Ehegruppen nach Generationen gesondert: Alle Großväter und Großmütter innerhalb der Grenzen der Familie sind sämtlich untereinander Mann und Frau, ebenso deren Kinder, also die Väter und Mütter, wie deren Kinder wieder einen dritten Kreis gemeinsamer Ehegatten bilden werden, und deren Kinder, die Urenkel der ersten, einen vierten. In dieser Familienform sind also nur Vorfahren und Nachkommen, Eltern und Kinder von den Rechten wie Pflichten (wie wir sagen würden) der Ehe untereinander ausgeschlossen. Brüder und Schwestern, Vettern und Kusinen ersten, zweiten und entfernteren Grades sind alle Brüder und Schwestern untereinander und *eben deswegen* alle Mann und Frau eins des andern. Das Verhältnis von Bruder und Schwester schließt auf dieser Stufe die Ausübung des gegenseitigen Geschlechtsverkehrs von selbst in sich ein.1* Die typische

1* In einem Brief vom Frühjahr 1882[17] spricht Marx sich in den stärksten Ausdrücken aus über die im Wagnerschen Nibelungentext herrschende totale Verfälschung der Urzeit. »War es je erhört, daß der Bruder die Schwester bräutlich umfing?«[18] Diesen ihre Liebeshändel ganz in moderner Weise durch ein

Gestalt einer solchen Familie würde bestehen aus der Nachkommenschaft eines Paars, in welcher wieder die Nachkommen jedes einzelnen Grades unter sich Brüder und Schwestern und ebendeshalb Männer und Frauen untereinander sind.

Die Blutsverwandtschaftsfamilie ist ausgestorben. Selbst die rohsten Völker, von denen die Geschichte erzählt, liefern kein nachweisbares Beispiel davon. Daß sie aber bestanden haben *muß*, dazu zwingt uns das hawaiische, in ganz Polynesien noch jetzt gültige Verwandtschaftssystem, das Grade der Blutsverwandtschaft ausdrückt, wie sie nur unter dieser Familienform entstehn können, dazu zwingt uns die ganze weitere Entwicklung der Familie, die jene Form als notwendige Vorstufe bedingt.

2. Die *Punaluafamilie*. Wenn der erste Fortschritt der Organisation darin bestand, Eltern und Kinder vom gegenseitigen Geschlechtsverkehr auszuschließen, so der zweite in der Ausschließung von Schwester und Bruder. Dieser Fortschritt war,

bißchen Blutschande pikanter machenden »Geilheitsgöttern« Wagners antwortet Marx: »In der Urzeit *war* die Schwester die Frau, *und das war sittlich.*«[2] *[Anmerkung zur ersten Auflage.]* – Ein französischer Freund und Wagnerverehrer ist mit dieser Note nicht einverstanden und bemerkt, daß schon in der »älteren Edda«, worauf Wagner gebaut, in der »Ögisdrecka«, Loki der Freyja vorwirft: »Vor den Göttern umarmtest du den eignen Bruder.« Die Geschwisterehe sei also schon damals verpönt gewesen. Die »Ögisdrecka« ist Ausdruck einer Zeit, wo der Glaube an die alten Mythen vollständig gebrochen war; sie ist ein reines Lucianisches Spottlied auf die Götter. Wenn Loki als Mephisto darin der Freyja solchen Vorwurf macht, so spricht das eher gegen Wagner. Auch sagt Loki, einige Verse weiter, zu Niördhr: »Mit deiner Schwester zeugtest du einen (solchen) Sohn« (vidh systur thinni gaztu slikan mög).[19] Niördhr ist zwar kein Ase, sondern Vane, und sagt in der »Ynglinga Saga«, daß Geschwisterehen in Vanaland üblich seien, was bei den Asen nicht der Fall. Dies wäre ein Anzeichen, daß die Vanen ältre Götter als die Asen.[20] Jedenfalls lebt Niördhr unter den Asen als ihresgleichen, und so ist die »Ögisdrecka« eher ein Beweis, daß zur Zeit der Entstehung der norwegischen Göttersagen die Geschwisterehe, wenigstens unter Göttern, noch keinen Abscheu erregte. Will man Wagner entschuldigen, so täte man vielleicht besser, statt der »Edda« Goethe heranzuziehen, der in der Ballade vom Gott und der Bajadere einen ähnlichen Fehler in Beziehung auf die religiöse Frauenpreisgebung macht und sie viel zu sehr der modernen Prostitution annähert. *[Anmerkung zur vierten Auflage.]*

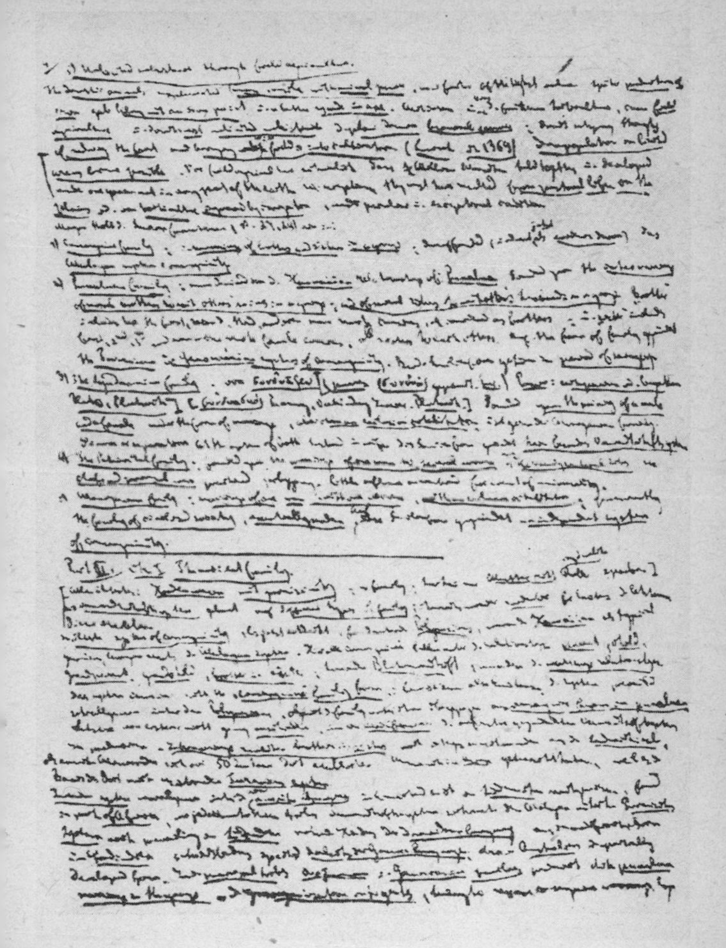

Seite 4 des von Karl Marx angefertigten Konspekts
über Lewis H. Morgans »Ancient Society«

wegen der größern Altersgleichheit der Beteiligten, unendlich viel wichtiger, aber auch schwieriger als der erste. Er vollzog sich allmählich, anfangend wahrscheinlich mit der Ausschließung der leiblichen Geschwister (d. h. von mütterlicher Seite) aus dem Geschlechtsverkehr, erst in einzelnen Fällen, nach und nach Regel werdend (in Hawaii kamen noch in diesem Jahrhundert Ausnahmen vor) und endend mit dem Verbot der Ehe sogar zwischen Kollateralgeschwistern, d. h. nach unsrer Bezeichnung Geschwisterkinder, -enkeln und -urenkeln; er bildet, nach Morgan,

»eine vortreffliche Illustration davon, wie das Prinzip der natürlichen Zuchtwahl wirkt«.[21]

Keine Frage, daß Stämme, bei denen die Inzucht durch diesen Fortschritt beschränkt wurde, sich rascher und voller entwickeln mußten als die, bei denen die Geschwisterehe Regel und Gebot blieb. Und wie gewaltig die Wirkung dieses Fortschritts empfunden wurde, beweist die aus ihm unmittelbar entsprungne, weit über das Ziel hinausschießende Einrichtung der *Gens,* die die Grundlage der gesellschaftlichen Ordnung der meisten, wo nicht aller Barbarenvölker der Erde bildet und aus der wir in Griechenland und Rom unmittelbar in die Zivilisation hinübertreten.

Jede Urfamilie mußte spätestens nach ein paar Generationen sich spalten. Die ursprüngliche kommunistische Gesamthaushaltung, die bis tief in die mittlere Barbarei hinein ausnahmslos herrscht, bedingte eine, je nach den Verhältnissen wechselnde, aber an jedem Ort ziemlich bestimmte Maximalgröße der Familiengemeinschaft. Sobald die Vorstellung von der Ungebühr des Geschlechtsverkehrs zwischen Kindern *einer* Mutter aufkam, mußte sie sich bei solchen Spaltungen alter und Gründung neuer Hausgemeinden (die indes nicht notwendig mit der Familiengruppe zusammenfielen) wirksam zeigen. Eine oder mehrere Reihen von Schwestern wurden der Kern der einen, ihre leiblichen Brüder der Kern der andern. So oder ähnlich ging aus der Blutsverwandtschaftsfamilie die von Morgan Punaluafamilie genannte Form hervor. Nach der hawaiischen Sitte waren eine Anzahl Schwestern, leibliche oder entferntere (d. h. Kusinen ersten, zweiten oder entfernteren Grades), die gemeinsamen Frauen ihrer gemeinsamen Männer, wovon aber ihre Brüder ausgeschlossen; diese Männer nannten sich untereinander nun nicht mehr Brüder, was sie auch nicht mehr zu sein brauchten, sondern Punalua, d. h. intimer Genosse, gleichsam Associé. Ebenso hatte eine Reihe von leiblichen oder entfernteren Brüdern eine Anzahl Frauen, *nicht* ihre Schwestern, in gemeinsamer Ehe, und diese Frauen nannten sich untereinander Punalua. Dies die klassische Gestalt einer Familienformation, die später eine Reihe von Variationen zuließ und deren wesentlicher Charakterzug war: gegenseitige Gemeinschaft der Männer und Weiber innerhalb eines bestimmten Familienkreises, von dem aber die Brüder der Frauen, zuerst die leiblichen, später auch die entfernteren, und umgekehrt also auch die Schwestern der Männer ausgeschlossen waren.

Diese Familienform liefert uns nun mit der vollständigsten Genauigkeit die Verwandtschaftsgrade, wie sie das amerikanische System ausdrückt. Die Kinder der Schwestern meiner Mutter sind noch immer ihre Kinder, ebenso die Kinder der Brüder meines Vaters auch seine Kinder, und sie alle meine Geschwister; aber die Kinder der Brüder meiner Mutter sind jetzt ihre Neffen und Nichten, die Kinder der Schwestern meines Vaters seine Neffen und Nichten, und sie alle meine Vettern und Kusinen. Denn während die Männer der Schwestern meiner Mutter noch immer ihre Männer sind und ebenso die Frauen der Brüder meines Vaters auch noch seine Frauen – rechtlich, wo nicht immer tatsächlich –, so hat die gesellschaftliche Ächtung des Geschlechtsverkehrs zwischen Geschwistern die bisher unterschiedslos als Geschwister behandelten Geschwisterkinder in zwei Klassen geteilt: Die *einen* bleiben nach wie vor (entferntere) Brüder und Schwestern untereinander, die *andern*, die Kinder hier des Bruders, dort der Schwester *können* nicht länger Geschwister sein, sie können keine gemeinschaftlichen Eltern mehr haben, weder

Vater noch Mutter noch *beide,* und deshalb wird hier zum erstenmal die Klasse der Neffen und Nichten, Vettern und Kusinen notwendig, die unter der frühern Familienordnung unsinnig gewesen wäre. Das amerikanische Verwandtschaftssystem, das bei jeder auf irgendeiner Art Einzelehe beruhenden Familienform rein widersinnig erscheint, wird durch die Punaluafamilie bis in seine kleinsten Einzelnheiten rationell erklärt und natürlich begründet. Soweit dies Verwandtschaftssystem verbreitet gewesen, genau soweit, mindestens, muß auch die Punaluafamilie oder eine ihr ähnliche Form bestanden haben.

Diese in Hawaii wirklich als bestehend nachgewiesene Familienform würde uns wahrscheinlich aus ganz Polynesien überliefert sein, hätten die frommen Missionare, wie weiland die spanischen Mönche in Amerika, in solchen widerchristlichen Verhältnissen etwas mehr zu sehen vermocht als den simplen »Greuel«[1*]. Wenn uns Cäsar von den Briten, die sich damals auf der Mittelstufe der Barbarei befanden, erzählt, »sie haben ihre Frauen je zehn oder zwölf gemeinsam unter sich, und zwar meist Brüder mit Brüdern und Eltern mit Kindern«[23] – so erklärt sich dies am besten als Gruppenehe. Barbarische Mütter haben nicht zehn bis zwölf Söhne, alt genug, um sich gemeinschaftliche Frauen halten zu können, aber das amerikanische Verwandtschaftssystem, das der Punaluafamilie entspricht, liefert viele Brüder, weil alle nahen und entfernten Vettern eines Mannes seine Brüder sind. Das »Eltern mit Kindern« mag falsche Auffassung des Cäsar sein; daß Vater und Sohn, oder Mutter und Tochter sich in derselben Ehegruppe befinden sollten, ist indes bei diesem System nicht absolut ausgeschlossen, wohl aber Vater und Tochter

[1*] Die Spuren unterschiedslosen Geschlechtsverkehrs, seiner sog. »Sumpfzeugung«, die Bachofen[22] gefunden zu haben meint, führen sich, wie jetzt nicht mehr bezweifelt werden kann, auf die Gruppenehe zurück. »Wenn Bachofen diese Punalua-Ehen ›gesetzlos‹ findet, so fände ein Mann aus jener Periode die meisten jetzigen Ehen zwischen nahen und entfernten Vettern väterlicher oder mütterlicher Seite blutschänderisch, nämlich als Ehen zwischen blutsverwandten Geschwistern.« (Marx.)[2]

oder Mutter und Sohn. Ebenso liefert diese oder eine ähnliche Form der Gruppenehe die leichteste Erklärung der Berichte Herodots und andrer alter Schriftsteller über Weibergemeinschaft bei wilden und barbarischen Völkern. Dies gilt auch von dem, was Watson und Kaye (»The People of India«) von den Tikurs in Audh (nördlich vom Ganges) erzählen:

»Sie leben zusammen« (d. h. geschlechtlich) »fast unterschiedslos in großen Gemeinschaften, und wenn zwei Leute als miteinander verheiratet gelten, so ist das Band doch nur nominell.«

Direkt aus der Punaluafamilie hervorgegangen scheint in weitaus den meisten Fällen die Institution der *Gens.* Zwar bietet auch das australische Klassensystem[24] einen Ausgangspunkt dafür; die Australier haben Gentes, aber noch keine Punaluafamilie, sondern eine rohere Form der Gruppenehe.

Bei allen Formen der Gruppenfamilie ist es ungewiß, wer der Vater eines Kindes ist, gewiß aber ist, wer seine Mutter. Wenn sie auch *alle* Kinder der Gesamtfamilie ihre Kinder nennt und Mutterpflichten gegen sie hat, so kennt sie doch ihre leiblichen Kinder unter den *andern.* Es ist also klar, daß, soweit Gruppenehe besteht, die Abstammung nur von *mütterlicher* Seite nachweisbar ist, also nur die *weibliche Linie* anerkannt wird. Dies ist in der Tat bei allen wilden und der niederen Barbarenstufe angehörigen Völkern der Fall; und dies zuerst entdeckt zu haben ist das zweite große Verdienst Bachofens. Er bezeichnet diese ausschließliche Anerkennung der Abstammungsfolge nach der Mutter und die daraus sich mit der Zeit ergebenden Erbschaftsbeziehungen mit dem Namen Mutterrecht; ich behalte diesen Namen, der Kürze wegen, bei. Er ist aber schief, denn auf dieser Gesellschaftsstufe ist von Recht im juristischen Sinne noch nicht die Rede.

Nehmen wir nun aus der Punaluafamilie die eine der beiden Mustergruppen, nämlich die einer Reihe von leiblichen und entfernteren (d. h. im ersten, zweiten oder entfernteren Grad von leiblichen Schwestern abstammenden) Schwestern, zusamt ihren Kindern und ihren leiblichen oder entfernteren

Brüdern von mütterlicher Seite (die nach unsrer Voraussetzung *nicht* ihre Männer sind), so haben wir genau den Umkreis der Personen, die später als Mitglieder einer Gens in der Urform dieser Institution erscheinen. Sie haben alle eine gemeinsame Stammutter, kraft der Abstammung, von welcher die weiblichen Nachkommen generationsweise Schwestern sind. Die Männer dieser Schwestern können aber nicht mehr ihre Brüder sein, also nicht von dieser Stammutter abstammen, gehören also nicht in die Blutsverwandtschaftsgruppe, die spätere Gens; ihre Kinder aber gehören in diese Gruppe, da Abstammung von mütterlicher Seite allein entscheidend, weil allein gewiß ist. Sobald die Ächtung des Geschlechtsverkehrs zwischen allen Geschwistern, auch den entferntesten Kollateralverwandten mütterlicher Seite, einmal feststeht, hat sich auch obige Gruppe in eine Gens verwandelt, d.h. sich konstituiert als ein fester Kreis von Blutsverwandten weiblicher Linie, die untereinander nicht heiraten dürfen, und der von nun an sich mehr und mehr durch andre gemeinsame Einrichtungen gesellschaftlicher und religiöser Art befestigt und von den andern Gentes desselben Stammes unterscheidet. Darüber ausführlich später. Wenn wir aber finden, wie nicht nur notwendig, sondern sogar selbstverständlich die Gens aus der Punaluafamilie sich entwickelt, so liegt es nahe, das ehemalige Bestehn dieser Familienform als fast sicher anzunehmen für alle Völker, bei denen Gentilinstitutionen nachweisbar sind, d.h. so ziemlich für alle Barbaren und Kulturvölker.

Als Morgan sein Buch schrieb, war unsre Kenntnis von der Gruppenehe noch sehr beschränkt. Man wußte einiges wenige über die Gruppenehen der in Klassen organisierten Australier, und daneben hatte Morgan schon 1871 die ihm zugekommenen Nachrichten über die hawaiische Punaluafamilie veröffentlicht[25]. Die Punaluafamilie lieferte einerseits die vollständige Erklärung für das unter den amerikanischen Indianern herrschende Verwandtschaftssystem, das für Morgan der Ausgangspunkt aller seiner Untersuchungen gewesen war; sie bildete andrerseits den fertigen Ausgangspunkt zur Ableitung der mutterrechtlichen Gens; sie stellte endlich eine weit höhere Entwicklungsstufe dar als die australischen Klassen. Es war also begreiflich, daß Morgan sie als die der Paarungsehe notwendig vorhergehende Entwicklungsstufe faßte und ihr allgemeine Verbreitung in früherer Zeit zuschrieb. Wir haben seitdem eine Reihe andrer Formen der Gruppenehe kennengelernt und wissen jetzt, daß Morgan hier zu weit ging. Aber er hatte immerhin das Glück, in seiner Punaluafamilie auf die höchste, die klassische Form der Gruppenehe zu stoßen, auf diejenige Form, aus der der Übergang zu einer höheren Form sich am einfachsten erklärt.

Die wesentlichste Bereicherung unsrer Kenntnisse von der Gruppenehe verdanken wir dem englischen Missionar Lorimer Fison, der diese Familienform auf ihrem klassischen Boden, Australien, jahrelang studierte. Die niedrigste Entwicklungsstufe fand er bei den Australnegern am Mount Gambier in Südaustralien. Hier ist der ganze Stamm in zwei große Klassen geteilt, Kroki und Kumite. Der Geschlechtsverkehr innerhalb jeder dieser Klassen ist streng verpönt; dagegen ist jeder Mann der einen Klasse der angeborne Gatte jeder Frau der andern Klasse, und diese ist seine angeborne Gattin. Nicht die Individuen, die ganzen Gruppen sind aneinander verheiratet, Klasse mit Klasse. Und wohlgemerkt, hier ist nirgends ein Vorbehalt gemacht wegen Altersunterschied oder spezieller Blutsverwandtschaft, außer soweit dies durch die Spaltung in zwei exogame Klassen bedingt ist. Ein Kroki hat zur rechtmäßigen Gattin jede Kumitefrau; da aber seine eigne Tochter, als Tochter einer Kumitefrau, nach Mutterrecht ebenfalls Kumite ist, so ist sie damit die geborne Gattin jedes Kroki, also auch ihres Vaters. Wenigstens schiebt dem die Klassenorganisation, wie sie uns vorliegt, keinen Riegel vor. Entweder also ist diese Organisation entstanden zu einer Zeit, wo man, bei allem dunkeln Drang, die Inzucht zu beschränken, im Geschlechtsverkehr zwischen Eltern und Kindern noch nichts besonders Grauenhaftes fand – und dann würde das Klassensystem direkt entstanden sein aus einem

Zustand des regellosen geschlechtlichen Umgangs. Oder aber, der Verkehr zwischen Eltern und Kindern *war* schon durch die Sippe verpönt, als die Klassen entstanden, und dann weist der jetzige Zustand zurück auf die Blutsverwandtschaftsfamilie und ist der erste Schritt aus dieser hinaus. Dies letztere ist das wahrscheinlichere. Beispiele von ehelichem Umgang zwischen Eltern und Kindern werden meines Wissens aus Australien nicht erwähnt, und auch die spätere Form der Exogamie, die mutterrechtliche Gens, setzt in der Regel das Verbot dieses Umgangs stillschweigend, als etwas bei ihrer Stiftung schon Vorgefundnes voraus.

Das System der *zwei* Klassen findet sich, außer am Mount Gambier in Südaustralien, ebenfalls am Darlingfluß weiter östlich und in Queensland im Nordosten, ist also weit verbreitet. Es schließt nur die Ehen zwischen Geschwistern, zwischen Bruderskindern und zwischen Schwesterkindern auf Mutterseite aus, weil diese derselben Klasse angehören; die Kinder von Schwester und Bruder können dagegen heiraten. Einen weiteren Schritt zur Verhinderung der Inzucht finden wir bei den Kamilaroi am Darlingfluß in Neusüdwales, wo die beiden ursprünglichen Klassen in vier gespalten sind und jede dieser vier Klassen ebenfalls an eine bestimmte andre in Bausch und Bogen verheiratet ist. Die ersten zwei Klassen sind geborne Gatten voneinander; je nachdem die Mutter der ersten oder zweiten angehörte, fallen die Kinder in die dritte oder vierte; die Kinder dieser beiden, ebenfalls aneinander verheirateten Klassen, gehörten wieder in die erste und zweite. So daß immer eine Generation der ersten und zweiten, die folgende der dritten und vierten, die nächstfolgende wieder der ersten und zweiten Klasse angehört. Hiernach können Geschwisterkinder (auf Mutterseite) nicht Mann und Frau sein, wohl aber Geschwisterenkel. Diese eigentümlich komplizierte Ordnung wird noch verwickelter gemacht durch die – jedenfalls spätere – Daraufpfropfung von mutterrechtlichen Gentes, doch können wir hierauf nicht eingehn. Man sieht eben, der Drang nach Verhinderung der Inzucht macht sich aber und abermals geltend, aber ganz naturwüchsig-tastend, ohne klares Bewußtsein des Ziels.

Die Gruppenehe, die hier in Australien noch Klassenehe, Massenehestand einer ganzen, oft über die ganze Breite des Kontinents zerstreuten Klasse Männer mit einer ebenso weitverbreiteten Klasse Frauen ist – diese Gruppenehe sieht in der Nähe nicht ganz so grauenvoll aus, wie die an Bordellwirtschaft gewohnte Philisterphantasie sich das vorstellt. Im Gegenteil, es hat lange Jahre gedauert, bis man ihre Existenz nur geahnt hat, und auch ganz neuerdings wird diese wieder bestritten. Dem oberflächlichen Beobachter stellt sie sich dar als lockre Einzelehe und stellenweise Vielweiberei neben gelegentlicher Untreue. Man muß schon Jahre daranwenden, wie Fison und Howitt, um in diesen, in ihrer Praxis den gewöhnlichen Europäer eher anheimelnden Ehezuständen das regelnde Gesetz zu entdecken, das Gesetz, wonach der fremde Australneger, Tausende von Kilometern von seiner Heimatgegend, unter Leuten, deren Sprache ihm unverständlich, dennoch nicht selten von Lager zu Lager, von Stamm zu Stamm Frauen findet, die ihm ohne Sträuben und ohne Arg zu Willen sind, und wonach derjenige, der mehrere Frauen hat, dem Gast eine derselben für die Nacht abtritt. Wo der Europäer Sittenlosigkeit und Gesetzlosigkeit sieht, herrscht in der Tat strenges Gesetz. Die Frauen gehören zur Eheklasse des Fremden und sind daher seine gebornen Gattinnen; dasselbe Sittengesetz, das beide aufeinander anweist, verbietet bei Strafe der Ächtung jeden Verkehr außerhalb der zueinander gehörigen Eheklassen. Selbst wo Frauen geraubt werden, wie das häufig und in manchen Gegenden die Regel ist, wird das Klassengesetz sorgfältig eingehalten.

Beim Frauenraub zeigt sich übrigens hier schon eine Spur des Übergangs zur Einzelehe, wenigstens in der Form der Paarungsehe: Wenn der junge Mann mit Hülfe seiner Freunde das Mädchen geraubt oder entführt hat, so wird sie von ihnen allen der Reihe nach geschlechtlich gebraucht, gilt danach aber auch für die Frau des jungen Mannes, der den Raub angestiftet hat. Und umgekehrt, läuft die geraubte Frau dem Manne weg und wird von einem andern abgefaßt, so wird sie dessen Frau, und der erste hat sein Vorrecht verloren. Neben und innerhalb der im allgemeinen fortbestehenden Gruppenehe bilden sich also Ausschließlichkeitsverhältnisse, Paarungen auf längere oder kürzere Zeit, daneben Vielweiberei, so daß die Gruppenehe auch hier im Absterben begriffen ist und es sich nur fragt, wer unter dem europäischen Einfluß zuerst vom Schauplatz verschwinden wird: die Gruppenehe oder die ihr frönenden Australneger.

Die Ehe nach ganzen Klassen, wie sie in Australien herrscht, ist jedenfalls eine sehr niedrige und ursprüngliche Form der Gruppenehe, während die Punaluafamilie, soviel wir wissen, ihre höchste Entwicklungsstufe ist. Die erstere scheint die dem Gesellschaftsstand herumstreichender Wilden entsprechende Form, die zweite setzt schon relativ feste Ansiedlungen kommunistischer Gemeinschaften voraus und führt unmittelbar in die nächsthöhere Entwicklungsstufe. Zwischen beiden werden wir sicher noch manche Mittelstufen finden; hier liegt ein bis jetzt nur eröffnetes, kaum schon betretenes Untersuchungsgebiet vor.

3. Die *Paarungsfamilie*. Eine gewisse Paarung, für kürzere oder längere Zeit, fand bereits unter der Gruppenehe oder noch früher statt; der Mann hatte eine Hauptfrau (man kann noch kaum sagen Lieblingsfrau) unter den vielen Frauen, und er war für sie der hauptsächlichste Ehemann unter den andern. Dieser Umstand hat nicht wenig beigetragen zu der Konfusion bei den Missionaren, die in der Gruppenehe bald regellose Weibergemeinschaft, bald willkürlichen Ehebruch sehn. Eine solche gewohnheitsmäßige Paarung mußte aber mehr und mehr sich befestigen, je mehr die Gens sich ausbildete und je zahlreicher die Klassen von »Brüdern« und »Schwestern« wurden, zwischen denen Heirat nun unmöglich war. Der durch die Gens gegebne Anstoß der Verhinderung der Heirat zwischen Blutsverwandten trieb noch weiter. So finden wir, daß bei den Irokesen und den meisten andern auf der Unter-

stufe der Barbarei stehenden Indianern die Ehe verboten ist zwischen *allen* Verwandten, die ihr System aufzählt, und das sind mehrere hundert Arten. Bei dieser wachsenden Verwicklung der Eheverbote wurden Gruppenehen mehr und mehr unmöglich; sie wurden verdrängt durch die *Paarungsfamilie.* Auf dieser Stufe lebt ein Mann mit einer Frau zusammen, jedoch so, daß Vielweiberei und gelegentliche Untreue Recht der Männer bleibt, wenn erstere auch aus ökonomischen Gründen selten vorkommt; während von den Weibern für die Dauer des Zusammenlebens meist strengste Treue verlangt und ihr Ehebruch grausam bestraft wird. Das Eheband ist aber von jedem Teil leicht löslich, und die Kinder gehören nach wie vor der Mutter allein.

Auch in dieser immer weiter getriebnen Ausschließung der Blutsverwandten vom Eheband wirkt die natürliche Zuchtwahl fort. In Morgans Worten:

»Die Ehen zwischen nicht-blutsverwandten Gentes erzeugten eine kräftigere Race, physisch wie geistig; zwei fortschreitende Stämme vermischten sich, und die neuen Schädel und Hirne erweiterten sich naturgemäß, bis sie die Fähigkeiten *beider* umfaßten.«[26]

Stämme mit Gentilverfassung mußten so über die Zurückgebliebenen die Oberhand gewinnen oder sie durch ihr Beispiel mit sich ziehn.

Die Entwicklung der Familie in der Urgeschichte besteht somit in der fortwährenden Verengerung des ursprünglich den ganzen Stamm umfassenden Kreises, innerhalb dessen eheliche Gemeinschaft zwischen den beiden Geschlechtern herrscht. Durch fortgesetzte Ausschließung erst näherer, dann immer entfernterer Verwandten, zuletzt selbst bloß angeheirateter, wird endlich jede Art von Gruppenehe praktisch unmöglich, und es bleibt schließlich das eine, einstweilen noch lose verbundne Paar übrig, das Molekül, mit dessen Auflösung die Ehe überhaupt aufhört. Schon hieraus zeigt sich, wie wenig die individuelle Geschlechtsliebe im heutigen Sinne des Worts mit der Entstehung der Einzelehe zu tun hatte. Noch mehr beweist dies die Praxis aller Völker, die auf dieser Stufe stehn. Während in früheren Familienformen die Männer nie um Frauen verlegen zu sein brauchten, im Gegenteil ihrer eher mehr als genug hatten, wurden Frauen jetzt selten und gesucht. Daher beginnt seit der Paarungsehe der Raub und der Kauf von Frauen – weitverbreitete *Symptome,* aber weiter nichts, einer eingetretnen, viel tiefer liegenden Veränderung, welche Symptome, bloße Methoden, sich Frauen zu verschaffen, der pedantische Schotte McLennan indes als »Raubehe« und »Kaufehe« in besondre Familienklassen umgedichtet hat. Auch sonst, bei den amerikanischen Indianern und anderswo (auf gleicher Stufe) ist die Eheschließung Sache nicht der Beteiligten, die oft gar nicht befragt werden, sondern ihrer Mütter. Oft werden so zwei einander ganz Unbekannte verlobt und erst von dem abgeschlossenen Handel in Kenntnis gesetzt, wenn die Zeit zum Heiraten heranrückt. Vor der Hochzeit macht der Bräutigam den Gentilverwandten der Braut (also ihren mütterlichen, nicht dem Vater und seiner Verwandtschaft) Geschenke, die als Kaufgaben für das abgetretene Mädchen gelten. Die Ehe bleibt löslich nach dem Belieben eines jeden der beiden Verheirateten: Doch hat sich nach und nach bei vielen Stämmen, z. B. den Irokesen, eine solchen Trennungen abgeneigte öffentliche Meinung gebildet; bei Streitigkeiten treten die Gentilverwandten beider Teile vermittelnd ein, und erst wenn dies nicht fruchtet, findet Trennung statt, wobei die Kinder der Frau verbleiben und wonach es jedem Teil freisteht, sich neu zu verheiraten.

Die Paarungsfamilie, selbst zu schwach und zu unbeständig, um einen eignen Haushalt zum Bedürfnis oder nur wünschenswert zu machen, löst die aus früherer Zeit überlieferte kommunistische Haushaltung keineswegs auf. Kommunistischer Haushalt bedeutet aber Herrschaft der Weiber im Hause, wie ausschließliche Anerkennung einer leiblichen Mutter bei Unmöglichkeit, einen leiblichen Vater mit Gewißheit zu kennen, hohe Achtung der Weiber, d. h. der Mütter, bedeutet. Es ist eine der absurdesten, aus der Aufklärung des 18. Jahrhunderts überkommenen Vorstellungen, das Weib sei im Anfang der Gesellschaft Sklavin des Mannes gewesen. Das Weib hat bei allen Wilden und allen Barbaren der Unter- und Mittelstufe, teilsweise noch der Oberstufe, eine nicht nur freie, sondern hochgeachtete Stellung. Was es noch in der Paarungsehe ist, möge Arthur Wright, langjähriger Missionar unter den Seneka-Irokesen, bezeugen:

»Was ihre Familien betrifft, zur Zeit, wo sie noch die alten langen Häuser« (kommunistische Haushaltungen mehrerer Familien) »bewohnten, ... so herrschte dort immer ein Clan« (eine Gens) »vor, so daß die Weiber ihre Männer aus den andern Clans« (Gentes) »nahmen... Gewöhnlich beherrschte der weibliche Teil das Haus; die Vorräte waren gemeinsam; wehe aber dem unglücklichen Ehemann oder Liebhaber, der zu träge oder zu ungeschickt war, seinen Teil zum gemeinsamen Vorrat beizutragen. Einerlei wieviel Kinder oder wieviel Eigenbesitz er im Hause hatte, jeden Augenblick konnte er des Befehls gewärtig sein, sein Bündel zu schnüren und sich zu trollen. Und er durfte nicht versuchen, dem zu widerstehn; das Haus wurde ihm zu heiß gemacht, es blieb ihm nichts, als zu seinem eignen Clan« (Gens) »zurückzukehren oder aber, was meist der Fall, eine neue Ehe in einem andern Clan aufzusuchen. Die Weiber waren die große Macht in den Clans« (Gentes) »und auch sonst überall. Gelegentlich kam es ihnen nicht darauf an, einen Häuptling abzusetzen und zum gemeinen Krieger zu degradieren.«[27]

Die kommunistische Haushaltung, in der die Weiber meist oder alle einer und derselben Gens angehören, die Männer aber auf verschiedene Gentes sich verteilen, ist die sachliche Grundlage jener in der Urzeit allgemein verbreiteten Vorherrschaft der Weiber, die ebenfalls entdeckt zu haben ein drittes Verdienst Bachofens ist. – Nachträglich bemerke ich noch, daß die Berichte der Reisenden und Missionare über Belastung der Weiber mit übermäßiger Arbeit bei Wilden und Barbaren dem Gesagten keineswegs widersprechen. Die Teilung der Arbeit zwischen beiden Geschlechtern wird bedingt durch ganz andre Ursachen als die Stellung der Frau in der Gesellschaft. Völker, bei denen die Weiber weit mehr arbeiten müssen, als ihnen nach unsrer Vorstellung gebührt, haben vor den Weibern oft weit mehr wirkliche Achtung als unsre

Europäer. Die Dame der Zivilisation, von Scheinhuldigungen umgeben und aller wirklichen Arbeit entfremdet, hat eine unendlich niedrigere gesellschaftliche Stellung als das hart arbeitende Weib der Barbarei, das in seinem Volk für eine wirkliche Dame (lady, frowa, Frau = Herrin) galt und auch eine solche ihrem Charakter nach war.

Ob die Paarungsehe in Amerika heute die Gruppenehe gänzlich verdrängt hat, müssen nähere Untersuchungen über die noch auf der Oberstufe der Wildheit stehenden nordwestlichen und namentlich über die südamerikanischen Völker entscheiden. Von diesen letzteren werden so mannigfache Beispiele geschlechtlicher Ungebundenheit erzählt, daß eine vollständige Überwindung der alten Gruppenehe hier kaum anzunehmen ist. Jedenfalls sind noch nicht alle Spuren davon verschwunden. Bei wenigstens vierzig nordamerikanischen Stämmen hat der Mann, der eine älteste Schwester heiratet, das Recht, alle ihre Schwestern ebenfalls zu Frauen zu nehmen, sobald sie das erforderliche Alter erreichen: Rest der Gemeinsamkeit der Männer für die ganze Reihe von Schwestern. Und von den Halbinsel-Kaliforniern (Oberstufe der Wildheit) erzählt Bancroft, daß sie gewisse Festlichkeiten haben, wo mehrere »Stämme« zusammenkommen zum Zweck des unterschiedslosen geschlechtlichen Verkehrs.[28] Es sind offenbar Gentes, die in diesen Festen die dunkle Erinnerung bewahren an die Zeit, wo die Frauen *einer* Gens alle Männer der andern zu ihren gemeinsamen Ehemännern hatten und umgekehrt. Dieselbe Sitte herrscht noch in Australien. Bei einigen Völkern kommt es vor, daß die älteren Männer, die Häuptlinge und Zauberer-Priester die Weibergemeinschaft für sich ausbeuten und die meisten Frauen für sich monopolisieren; aber dafür müssen sie bei gewissen Festen und großen Volksversammlungen die alte Gemeinschaft wieder in Wirklichkeit treten und ihre Frauen sich mit den jungen Männern ergötzen lassen. Eine ganze Reihe von Beispielen solcher periodischen Saturnalienfeste[29], wo der alte freie Geschlechtsverkehr wieder auf kurze Zeit in Kraft tritt, bringt

Westermarck p. 28/29 bei den Hos, den Santals, den Pandschas und Kotars in Indien, bei einigen afrikanischen Völkern usw. Merkwürdigerweise zieht Westermarck hieraus den Schluß, dies sei Überbleibsel nicht der von ihm geleugneten Gruppenehe, sondern – der dem Urmenschen mit den andern Tieren gemeinsamen Brunstzeit.

Wir kommen hier auf die vierte große Entdeckung Bachofens, die Entdeckung der weitverbreiteten Übergangsform von der Gruppenehe zur Paarung. Was Bachofen als eine Buße für Verletzung der alten Göttergebote darstellt: Die Buße, womit die Frau das Recht auf Keuschheit erkauft, ist in der Tat nur mystischer Ausdruck für die Buße, womit die Frau sich aus der alten Männergemeinschaft loskauft und das Recht erwirbt, sich nur *einem* Mann hinzugeben. Diese Buße besteht in einer beschränkten Preisgebung: Die babylonischen Frauen mußten einmal im Jahr sich im Tempel der Mylitta preisgeben; andere vorderasiatische Völker schickten ihre Mädchen jahrelang in den Tempel der Anaitis, wo sie mit selbstgewählten Günstlingen der freien Liebe zu pflegen hatten, ehe sie heiraten durften; ähnliche religiös verkleidete Gebräuche sind fast allen asiatischen Völkern zwischen Mittelmeer und Ganges gemein. Das Sühnopfer für den Loskauf wird im Verlauf der Zeit immer leichter, wie schon Bachofen bemerkt:

»Die jährlich wiederholte Darbringung weicht der einmaligen Leistung, auf den Hetärismus der Matronen folgt jener der Mädchen, auf die Ausübung während der Ehe die vor derselben, auf die wahllose Überlassung an alle die an gewisse Personen.« (»Mutterrecht«, p. XIX.)

Bei andern Völkern fehlt die religiöse Verkleidung; bei einigen – Thrakern, Kelten etc. im Altertum, bei vielen Ureinwohnern Indiens, bei malaiischen Völkern, bei Südsee-Insulanern und vielen amerikanischen Indianern noch heute – genießen die Mädchen bis zu ihrer Verheiratung der größten geschlechtlichen Freiheit. Namentlich fast überall in Südamerika, wovon jeder, der dort etwas ins Innere gekommen, Zeugnis ablegen kann. So erzählt Agassiz (»A Journey in

Brazil«, Boston and New York 1868, p. 266) von einer reichen Familie von indianischer Abstammung; als er mit der Tochter bekannt gemacht wurde, frug er nach ihrem Vater, in der Meinung, dies sei der Mann der Mutter, der als Offizier im Krieg gegen Paraguay stand; aber die Mutter antwortete lächelnd: Naõ tem pai, é filha da fortuna, sie hat keinen Vater, sie ist ein Zufallskind.

»In dieser Art sprechen indianische oder halbblütige Frauen jederzeit ohne Scham oder Tadel von ihren unehelichen Kindern; und dies ist weit entfernt davon, ungewöhnlich zu sein, eher scheint das Gegenteil Ausnahme. Die Kinder ... kennen oft nur ihre Mutter, denn alle Sorge und Verantwortlichkeit fällt auf sie; von ihrem Vater wissen sie nichts; auch scheint es der Frau nie einzufallen, daß sie oder ihre Kinder irgendwelchen Anspruch an ihn haben.«

Was dem Zivilisierten hier befremdlich vorkommt, ist einfach die Regel nach Mutterrecht und in der Gruppenehe.

Bei wieder andern Völkern nehmen die Freunde und Verwandten des Bräutigams oder die Hochzeitsgäste bei der Hochzeit selbst das altüberkommene Recht auf die Braut in Anspruch, und der Bräutigam kommt erst zuletzt an die Reihe; so auf den Balearen und bei den afrikanischen Augilern im Altertum, bei den Bareas in Abessinien noch jetzt. Bei wieder andern vertritt eine Amtsperson, der Stammes- oder Gentilvorstand, Kazike, Schamane, Priester, Fürst oder wie er heißen mag, die Gemeinschaft, und übt bei der Braut das Recht der ersten Nacht aus. Trotz aller neuromantischen Weißwaschungen besteht dies jus primae noctis als Rest der Gruppenehe noch heutzutage bei den meisten Einwohnern des Alaskagebiets (Bancroft, »Native Races«, I, 81), bei den Tahus in Nordmexiko (ib. p. 584) und andern Völkern; und hat es wenigstens in ursprünglich keltischen Ländern, wo es direkt aus der Gruppenehe überliefert worden, im ganzen Mittelalter bestanden, z. B. in Aragonien. Während in Kastilien der Bauer nie leibeigen war, herrschte in Aragonien die schmählichste Leibeigenschaft bis zum Schiedsspruch Ferdinands des Katholischen von 1486[30]. In diesem Aktenstück heißt es:

»Wir urteilen und erklären, daß die vorerwähnten Herren« (senyors, Barone) »... auch nicht können die erste Nacht, wo der Bauer eine Frau nimmt, bei ihr schlafen, oder zum Zeichen der Herrschaft, in der Hochzeitsnacht, nachdem die Frau sich zu Bette gelegt, über es und über die erwähnte Frau hinwegschreiten; noch können die vorerwähnten Herren sich der Tochter oder des Sohnes des Bauern bedienen, mit Bezahlung oder ohne Bezahlung, gegen deren Willen.« (Zitiert im katalanischen Original bei Sugenheim, »Leibeigenschaft«, Petersburg 1861, p. 35.)

Bachofen hat ferner unbedingt recht, wenn er durchweg behauptet, der Übergang von dem, was er »Hetärismus« oder »Sumpfzeugung« nennt, zur Einzelehe sei zustande gekommen wesentlich durch die Frauen. Je mehr mit der Entwicklung der ökonomischen Lebensbedingungen, also mit der Untergrabung des alten Kommunismus und mit der wachsenden Dichtigkeit der Bevölkerung, die altherkömmlichen Geschlechtsverhältnisse ihren waldursprünglich-naiven Charakter einbüßten, um so mehr mußten sie den Frauen erniedrigend und drückend erscheinen; um so dringender mußten sie das Recht auf Keuschheit, auf zeitweilige oder dauernde Ehe mit nur einem Mann, als eine Erlösung herbeiwünschen. Von den Männern konnte dieser Fortschritt ohnehin schon deshalb nicht ausgehn, weil es ihnen überhaupt nie, auch bis heute nicht, eingefallen ist, auf die Annehmlichkeiten der tatsächlichen Gruppenehe zu verzichten. Erst nachdem durch die Frauen der Übergang zur Paarungsehe gemacht, konnten die Männer die strikte Monogamie einführen – freilich nur für die Frauen.

Die Paarungsfamilie entsprang an der Grenze zwischen Wildheit und Barbarei, meist schon auf der Oberstufe der Wildheit, hier und da erst auf der Unterstufe der Barbarei. Sie ist die charakteristische Familienform für die Barbarei, wie die Gruppenehe für die Wildheit und die Monogamie für die Zivilisation. Um sie zur festen Monogamie weiterzuentwickeln, bedurfte es andrer Ursachen als derjenigen, die wir bisher wirkend fanden. Die Gruppe war in der Paarung bereits auf ihre letzte Einheit, ihr zweiatomiges Molekül, herabgebracht: auf einen Mann und eine Frau. Die Naturzüchtung hatte in der immer weiter geführten Ausschließung von der Ehegemeinschaft ihr Werk vollbracht; in dieser Richtung blieb nichts mehr für sie zu tun. Kamen also nicht neue, *gesellschaftliche* Triebkräfte in Wirksamkeit, so war kein Grund vorhanden, warum aus der Paarung eine neue Familienform hervorgehn sollte. Aber diese Triebkräfte traten in Wirksamkeit.

Wir verlassen jetzt Amerika, den klassischen Boden der Paarungsfamilie. Kein Anzeichen läßt schließen, daß dort eine höhere Familienform sich entwickelt, daß dort vor der Entdeckung und Eroberung jemals irgendwo feste Monogamie bestanden habe. Anders in der alten Welt.

Hier hatte die Zähmung der Haustiere und die Züchtung von Herden eine bisher ungeahnte Quelle des Reichtums entwickelt und ganz neue gesellschaftliche Verhältnisse geschaffen. Bis auf die Unterstufe der Barbarei hatte der ständige Reichtum bestanden fast nur in dem Haus, der Kleidung, rohem Schmuck und den Werkzeugen zur Erringung und Bereitung der Nahrung: Boot, Waffen, Hausrat einfachster Art. Die Nahrung mußte Tag um Tag neu errungen werden. Jetzt, mit den Herden der Pferde, Kamele, Esel, Rinder, Schafe, Ziegen und Schweine hatten die vordringenden Hirtenvölker – die Arier im indischen Fünfstromland und Gangesgebiet wie in den damals noch weit wasserreicheren Steppen am Oxus und Jaxartes, die Semiten am Euphrat und Tigris – einen Besitz erworben, der nur der Aufsicht und rohesten Pflege bedurfte, um sich in stets vermehrter Zahl fortzupflanzen und die reichlichste Nahrung an Milch und Fleisch zu liefern. Alle früheren Mittel der Nahrungsbeschaffung traten nun in den Hintergrund; die Jagd, früher eine Notwendigkeit, wurde nun ein Luxus.

Wem gehörte aber dieser neue Reichtum? Unzweifelhaft ursprünglich der Gens. Aber schon früh muß sich Privateigentum an den Herden entwickelt haben. Es ist schwer zu sagen, ob dem Verfasser des sog. ersten Buchs Mosis der Vater

Abraham erschien als Besitzer seiner Herden kraft eignen Rechts als Vorstand einer Familiengemeinschaft oder kraft seiner Eigenschaft als tatsächlich erblicher Vorsteher einer Gens. Sicher ist nur, daß wir ihn uns nicht als Eigentümer im modernen Sinn vorstellen dürfen. Und sicher ist ferner, daß wir an der Schwelle der beglaubigten Geschichte die Herden schon überall in Sondereigentum von Familienvorständen finden, ganz wie die Kunsterzeugnisse der Barbarei, Metallgerät, Luxusartikel und endlich das Menschenvieh – die Sklaven.

Denn jetzt war auch die Sklaverei erfunden. Dem Barbaren der Unterstufe war der Sklave wertlos. Daher auch die amerikanischen Indianer mit den besiegten Feinden ganz anders verfuhren, als auf höherer Stufe geschah. Die Männer wurden getötet oder aber in den Stamm der Sieger als Brüder aufgenommen; die Weiber wurden geheiratet oder sonst mit ihren überlebenden Kindern ebenfalls adoptiert. Die menschliche Arbeitskraft liefert auf dieser Stufe noch keinen beachtenswerten Überschuß über ihre Unterhaltskosten. Mit der Einführung der Viehzucht, der Metallbearbeitung, der Weberei und endlich des Feldbaus wurde das anders. Wie die früher so leicht zu erlangenden Gattinnen jetzt einen Tauschwert bekommen hatten und gekauft wurden, so geschah es mit den Arbeitskräften, besonders seitdem die Herden endgültig in Familienbesitz übergegangen waren. Die Familie vermehrte sich nicht ebenso rasch wie das Vieh. Mehr Leute wurden erfordert, es zu beaufsichtigen; dazu ließ sich der kriegsgefangne Feind benutzen, der sich außerdem ebensogut fortzüchten ließ wie das Vieh selbst.

Solche Reichtümer, sobald sie einmal in den Privatbesitz von Familien übergegangen und dort rasch vermehrt, gaben der auf Paarungsehe und mutterrechtliche Gens gegründeten Gesellschaft einen mächtigen Stoß. Die Paarungsehe hatte ein neues Element in die Familie eingeführt. Neben die leibliche Mutter hatte sie den beglaubigten leiblichen Vater gestellt, der noch dazu wahrscheinlich besser beglaubigt war als gar manche »Väter« heutzutage. Nach der damaligen Arbeitsteilung in der Familie fiel dem Mann die Beschaffung der Nahrung und der hiezu nötigen Arbeitsmittel, also auch das Eigentum an diesen letzteren zu; er nahm sie mit, im Fall der Scheidung, wie die Frau ihren Hausrat behielt. Nach dem Brauch der damaligen Gesellschaft also war der Mann auch Eigentümer der neuen Nahrungsquelle, des Viehs, und später des neuen Arbeitsmittels, der Sklaven. Nach dem Brauch derselben Gesellschaft aber konnten seine Kinder nicht von ihm erben, denn damit stand es folgendermaßen.

Nach Mutterrecht, also solange Abstammung nur in weiblicher Linie gerechnet wurde, und nach dem ursprünglichen Erbgebrauch in der Gens erbten anfänglich die Gentilverwandten von ihrem verstorbnen Gentilgenossen. Das Vermögen mußte in der Gens bleiben. Bei der Unbedeutendheit der Gegenstände mag es von jeher in der Praxis an die nächsten Gentilverwandten, also an die Blutsverwandten mütterlicher Seite, übergegangen sein. Die Kinder des verstorbnen Mannes aber gehörten nicht seiner Gens an, sondern der ihrer Mutter; sie erbten, anfangs mit den übrigen Blutsverwandten der Mutter, später vielleicht in erster Linie, von dieser; aber von ihrem Vater konnten sie nicht erben, weil sie nicht zu seiner Gens gehörten, sein Vermögen aber in dieser bleiben mußte. Bei dem Tode des Herdenbesitzers wären also seine Herden übergegangen zunächst an seine Brüder und Schwestern und an die Kinder seiner Schwestern oder an die Nachkommen der Schwestern seiner Mutter. Seine eignen Kinder aber waren enterbt.

In dem Verhältnis also, wie die Reichtümer sich mehrten, gaben sie einerseits dem Mann eine wichtigere Stellung in der Familie als der Frau und erzeugten andrerseits den Antrieb, diese verstärkte Stellung zu benutzen, um die hergebrachte Erbfolge zugunsten der Kinder umzustoßen. Dies ging aber nicht, solange die Abstammung nach Mutterrecht galt. Diese also mußte umgestoßen werden, und sie wurde umgestoßen. Es war dies gar nicht so schwer, wie es uns heute erscheint.

Denn diese Revolution – eine der einschneidendsten, die die Menschen erlebt haben – brauchte nicht ein einziges der lebenden Mitglieder einer Gens zu berühren. Alle ihre Angehörigen konnten nach wie vor bleiben, was sie gewesen. Der einfache Beschluß genügte, daß in Zukunft die Nachkommen der männlichen Genossen in der Gens bleiben, die der weiblichen aber ausgeschlossen sein sollten, indem sie in die Gens ihres Vaters übergingen. Damit war die Abstammungsrechnung in weiblicher Linie und das mütterliche Erbrecht umgestoßen, männliche Abstammungslinie und väterliches Erbrecht eingesetzt. Wie sich diese Revolution bei den Kulturvölkern gemacht hat und wann, darüber wissen wir nichts. Sie fällt ganz in die vorgeschichtliche Zeit. *Daß* sie sich aber gemacht, ist mehr als nötig erwiesen durch die namentlich von Bachofen gesammelten reichlichen Spuren von Mutterrecht; wie leicht sie sich vollzieht, sehn wir an einer ganzen Reihe von Indianerstämmen, wo sie erst neuerdings gemacht worden ist und noch gemacht wird unter dem Einfluß teils wachsenden Reichtums und veränderter Lebensweise (Versetzung aus den Wäldern in die Prärie), teils moralischer Einwirkungen der Zivilisation und der Missionare. Von acht Missouristämmen haben sechs männliche, aber zwei noch weibliche Abstammungslinie und Erbfolge. Bei den Shawnees, Miamies und Delawares ist die Sitte eingerissen, die Kinder durch einen der Gens des Vaters gehörigen Gentilnamen in diese zu versetzen, damit sie vom Vater erben können. »Eingeborene Kasuisterei des Menschen, die Dinge zu ändern, indem man ihre Namen ändert! Und Schlupfwinkel zu finden, um innerhalb der Tradition die Tradition zu durchbrechen, wo ein direktes Interesse den hinreichenden Antrieb gab!« (Marx.) Dadurch entstand heillose Verwirrung, der nur abzuhelfen war, und teilweise auch abgeholfen wurde, durch Übergang zum Vaterrecht. »Dies scheint überhaupt der natürlichste Übergang.« (Marx.)[2] – Was die vergleichenden Juristen uns zu sagen wissen über die Art und Weise, wie dieser Übergang sich bei den Kulturvölkern der alten Welt vollzog – freilich fast nur

Hypothesen –, darüber vgl. M. Kowalewski, »Tableau des origines et de l'évolution de la famille et de la propriété«, Stockholm 1890.

Der Umsturz des Mutterrechts war die *weltgeschichtliche Niederlage des weiblichen Geschlechts.* Der Mann ergriff das Steuer auch im Hause, die Frau wurde entwürdigt, geknechtet, Sklavin seiner Lust und bloßes Werkzeug der Kinderzeugung. Diese erniedrigte Stellung der Frau, wie sie namentlich bei den Griechen der heroischen und noch mehr der klassischen Zeit offen hervortritt, ist allmählich beschönigt und verheuchelt, auch stellenweise in mildere Form gekleidet worden; beseitigt ist sie keineswegs.

Die erste Wirkung der nun begründeten Alleinherrschaft der Männer zeigt sich in der jetzt auftauchenden Zwischenform der patriarchalischen Familie. Was sie hauptsächlich bezeichnet, ist nicht die Vielweiberei, wovon später, sondern

»die Organisation einer Anzahl freier und unfreier Personen zu einer Familie unter der väterlichen Gewalt des Familienhaupts. In der semitischen Form lebt dies Familienhaupt in Vielweiberei, die Unfreien haben Weib und Kinder, und der Zweck der ganzen Organisation ist die Wartung von Herden auf einem abgegrenzten Gebiet.«[31]

Das Wesentliche ist die Einverleibung von Unfreien und die väterliche Gewalt; daher ist der vollendete Typus dieser Familienform die römische Familie. Das Wort familia bedeutet ursprünglich nicht das aus Sentimentalität und häuslichem Zwist zusammengesetzte Ideal des heutigen Philisters; es bezieht sich bei den Römern anfänglich gar nicht einmal auf das Ehepaar und dessen Kinder, sondern auf die Sklaven allein. Famulus heißt ein Haussklave, und familia ist die Gesamtheit der einem Mann gehörenden Sklaven. Noch zu Gajus Zeit wurde die familia, id est patrimonium (d. h. das Erbteil) testamentarisch vermacht. Der Ausdruck wurde von den Römern erfunden, um einen neuen gesellschaftlichen Organismus zu bezeichnen, dessen Haupt Weib und Kinder und eine Anzahl Sklaven unter römischer väterlicher Gewalt, mit dem Recht über Tod und Leben aller, unter sich hatte.

»Das Wort ist also nicht älter als das eisengepanzerte Familiensystem der latinischen Stämme, welches aufkam nach Einführung des Feldbaus und der gesetzlichen Sklaverei und nach der Trennung der arischen Italer von den Griechen.«[32]

Marx setzt hinzu: »Die moderne Familie enthält im Keim nicht nur Sklaverei (servitus), sondern auch Leibeigenschaft, da sie von vornherein Beziehung hat auf Dienste für Ackerbau. Sie enthält *in Miniatur* alle die Gegensätze in sich, die sich später breit entwickeln in der Gesellschaft und in ihrem Staat.«[2]

Eine solche Familienform zeigt den Übergang der Paarungsehe in die Monogamie. Um die Treue der Frau, also die Vaterschaft der Kinder, sicherzustellen, wird die Frau der Gewalt des Mannes unbedingt überliefert: Wenn er sie tötet, so übt er nur sein Recht aus.

Mit der patriarchalischen Familie betreten wir das Gebiet der geschriebnen Geschichte, und damit ein Gebiet, wo die vergleichende Rechtswissenschaft uns bedeutende Hilfe leisten kann. Und in der Tat hat sie uns hier einen wesentlichen Fortschritt gebracht. Wir verdanken Maxim Kowalewski (»Tableau etc. de la famille et de la propriété«, Stockholm 1890, p. 60–100) den Nachweis, daß die patriarchalische Hausgenossenschaft, wie wir sie heute noch bei Serben und Bulgaren unter dem Namen Zádruga (etwa Verfreundung zu übersetzen) oder Bratstvo (Brüderschaft) und in modifizierter Form bei orientalischen Völkern vorfinden, die Übergangsstufe gebildet hat zwischen der, aus der Gruppenehe entspringenden, mutterrechtlichen Familie und der Einzelfamilie der modernen Welt. Wenigstens für die Kulturvölker der alten Welt, für Arier und Semiten scheint dies erwiesen.

Die südslawische Zádruga bietet das beste noch lebende Beispiel einer solchen Familiengemeinschaft. Sie umfaßt mehrere Generationen der Nachkommen eines Vaters nebst deren Frauen, die alle auf einem Hof zusammen wohnen, ihre Felder gemeinsam bebauen, aus gemeinsamem Vorrat sich nähren und kleiden und den Überschuß des Ertrags gemeinsam besitzen. Die Gemeinschaft steht unter oberster Verwaltung des Hausherrn (domačin), der sie nach außen vertritt, kleinere Gegenstände veräußern darf, die Kasse führt und für dieselbe sowie für den regelmäßigen Geschäftsgang verantwortlich ist. Er wird gewählt und braucht keineswegs der Älteste zu sein. Die Frauen und ihre Arbeiten stehn unter Leitung der Hausfrau (domačica), die gewöhnlich die Frau des Domačin ist. Sie hat auch bei der Gattenwahl für die Mädchen eine wichtige, oft die entscheidende Stimme. Die oberste Macht aber ruht im Familienrat, der Versammlung aller erwachsenen Genossen, Frauen wie Männer. Dieser Versammlung legt der Hausherr Rechenschaft ab; sie faßt die entscheidenden Beschlüsse, übt Gerichtsbarkeit über die Mitglieder, beschließt über Käufe und Verkäufe von einiger Bedeutung, namentlich von Grundbesitz usw.

Erst seit ungefähr zehn Jahren ist das Fortbestehn solcher großen Familiengenossenschaften auch in Rußland nachgewiesen[33]; sie sind jetzt allgemein als ebensosehr in der russischen Volkssitte wurzelnd anerkannt wie die Obschtschina oder Dorfgemeinschaft. Sie figurieren im ältesten russischen Gesetzbuch, der Prawda des Jaroslaw[34], unter demselben Namen (werwj) wie in den dalmatinischen Gesetzen[35] und lassen sich auch in polnischen und tschechischen Geschichtsquellen nachweisen.

Auch bei den Deutschen ist nach Heusler (»Institutionen des deutschen Rechts«[36]) die wirtschaftliche Einheit ursprünglich nicht die Einzelfamilie im modernen Sinn, sondern die »Hausgenossenschaft«, die aus mehreren Generationen beziehungsweise Einzelfamilien besteht und daneben oft genug Unfreie in sich begreift. Auch die römische Familie wird auf diesen Typus zurückgeführt, und die absolute Gewalt des Hausvaters, wie die Rechtlosigkeit der übrigen Familienglieder ihm gegenüber, wird demzufolge neuerdings stark bestritten. Bei den Kelten sollen ebenfalls in Irland ähnliche Familiengenossenschaften bestanden haben; in Frankreich erhielten sie sich im Nivernais unter dem Namen parçonneries bis auf die Französische Revolution, und in der Franche Comté sind sie noch heute nicht ganz ausgestorben. In der Gegend von Louhans (Saône-et-Loire) sieht man große Bauernhäuser mit gemeinsamem, hohem, bis ans Dach reichendem Zentralsaal und ringsherum die Schlafkammern, zu denen man auf Treppen von sechs bis acht Stufen gelangt und worin mehrere Generationen derselben Familie wohnen.

In Indien ist die Hausgenossenschaft mit gemeinsamer Bodenbebauung bereits von Nearchos[37], zur Zeit Alexander des Großen, erwähnt und besteht in derselben Gegend, im Pandschab und ganzen Nordwesten des Landes noch heute. Im Kaukasus hat Kowalewski selbst sie nachweisen können. In Algerien besteht sie noch bei den Kabylen. Selbst in Amerika soll sie vorgekommen sein, man will sie entdecken in den »Calpullis«, die Zurita im alten Mexiko beschreibt[38]; dagegen hat Cunow (»Ausland«, 1890, Nr. 42–44)[39] ziemlich klar nachgewiesen, daß in Peru zur Zeit der Eroberung eine Art Markverfassung (wobei die Mark sonderbarerweise Marca hieß) mit periodischer Aufteilung des bebauten Landes, also Einzelbebauung, bestand.

Jedenfalls erhält jetzt die patriarchalische Hausgenossenschaft mit gemeinsamem Grundbesitz und gemeinsamer Bebauung eine ganz andre Bedeutung als bisher. Wir können nicht länger zweifeln an der wichtigen Übergangsrolle, die sie bei den Kulturvölkern und manchen andern Völkern der alten Welt zwischen der mutterrechtlichen und der Einzelfamilie gespielt hat. Weiter unten kommen wir zurück auf die von Kowalewski ferner gezogne Schlußfolge, daß sie ebenfalls die Übergangsstufe war, aus der sich die Dorf- oder Markgemeinde mit Einzelbebauung und erst periodischer, dann endgültiger Aufteilung von Acker- und Wiesenland entwickelt hat.

In Beziehung auf das Familienleben innerhalb dieser Hausgenossenschaften ist zu bemerken, daß wenigstens in Rußland der Hausvater im Rufe steht, seine Stellung gegenüber den jüngeren Frauen der Genossenschaft, speziell den Schwiegertöchtern, stark zu mißbrauchen und sich oft aus ihnen einen Harem zu bilden; worüber die russischen Volkslieder ziemlich beredt sind.

Ehe wir zu der mit dem Sturz des Mutterrechts sich rasch entwickelnden Monogamie übergehn, noch ein paar Worte über Vielweiberei und Vielmännerei. Beide Eheformen können nur Ausnahmen sein, sozusagen geschichtliche Luxusprodukte, es sei denn, sie kämen in einem Lande nebeneinander vor, was bekanntlich nicht der Fall ist. Da also die von der Vielweiberei ausgeschlossenen Männer sich nicht bei den von der Vielmännerei übriggebliebnen Weibern trösten können, die Anzahl von Männern und Weibern aber ohne Rücksicht auf soziale Institutionen bisher ziemlich gleich war, ist die Erhebung der einen wie der andern dieser Eheformen zur allgemein geltenden von selbst ausgeschlossen. In der Tat war die Vielweiberei *eines* Mannes offenbar Produkt der Sklaverei und beschränkt auf einzelne Ausnahmestellungen. In der semitisch-patriarchalischen Familie lebt nur der Patriarch selbst, und höchstens noch ein paar seiner Söhne, in Vielweiberei, die übrigen müssen sich mit *einer* Frau begnügen. So ist es noch heute im ganzen Orient; die Vielweiberei ist ein Privilegium der Reichen und Vornehmen und rekrutiert sich hauptsächlich durch Kauf von Sklavinnen; die Masse des Volks lebt in Monogamie. Eine ebensolche Ausnahme ist die Vielmännerei in Indien und Tibet, deren sicher nicht uninteressanter Ursprung aus der Gruppenehe noch näher zu untersuchen ist. In ihrer Praxis scheint sie übrigens viel kulanter als die eifersüchtige Haremswirtschaft der Muhamedaner. Wenigstens haben bei den Nairs in Indien je drei, vier oder mehr Männer zwar eine gemeinsame Frau; aber jeder von ihnen kann daneben mit drei oder mehr andern Männern eine zweite Frau in Gemeinschaft haben, und so eine dritte, vierte usw. Es ist ein Wunder, daß McLennan in diesen Eheklubs, in deren mehreren man Mitglied sein kann und die er selbst beschreibt, nicht die neue Klasse der *Klubehe* entdeckt hat. Diese Eheklub-Wirtschaft ist übrigens keineswegs wirkliche

Vielmännerei; sie ist im Gegenteil, wie schon Giraud-Teulon bemerkt, eine spezialisierte Form der Gruppenehe; die Männer leben in Vielweiberei, die Weiber in Vielmännerei.

4. Die *monogame Familie.* Sie entsteht aus der Paarungsfamilie, wie gezeigt, im Grenzzeitalter zwischen der mittleren und oberen Stufe der Barbarei; ihr endgültiger Sieg ist eins der Kennzeichen der beginnenden Zivilisation. Sie ist gegründet auf die Herrschaft des Mannes, mit dem ausdrücklichen Zweck der Erzeugung von Kindern mit unbestrittener Vaterschaft, und diese Vaterschaft wird erfordert, weil diese Kinder dereinst als Leibeserben in das väterliche Vermögen eintreten sollen. Sie unterscheidet sich von der Paarungsehe durch weit größere Festigkeit des Ehebandes, das nun nicht mehr nach beiderseitigem Gefallen lösbar ist. Es ist jetzt in der Regel nur noch der Mann, der es lösen und seine Frau verstoßen kann. Das Recht der ehelichen Untreue bleibt ihm auch jetzt wenigstens noch durch die Sitte gewährleistet (der Code Napoléon schreibt es dem Mann ausdrücklich zu, solange er nicht die Beischläferin ins eheliche Haus bringt[40]) und wird mit steigender gesellschaftlicher Entwicklung immer mehr ausgeübt; erinnert sich die Frau der alten geschlechtlichen Praxis und will sie erneuern, so wird sie strenger bestraft als je vorher.

In ihrer ganzen Härte tritt uns die neue Familienform entgegen bei den Griechen. Während, wie Marx bemerkt[2], die Stellung der Göttinnen in der Mythologie uns eine frühere Periode vorführt, wo die Frauen noch eine freiere, geachtetere Stellung hatten, finden wir zur Heroenzeit die Frau bereits erniedrigt durch die Vorherrschaft des Mannes und die Konkurrenz von Sklavinnen. Man lese in der »Odyssee«, wie Telemachos seine Mutter ab- und zur Ruhe verweist. Die erbeuteten jungen Weiber verfallen bei Homer der Sinnenlust der Sieger; die Befehlshaber wählen sich der Reihe und Rangordnung nach die schönsten aus; die ganze »Ilias« dreht sich bekanntlich um den Streit zwischen Achilleus und Agamemnon wegen einer solchen Sklavin. Bei jedem homerischen

Helden von Bedeutung wird das kriegsgefangene Mädchen erwähnt, womit er Zelt und Bett teilt. Diese Mädchen werden auch mit in die Heimat und ins eheliche Haus genommen, wie Kassandra von Agamemnon bei Äschylos; die mit solchen Sklavinnen erzeugten Söhne bekommen einen kleinen Anteil am väterlichen Erbe und gelten als Vollfreie; Teukros ist ein solcher unehelicher Sohn des Telamon und darf sich nach seinem Vater nennen. Von der Ehefrau wird erwartet, daß sie sich das alles gefallen läßt, selbst aber strenge Keuschheit und Gattentreue bewahrt. Die griechische Frau der Heroenzeit ist zwar geachteter als die der zivilisierten Periode, aber sie ist doch schließlich für den Mann nur die Mutter seiner ehelichen Erbkinder, seine oberste Hausverwalterin und die Vorsteherin der Sklavinnen, die er sich nach Belieben zu Konkubinen machen kann und auch macht. Es ist der Bestand der Sklaverei neben der Monogamie, das Dasein junger schöner Sklavinnen, die dem *Mann* gehören mit allem, was sie an sich haben, das der Monogamie von Anfang an ihren spezifischen Charakter aufdrückt, Monogamie zu sein *nur für die Frau,* nicht aber für den Mann. Und diesen Charakter hat sie noch heute.

Für die späteren Griechen müssen wir unterscheiden zwischen Dorern und Ioniern. Die ersteren, deren klassisches Beispiel Sparta, haben in mancher Beziehung noch altertümlichere Eheverhältnisse, als selbst Homer sie aufzeigt. In Sparta gilt eine nach den dortigen Anschauungen vom Staat modifizierte Paarungsehe, die noch manche Erinnerungen an die Gruppenehe aufweist. Kinderlose Ehen werden getrennt; der König Anaxandridas (um 560 vor unsrer Zeitrechnung) nahm zu seiner kinderlosen Frau eine zweite und führte zwei Haushaltungen; um dieselbe Zeit nahm der König Ariston zu zwei unfruchtbaren Frauen eine dritte, entließ aber dafür eine der ersteren. Andrerseits durften mehrere Brüder eine gemeinsame Frau haben, durfte der Freund, dem des Freundes Frau besser gefiel, sich mit diesem in sie teilen und galt es für anständig, die Frau einem strammen »Hengst«, wie Bismarck sagen würde, zur Verfügung zu stellen, selbst wenn dieser ein Nichtbürger war. Aus einer Stelle bei Plutarch, wo eine Spartanerin den Liebhaber, der sie mit Anträgen verfolgte, an ihren Ehemann verwies, scheint – nach Schoemann – sogar eine noch größere Freiheit der Sitte hervorzugehn.[41] Wirklicher Ehebruch, Untreue der Frau hinter dem Rücken des Mannes, war daher auch unerhört. Andrerseits war die Haussklaverei in Sparta wenigstens in der besten Zeit unbekannt, die leibeignen Heloten wohnten gesondert auf den Gütern; die Versuchung für die Spartiaten, sich an deren Weiber zu halten, war daher geringer. Daß unter allen diesen Umständen die Frauen in Sparta eine ganz anders geachtete Stellung einnahmen als bei den übrigen Griechen, konnte gar nicht anders sein. Die spartanischen Frauen und die Elite der athenischen Hetären sind die einzigen griechischen Frauen, von denen die Alten mit Respekt sprechen, deren Äußerungen aufzuzeichnen sie der Mühe wert halten.

Ganz anders bei den Ioniern, für die Athen kennzeichnend ist. Die Mädchen lernten nur Spinnen, Weben und Nähen, höchstens etwas Lesen und Schreiben. Sie waren so gut wie eingeschlossen, gingen nur mit andern Weibern um. Das Frauengemach war ein abgesondertes Stück des Hauses, im obern Stock oder im Hinterhaus, wohin Männer, namentlich Fremde, nicht leicht kamen und wohin sie sich bei Männerbesuch zurückzogen. Die Frauen gingen nicht aus ohne Begleitung einer Sklavin; zu Hause wurden sie förmlich bewacht; Aristophanes spricht von molossischen Hunden, die zur Abschreckung der Ehebrecher gehalten wurden, und in den asiatischen Städten wenigstens hielt man zur Frauenbewachung Eunuchen, die in Chios schon zu Herodots Zeit für den Handel fabriziert wurden, und nach Wachsmuth[42] nicht allein für die Barbaren. Bei Euripides wird die Frau als oikurema, als ein Ding zur Hausbesorgung (das Wort ist Neutrum) bezeichnet, und außer dem Geschäft der Kinderzeugung war sie dem Athener nichts andres: die oberste Hausmagd. Der Mann hatte seine gymnastischen Übungen, seine öffentlichen

Verhandlungen, wovon die Frau ausgeschlossen; er hatte außerdem oft noch Sklavinnen zu seiner Verfügung und zur Blütezeit Athens eine ausgedehnte und vom Staat wenigstens begünstigte Prostitution. Es war grade auf Grundlage dieser Prostitution, daß sich die einzigen griechischen Frauencharaktere entwickelten, die durch Geist und künstlerische Geschmacksbildung ebensosehr über das allgemeine Niveau der antiken Weiblichkeit hervorragen wie die Spartiatinnen durch den Charakter. Daß man aber erst Hetäre werden mußte, um Weib zu werden, das ist die strengste Verurteilung der athenischen Familie.

Diese athenische Familie wurde im Lauf der Zeit das Vorbild, wonach nicht nur die übrigen Ionier, sondern auch mehr und mehr die sämtlichen Griechen des Inlands und der Kolonien ihre häuslichen Verhältnisse modelten. Aber trotz aller Abschließung und Bewachung fanden die Griechinnen oft genug Gelegenheit, ihre Männer zu täuschen. Diese, die sich geschämt hätten, irgendwelche Liebe für ihre Frauen zu verraten, amüsierten sich in allerlei Liebeshändeln mit Hetären; aber die Entwürdigung der Frauen rächte sich an den Männern und entwürdigte auch sie, bis sie versanken in die Widerwärtigkeit der Knabenliebe und ihre Götter entwürdigten wie sich selbst durch den Mythus von Ganymed.

Das war der Ursprung der Monogamie, soweit wir ihn beim zivilisiertesten und am höchsten entwickelten Volk des Altertums verfolgen können. Sie war keineswegs eine Frucht der individuellen Geschlechtsliebe, mit der sie absolut nichts zu schaffen hatte, da die Ehen nach wie vor Konvenienzehen blieben. Sie war die erste Familienform, die nicht auf natürliche, sondern auf ökonomische Bedingungen gegründet war, nämlich auf den Sieg des Privateigentums über das ursprüngliche naturwüchsige Gemeineigentum. Herrschaft des Mannes in der Familie und Erzeugung von Kindern, die nur die seinigen sein konnten und die zu Erben seines Reichtums bestimmt waren – das allein waren die von den Griechen unumwunden ausgesprochenen ausschließlichen Zwecke der Einzelehe. Im übrigen war sie ihnen eine Last, eine Pflicht gegen die Götter, den Staat und die eignen Vorfahren, die eben erfüllt werden mußte. In Athen erzwang das Gesetz nicht nur die Verheiratung, sondern auch die Erfüllung eines Minimums der sogenannten ehelichen Pflichten von seiten des Mannes.

So tritt die Einzelehe keineswegs ein in die Geschichte als die Versöhnung von Mann und Weib, noch viel weniger als ihre höchste Form. Im Gegenteil. Sie tritt auf als Unterjochung des einen Geschlechts durch das andre, als Proklamation eines bisher in der ganzen Vorgeschichte unbekannten Widerstreits der Geschlechter. In einem alten, 1846 von Marx und mir ausgearbeiteten, ungedruckten Manuskript finde ich: »Die erste Teilung der Arbeit ist die von Mann und Weib zur Kinderzeugung.«[43] Und heute kann ich hinzusetzen: Der erste Klassengegensatz, der in der Geschichte auftritt, fällt zusammen mit der Entwicklung des Antagonismus von Mann und Weib in der Einzelehe und die erste Klassenunterdrükkung mit der des weiblichen Geschlechts durch das männliche. Die Einzelehe war ein großer geschichtlicher Fortschritt, aber zugleich eröffnet sie neben der Sklaverei und dem Privatreichtum jene bis heute dauernde Epoche, in der jeder Fortschritt zugleich ein relativer Rückschritt, in dem das Wohl und die Entwicklung der *einen* sich durchsetzt durch das Wehe und die Zurückdrängung der *andern*. Sie ist die Zellenform der zivilisierten Gesellschaft, an der wir schon die Natur der in dieser sich voll entfaltenden Gegensätze und Widersprüche studieren können.

Die alte verhältnismäßige Freiheit des Geschlechtsverkehrs verschwand keineswegs mit dem Sieg der Paarungs- oder selbst der Einzelehe.

»Das alte Ehesystem, auf engere Grenzen zurückgeführt durch das allmähliche Aussterben der Punaluagruppen, umgab immer noch die sich fortentwickelnde Familie und hing an ihren Schößen bis an die aufdämmernde Zivilisation hinan ... es verschwand schließlich in der neuen Form des Hetärismus, die die Menschen bis in die Zivilisation hinein verfolgt, wie ein dunkler Schlagschatten, der auf der Familie ruht.«[44]

Unter Hetärismus versteht Morgan den *neben der Einzelehe* bestehenden außerehelichen geschlechtlichen Verkehr der Männer mit unverheirateten Weibern, der bekanntlich während der ganzen Periode der Zivilisation in den verschiedensten Formen blüht und mehr und mehr zur offenen Prostitution wird. Dieser Hetärismus leitet sich ganz direkt ab aus der Gruppenehe, aus dem Preisgebungsopfer der Frauen, wodurch sie sich das Recht der Keuschheit erkauften. Die Hingebung für Geld war zuerst ein religiöser Akt, sie fand statt im Tempel der Liebesgöttin, und das Geld floß ursprünglich in den Tempelschatz. Die Hierodulen[45] der Anaitis in Armenien, der Aphrodite in Korinth, wie die den Tempeln attachierten religiösen Tanzmädchen Indiens, die sog. Bajaderen (das Wort ist verstümmelt aus dem portugiesischen bailadeira, Tänzerin), waren die ersten Prostituierten. Die Preisgebung, ursprünglich Pflicht jeder Frau, wurde später durch diese Priesterinnen, in Stellvertretung für alle andern, allein ausgeübt. Bei andern Völkern leitet sich der Hetärismus her aus der den Mädchen vor der Ehe gestatteten Geschlechtsfreiheit – also ebenfalls Rest der Gruppenehe, nur auf anderm Weg uns überkommen. Mit dem Aufkommen der Eigentumsverschiedenheit, also schon auf der Oberstufe der Barbarei, tritt die Lohnarbeit sporadisch auf neben Sklavenarbeit und gleichzeitig, als ihr notwendiges Korrelat, die gewerbsmäßige Prostitution freier Frauen neben der erzwungnen Preisgebung der Sklavin. So ist die Erbschaft, die die Gruppenehe der Zivilisation vermacht hat, eine doppelseitige, wie alles, was die Zivilisation hervorbringt, doppelseitig, doppelzüngig, in sich gespalten, gegensätzlich ist: hier die Monogamie, dort der Hetärismus mitsamt seiner extremsten Form, der Prostitution. Der Hetärismus ist eben eine gesellschaftliche Einrichtung wie jede andere; er setzt die alte Geschlechtsfreiheit fort – zugunsten der Männer. In der Wirklichkeit nicht nur geduldet, sondern namentlich von den herrschenden Klassen flott mitgemacht, wird er in der Phrase verdammt. Aber in der Wirklichkeit trifft diese Verdammung keineswegs die dabei beteiligten Männer, sondern nur die Weiber: Sie werden geächtet und ausgestoßen, um so nochmals die unbedingte Herrschaft der Männer über das weibliche Geschlecht als gesellschaftliches Grundgesetz zu proklamieren.

Hiermit entwickelt sich aber ein zweiter Gegensatz innerhalb der Monogamie selbst. Neben dem, sein Dasein durch den Hetärismus verschönernden Ehemann steht die vernachlässigte Gattin. Und man kann nicht die eine Seite des Gegensatzes haben ohne die andre, ebensowenig wie man noch einen ganzen Apfel in der Hand hat, nachdem man die eine Hälfte gegessen. Trotzdem scheint dies die Meinung der Männer gewesen zu sein, bis ihre Frauen sie eines Bessern belehrten. Mit der Einzelehe treten zwei ständige gesellschaftliche Charakterfiguren auf, die früher unbekannt waren: der ständige Liebhaber der Frau und der Hahnrei. Die Männer hatten den Sieg über die Weiber errungen, aber die Krönung übernahmen großmütig die Besiegten. Neben der Einzelehe und dem Hetärismus wurde der Ehebruch eine unvermeidliche gesellschaftliche Einrichtung – verpönt, hart bestraft, aber ununterdrückbar. Die sichre Vaterschaft der Kinder beruht nach wie vor höchstens auf moralischer Überzeugung, und um den unlöslichen Widerspruch zu lösen, dekretierte der Code Napoléon Art. 312:

»L'enfant conçu pendant le mariage a pour père le mari; das während der Ehe empfangne Kind hat zum Vater – den Ehemann.«

Das ist das letzte Resultat von dreitausend Jahren Einzelehe.

So haben wir in der Einzelfamilie, in den Fällen, die ihrer geschichtlichen Entstehung treu bleiben und den durch die ausschließliche Herrschaft des Mannes ausgesprochnen Widerstreit von Mann und Weib klar zur Erscheinung bringen, ein Bild im kleinen derselben Gegensätze und Widersprüche, in denen sich die seit Eintritt der Zivilisation in Klassen gespaltne Gesellschaft bewegt, ohne sie auflösen und überwinden zu können. Ich spreche hier natürlich nur von jenen Fällen der Einzelehe, wo das eheliche Leben in Wirklichkeit nach Vorschrift des ursprünglichen Charakters der ganzen Einrichtung verläuft, wo die Frau aber gegen die Herrschaft des Mannes rebelliert. Daß nicht alle Ehen so verlaufen, weiß niemand besser als der deutsche Philister, der seine Herrschaft im Hause nicht besser zu wahren weiß als im Staat und dessen Frau daher mit vollem Recht die Hosen trägt, deren er nicht wert ist. Dafür dünkt er sich aber auch weit erhaben über seinen französischen Leidensgenossen, dem, öfter als ihm selbst, weit Schlimmeres passiert.

Die Einzelfamilie trat übrigens keineswegs überall und jederzeit in der klassisch-schroffen Form auf, die sie bei den Griechen hatte. Bei den Römern, die als künftige Welteroberer einen weiteren, wenn auch weniger feinen Blick hatten als die Griechen, war die Frau freier und geachteter. Der Römer glaubte die eheliche Treue durch die Gewalt über Leben und Tod seiner Frau hinlänglich verbürgt. Auch konnte die Frau hier ebensogut wie der Mann die Ehe freiwillig lösen. Aber der größte Fortschritt in der Entwicklung der Einzelehe geschah entschieden mit dem Eintritt der Deutschen in die Geschichte, und zwar weil bei ihnen, wohl infolge ihrer Armut, damals die Monogamie sich noch nicht vollständig aus der Paarungsehe entwickelt zu haben scheint. Wir schließen dies aus drei Umständen, die Tacitus erwähnt: Erstens galt bei großer Heilighaltung der Ehe – »sie begnügen sich mit *einer* Frau, die Weiber leben eingehegt durch Keuschheit«[46] – dennoch Vielweiberei für die Vornehmen und Stammesführer, also ein Zustand, ähnlich dem der Amerikaner, bei denen Paarungsehe galt. Und zweitens konnte der Übergang vom Mutterrecht zum Vaterrecht erst kurz vorher gemacht worden sein, denn noch galt der Mutterbruder – der nächste männliche Gentilverwandte nach Mutterrecht – als fast ein näherer Verwandter denn der eigne Vater, ebenfalls entsprechend dem Standpunkt der amerikanischen Indianer, bei denen Marx, wie er oft sagte, den Schlüssel zum Verständnis unsrer eignen Urzeit gefunden.[47] Und drittens waren die Frauen bei den Deutschen hochgeachtet und einflußreich auch auf öffentliche Geschäfte, was im direkten Gegensatz zur monogamischen Männerherrschaft steht. Fast alles Dinge, worin die Deutschen mit den Spartanern stimmen, bei denen, wie wir sahen, die Paarungsehe ebenfalls noch nicht vollständig überwunden war. Mit den Deutschen kam also auch in dieser Beziehung ein ganz neues Element zur Weltherrschaft. Die neue Monogamie, die sich nun auf den Trümmern der Römerwelt aus der Völkermischung entwickelte, kleidete die Männerherrschaft in mildere Formen und ließ den Frauen eine wenigstens äußerlich weit geachtetere und freiere Stellung, als das klassische Altertum sie je gekannt. Damit erst war die Möglichkeit gegeben, auf der sich aus der Monogamie – in ihr, neben ihr und gegen sie, je nachdem – der größte sittliche Fortschritt entwickeln konnte, den wir ihr verdanken: die moderne individuelle Geschlechtsliebe, die der ganzen früheren Welt unbekannt war.

Dieser Fortschritt entsprang aber entschieden aus dem Umstand, daß die Deutschen noch in der Paarungsfamilie lebten und die ihr entsprechende Stellung der Frau, soweit es anging, der Monogamie aufpfropften, keineswegs aber aus der sagenhaften, wunderbar sittenreinen Naturanlage der Deutschen, die sich darauf beschränkt, daß die Paarungsehe sich in der Tat nicht in den grellen sittlichen Gegensätzen bewegt wie die Monogamie. Im Gegenteil waren die Deutschen auf ihren Wanderzügen, besonders nach Südost zu den Steppennomaden am Schwarzen Meer, sittlich stark verkommen und hatten bei diesen außer ihren Reiterkünsten auch arge widernatürliche Laster angenommen, was Ammianus von den Taifalern und Prokop von den Herulern ausdrücklich bezeugt.

Wenn aber die Monogamie von allen bekannten Familienformen diejenige war, unter der allein sich die moderne Geschlechtsliebe entwickeln konnte, so heißt das nicht, daß sie sich ausschließlich oder nur vorwiegend in ihr, als Liebe der Ehegatten zueinander, entwickelte. Die ganze Natur der festen Einzelehe unter Mannesherrschaft schloß das aus. Bei allen geschichtlich aktiven, d. h. bei allen herrschenden Klassen blieb die Eheschließung, was sie seit der Paarungsehe gewesen, Sache der Konvenienz, die von den Eltern arrangiert wurde. Und die erste geschichtlich auftretende Form der Geschlechtsliebe als Leidenschaft und als jedem Menschen (wenigstens der herrschenden Klassen) zukommende Leidenschaft, als höchste Form des Geschlechtstriebs – was gerade ihren spezifischen Charakter ausmacht –, diese ihre erste Form, die ritterliche Liebe des Mittelalters, war keineswegs eine eheliche Liebe. Im Gegenteil. In ihrer klassischen Gestalt, bei den Provenzalen, steuert sie mit vollen Segeln auf den Ehebruch los, und ihre Dichter feiern ihn. Die Blüte der provenzalischen Liebespoesie sind die Albas, deutsch Tagelieder. Sie schildern in glühenden Farben, wie der Ritter bei seiner Schönen – der Frau eines andern – im Bett liegt, während draußen der Wächter steht, der ihm zuruft, sobald das erste Morgengrauen (alba) aufsteigt, damit er noch unbemerkt entweichen kann; die Trennungsszene bildet dann den Gipfelpunkt. Die Nordfranzosen und auch die braven Deutschen nahmen diese Dichtungsart mit der ihr entsprechenden Manier der Ritterliebe ebenfalls an, und unser alter Wolfram von Eschenbach hat über denselben anzüglichen Stoff drei wunderschöne Tagelieder hinterlassen, die mir lieber sind als seine drei langen Heldengedichte.

Die bürgerliche Eheschließung unserer Tage ist doppelter Art. In katholischen Ländern besorgen nach wie vor die Eltern dem jungen Bürgerssohn eine angemessene Frau, und die Folge davon ist natürlich die vollste Entfaltung des in der Monogamie enthaltnen Widerspruchs: üppiger Hetärismus auf seiten des Mannes, üppiger Ehebruch auf seiten der Frau. Die katholische Kirche hat wohl auch nur deswegen die Ehescheidung abgeschafft, weil sie sich überzeugt hatte, daß gegen den Ehebruch wie gegen den Tod kein Kräutlein gewachsen ist. In protestantischen Ländern dagegen ist es Regel, daß dem Bürgerssohn erlaubt wird, sich aus seiner Klasse eine Frau mit größerer oder geringerer Freiheit auszusuchen, wonach ein gewisser Grad von Liebe der Eheschließung zugrunde liegen kann und auch anstandshalber stets vorausgesetzt wird, was der protestantischen Heuchelei entspricht. Hier wird der Hetärismus des Mannes schläfriger betrieben, und der Ehebruch der Frau ist weniger Regel. Da aber in jeder Art Ehe die Menschen bleiben, was sie vor der Ehe waren, und die Bürger protestantischer Länder meist Philister sind, so bringt es diese protestantische Monogamie im Durchschnitt der besten Fälle nur zur ehelichen Gemeinschaft einer bleiernen Langeweile, die man mit dem Namen Familienglück bezeichnet. Der beste Spiegel dieser beiden Heiratsmethoden ist der Roman, für die katholische Manier der französische, für die protestantische der deutsche. In jedem von beiden »kriegt er sie«: im deutschen der junge Mann das Mädchen, im französischen der Ehemann die Hörner. Welcher von beiden sich dabei schlechter steht, ist nicht immer ausgemacht. Weshalb auch dem französischen Bourgeois die Langeweile des deutschen Romans ebendenselben Schauder erregt wie die »Unsittlichkeit« des französischen Romans dem deutschen Philister. Obwohl neuerdings, seit »Berlin Weltstadt wird«, der deutsche Roman anfängt, etwas weniger schüchtern in dem dort seit lange wohlbekannten Hetärismus und Ehebruch zu machen.

In beiden Fällen aber wird die Heirat bedingt durch die Klassenlage der Beteiligten und ist insofern stets Konvenienzehe. Diese Konvenienzehe schlägt in beiden Fällen oft genug um in krasseste Prostitution – manchmal beider Teile, weit gewöhnlicher der Frau, die sich von der gewöhnlichen Kurtisane nur dadurch unterscheidet, daß sie ihren Leib nicht als Lohnarbeiterin zur Stückarbeit vermietet, sondern ihn ein für allemal in die Sklaverei verkauft. Und von allen Konvenienzehen gilt Fouriers Wort:

> »Wie in der Grammatik zwei Verneinungen *eine* Bejahung ausmachen, so gelten in der Heiratsmoral zwei Prostitutionen für *eine* Tugend.«[48]

Wirkliche Regel im Verhältnis zur Frau wird die Geschlechtsliebe und kann es nur werden unter den unterdrückten Klassen, also heutzutage im Proletariat – ob dies Verhältnis nun ein offiziell konzessioniertes oder nicht. Hier sind aber auch alle Grundlagen der klassischen Monogamie beseitigt. Hier fehlt alles Eigentum, zu dessen Bewahrung und Vererbung ja gerade die Monogamie und die Männerherrschaft geschaffen wurden, und hier fehlt damit auch jeder Antrieb, die Männerherrschaft geltend zu machen. Noch mehr, auch die Mittel fehlen; das bürgerliche Recht, das diese Herrschaft schützt, besteht nur für die Besitzenden und deren Verkehr mit den Proletariern; es kostet Geld und hat deshalb armutshalber keine Geltung für die Stellung des Arbeiters zu seiner Frau. Da entscheiden ganz andere persönliche und gesellschaftliche Verhältnisse. Und vollends seitdem die große Industrie die Frau aus dem Hause auf den Arbeitsmarkt und in die Fabrik versetzt hat und sie oft genug zur Ernährerin der Familie macht, ist dem letzten Rest der Männerherrschaft in der Proletarierwohnung aller Boden entzogen – es sei denn etwa noch ein Stück der seit Einführung der Monogamie eingerissenen Brutalität gegen Frauen. So ist die Familie des Proletariers keine monogamische im strengen Sinn mehr, selbst bei der leidenschaftlichsten Liebe und festesten Treue *beider* und trotz aller etwaigen geistlichen und weltlichen Einsegnung. Daher spielen auch die ewigen Begleiter der Monogamie, Hetärismus und Ehebruch, hier nur eine fast verschwindende Rolle; die Frau hat das Recht der Ehetrennung tatsächlich wieder erhalten, und wenn man sich nicht vertragen kann, geht man lieber auseinander. Kurz, die Proletarierehe ist monogam im etymologischen Sinn des Worts, aber durchaus nicht in seinem historischen Sinn.

Unsre Juristen finden allerdings, daß der Fortschritt der Gesetzgebung den Frauen in steigendem Maß jeden Grund zur Klage entzieht. Die modernen zivilisierten Gesetzsysteme erkennen mehr und mehr an, erstens, daß die Ehe, um gültig zu sein, ein von beiden Teilen freiwillig eingegangner Vertrag sein muß, und zweitens, daß auch während der Ehe beide Teile einander mit gleichen Rechten und Pflichten gegenüberstehn sollen. Seien diese beiden Forderungen aber konsequent durchgeführt, so hätten die Frauen *alles,* was sie verlangen können.

Diese echt juristische Argumentation ist genau dieselbe, womit der radikale republikanische Bourgeois den Proletarier ab- und zur Ruhe verweist. Der Arbeitsvertrag soll ein von beiden Teilen freiwillig eingegangner sein. Aber er gilt als für freiwillig eingegangen, sobald das Gesetz beide Teile *auf dem Papier* gleichstellt. Die Macht, die die verschiedne Klassenstellung dem einen Teil gibt, der Druck, den sie auf den andern Teil ausübt – die wirkliche ökonomische Stellung *beider* –, das geht das Gesetz nichts an. Und während der Dauer des Arbeitsvertrags sollen beide Teile wiederum gleichberechtigt sein, sofern nicht einer oder der andre ausdrücklich verzichtet hat. Daß die ökonomische Sachlage den Arbeiter zwingt, sogar auf den letzten Schein von Gleichberechtigung zu verzichten, dafür kann das Gesetz wiederum nichts.

Mit Bezug auf die Ehe ist das Gesetz, selbst das fortgeschrittenste, vollauf befriedigt, sobald die Beteiligten ihre Freiwilligkeit formell zu Protokoll gegeben haben. Was hinter den juristischen Kulissen vorgeht, wo sich das wirkliche Leben abspielt, wie diese Freiwilligkeit zustande kommt, darum kann sich das Gesetz und der Jurist nicht kümmern. Und doch sollte hier die einfachste Rechtsvergleichung dem Juristen zeigen, was es mit dieser Freiwilligkeit auf sich hat. In den Ländern, wo den Kindern ein Pflichtteil am elterlichen Vermögen gesetzlich gesichert ist, wo sie also nicht enterbt werden können – in Deutschland, in den Ländern französischen Rechts etc., sind die Kinder beim Eheschluß an die Einwilligung der Eltern gebunden. In den Ländern englischen Rechts, wo die elterliche Einwilligung kein gesetzliches Erfordernis des Eheschlusses, haben die Eltern auch volle Testierfreiheit über ihr Vermögen, können sie ihre Kinder nach Belieben enterben. Daß trotzdem und ebendeshalb die Freiheit der Eheschließung in den Klassen, wo es was zu erben gibt, in England und Amerika, tatsächlich um kein Haar größer ist als in Frankreich und Deutschland, das ist doch klar.

Nicht besser steht es mit der juristischen Gleichberechtigung von Mann und Frau in der Ehe. Die rechtliche Ungleichheit beider, die uns aus früheren Gesellschaftszuständen vererbt, ist nicht die Ursache, sondern die Wirkung der ökonomischen Unterdrückung der Frau. In der alten kommunistischen Haushaltung, die viele Ehepaare und ihre Kinder umfaßte, war die den Frauen übergebne Führung des Haushalts ebensogut eine öffentliche, eine gesellschaftlich notwendige Industrie wie die Beschaffung der Nahrungsmittel durch die Männer. Mit der patriarchalischen Familie und noch mehr mit der monogamen Einzelfamilie wurde dies anders. Die Führung des Haushalts verlor ihren öffentlichen Charakter. Sie ging die Gesellschaft nichts mehr an. Sie wurde ein *Privatdienst;* die Frau wurde erste Dienstbotin, aus der Teilnahme an der gesellschaftlichen Produktion verdrängt. Erst die große Industrie unsrer Zeit hat ihr – und auch nur der Proletarierin – den Weg zur gesellschaftlichen Produktion wieder eröffnet. Aber so, daß, wenn sie ihre Pflichten im Privatdienst der Familie erfüllt, sie von der öffentlichen Produktion ausgeschlossen bleibt und nichts erwerben kann; und daß, wenn sie sich an der öffentlichen Industrie beteiligen und selbständig erwerben will, sie außerstand ist, Familienpflichten zu erfüllen. Und wie in der Fabrik, so geht es der Frau in allen Geschäftszweigen, bis in die Medizin und Advokatur hinein. Die moderne Einzelfamilie ist gegründet auf die offne oder verhüllte Haussklaverei der Frau, und die moderne Gesellschaft ist eine Masse, die aus lauter Einzelfamilien als ihren Molekülen sich zusammensetzt. Der Mann muß heutzutage in der großen Mehrzahl der Fälle der Erwerber, der Ernährer der Familie sein, wenigstens in den besitzenden Klassen, und das gibt ihm eine Herrscherstellung, die keiner juristischen Extrabevorrechtung bedarf. Er ist in der Familie der Bourgeois, die Frau repräsentiert das Proletariat. In der industriellen Welt tritt aber der spezifische Charakter der auf dem Proletariat lastenden ökonomischen Unterdrükkung erst dann in seiner vollen Schärfe hervor, nachdem alle gesetzlichen Sondervorrechte der Kapitalistenklasse beseitigt und die volle juristische Gleichberechtigung beider Klassen hergestellt worden; die demokratische Republik hebt den Gegensatz beider Klassen nicht auf, sie bietet im Gegenteil erst den Boden, worauf er ausgefochten wird. Und ebenso wird auch der eigentümliche Charakter der Herrschaft des Mannes über die Frau in der modernen Familie und die Notwendigkeit wie die Art der Herstelllung einer wirklichen gesellschaftlichen Gleichstellung beider erst dann in grelles Tageslicht treten, sobald beide juristisch vollkommen gleichberechtigt sind. Es wird sich dann zeigen, daß die Befreiung der Frau zur ersten Vorbedingung hat die Wiedereinführung des ganzen weiblichen Geschlechts in die öffentliche Industrie und daß dies wieder erfordert die Beseitigung der Eigenschaft der Einzelfamilie als wirtschaftlicher Einheit der Gesellschaft.

Wir haben demnach drei Hauptformen der Ehe, die im ganzen und großen den drei Hauptstadien der menschlichen Entwicklung entsprechen. Für die Wildheit die Gruppenehe, für die Barbarei die Paarungsehe, für die Zivilisation die Monogamie, ergänzt durch Ehebruch und Prostitution. Zwischen Paarungsehe und Monogamie schiebt sich ein, auf der Oberstufe der Barbarei, das Kommando der Männer über Sklavinnen und die Vielweiberei.

Wie unsre ganze Darstellung bewiesen, ist der Fortschritt, der sich in dieser Reihenfolge aufzeigt, an die Eigentümlichkeit geknüpft, daß den Frauen die geschlechtliche Freiheit der Gruppenehe mehr und mehr entzogen wird, den Männern aber nicht. Und wirklich besteht die Gruppenehe für die Männer tatsächlich bis heute fort. Was bei der Frau ein Verbrechen ist und schwere gesetzliche und gesellschaftliche Folgen nach sich zieht, das gilt beim Mann für ehrenvoll oder doch schlimmstenfalls als ein leichter moralischer Makel, den man mit Vergnügen trägt. Je mehr aber der altherkömmliche Hetärismus in unsrer Zeit durch die kapitalistische Warenproduktion verändert und ihr angepaßt wird, je mehr er sich in unverhüllte Prostitution verwandelt, desto demoralisierender wirkt er. Und zwar demoralisiert er die Männer noch weit mehr als die Frauen. Die Prostitution degradiert unter den Frauen nur die Unglücklichen, die ihr verfallen, und auch diese bei weitem nicht in dem Grad, wie gewöhnlich geglaubt wird. Dagegen erniedrigt sie den Charakter der gesamten Männerwelt. So ist namentlich ein langer Bräutigamsstand in neun Fällen aus zehn eine förmliche Vorschule der ehelichen Untreue.

Nun gehn wir einer gesellschaftlichen Umwälzung entgegen, wo die bisherigen ökonomischen Grundlagen der Monogamie ebenso sicher verschwinden werden wie die ihrer Ergänzung, der Prostitution. Die Monogamie entstand aus der Konzentrierung größerer Reichtümer in *einer* Hand – und zwar der eines Mannes – und aus dem Bedürfnis, diese Reichtümer den Kindern dieses Mannes und keines andern zu vererben. Dazu war Monogamie der Frau erforderlich, nicht des Mannes, so daß diese Monogamie der Frau der offnen oder verdeckten Polygamie des Mannes durchaus nicht im Wege stand. Die bevorstehende gesellschaftliche Umwälzung wird aber durch Verwandlung wenigstens des unendlich größten Teils der dauernden, vererbbaren Reichtümer – der Produktionsmittel – in gesellschaftliches Eigentum diese ganze Vererbungssorge auf ein Minimum reduzieren. Da nun die Monogamie aus ökonomischen Ursachen entstanden, wird sie verschwinden, wenn diese Ursachen verschwinden?

Man könnte nicht mit Unrecht antworten: Sie wird so wenig verschwinden, daß sie vielmehr erst vollauf verwirklicht werden wird. Denn mit der Verwandlung der Produktionsmittel in gesellschaftliches Eigentum verschwindet auch die Lohnarbeit, das Proletariat, also auch die Notwendigkeit für eine gewisse – statistisch berechenbare – Zahl von Frauen, sich für Geld preiszugeben. Die Prostitution verschwindet, die Monogamie, statt unterzugehn, wird endlich eine Wirklichkeit – auch für die Männer.

Die Lage der Männer wird also jedenfalls sehr verändert. Aber auch die der Frauen, *aller* Frauen, erfährt bedeutenden

Wechsel. Mit dem Übergang der Produktionsmittel in Gemeineigentum hört die Einzelfamilie auf, wirtschaftliche Einheit der Gesellschaft zu sein. Die Privathaushaltung verwandelt sich in eine gesellschaftliche Industrie. Die Pflege und Erziehung der Kinder wird öffentliche Angelegenheit; die Gesellschaft sorgt für alle Kinder gleichmäßig, seien sie eheliche oder uneheliche. Damit fällt die Sorge weg wegen der »Folgen«, die heute das wesentlichste gesellschaftliche – moralische wie ökonomische – Moment bildet, das die rücksichtslose Hingabe eines Mädchens an den geliebten Mann verhindert. Wird das nicht Ursache genug sein zum allmählichen Aufkommen eines ungenierteren Geschlechtsverkehrs und damit auch einer laxeren öffentlichen Meinung von wegen jungfräulicher Ehre und weiblicher Schande? Und endlich, haben wir nicht gesehn, daß in der modernen Welt Monogamie und Prostitution zwar Gegensätze, aber untrennbare Gegensätze, Pole desselben Gesellschaftszustandes sind? Kann die Prostitution verschwinden, ohne die Monogamie mit sich in den Abgrund zu ziehn?

Hier tritt ein neues Moment in Wirksamkeit, ein Moment, das zur Zeit, als die Monogamie sich ausbildete, höchstens im Keim bestand: die individuelle Geschlechtsliebe.

Vor dem Mittelalter kann von individueller Geschlechtsliebe nicht die Rede sein. Daß persönliche Schönheit, vertrauter Umgang, gleichgestimmte Neigungen etc. bei Leuten verschiednen Geschlechts das Verlangen zu geschlechtlichem Verkehr erweckt haben, daß es den Männern wie den Frauen nicht total gleichgültig war, mit wem sie in dies intimste Verhältnis traten, das ist selbstredend. Aber von da bis zu unsrer Geschlechtsliebe ist noch unendlich weit. Im ganzen Altertum werden die Ehen von den Eltern für die Beteiligten geschlossen, und diese finden sich ruhig hinein. Das bißchen eheliche Liebe, das das Altertum kennt, ist nicht etwa subjektive Neigung, sondern objektive Pflicht, nicht Grund, sondern Korrelat der Ehe. Liebesverhältnisse im modernen Sinne kommen im Altertum nur vor außerhalb der offiziellen Gesellschaft. Die

Hirten, deren Liebesfreuden und Leiden Theokrit und Moschos uns besingen, der Daphnis und die Chloë des Longos[49], sind lauter Sklaven, die keinen Teil haben am Staat, der Lebenssphäre des freien Bürgers. Außer bei Sklaven aber finden wir Liebeshändel nur als Zersetzungsprodukte der untergehenden Alten Welt und mit Frauen, die ebenfalls außerhalb der offiziellen Gesellschaft stehn, mit Hetären, also mit Fremden oder Freigelassenen: in Athen vom Vorabend seines Untergangs an, in Rom zur Kaiserzeit. Kamen Liebeshändel wirklich vor zwischen freien Bürgern und Bürgerinnen, so nur von wegen des Ehebruchs. Und dem klassischen Liebesdichter des Altertums, dem alten Anakreon, war die Geschlechtsliebe, in unserm Sinne, so sehr Wurst, daß ihm sogar das Geschlecht des geliebten Wesens Wurst war.

Unsre Geschlechtsliebe unterscheidet sich wesentlich vom einfachen geschlechtlichen Verlangen, dem Eros, der Alten. Erstens setzt sie beim geliebten Wesen Gegenliebe voraus; die Frau steht insoweit dem Manne gleich, während sie beim antiken Eros keineswegs immer gefragt wird. Zweitens hat die Geschlechtsliebe einen Grad von Intensität und Dauer, der beiden Teilen Nichtbesitz und Trennung als ein hohes, wo nicht das höchste, Unglück erscheinen läßt; um sich gegenseitig besitzen zu können, spielen sie hohes Spiel, bis zum Einsatz des Lebens, was im Altertum höchstens beim Ehebruch vorkam. Und endlich entsteht ein neuer sittlicher Maßstab für die Beurteilung des geschlechtlichen Umgangs; man fragt nicht nur: war er ehelich oder außerehelich, sondern auch: entsprang er der Liebe und Gegenliebe oder nicht? Es versteht sich, daß es diesem neuen Maßstab in der feudalen oder bürgerlichen Praxis nicht besser ergeht als allen andern Maßstäben der Moral – man setzt sich über ihn hinweg. Aber es ergeht ihm auch nicht schlechter. Er wird ebensogut wie sie anerkannt – in der Theorie, auf dem Papier. Und mehr kann er vorderhand nicht verlangen.

Wo das Altertum abgebrochen mit seinen Anläufen zur Geschlechtsliebe, da setzt das Mittelalter wieder an: beim

Ehebruch. Wir haben die ritterliche Liebe bereits geschildert, die die Tagelieder erfand. Von dieser Liebe, die die Ehe brechen will, bis zu der, die sie gründen soll, ist noch ein weiter Weg, den das Rittertum nie vollauf zurücklegt. Selbst wenn wir von den frivolen Romanen zu den tugendsamen Deutschen übergehn, finden wir im »Nibelungenlied«, daß Kriemhild zwar im stillen nicht minder in Siegfried verliebt ist als er in sie, daß sie aber dennoch auf Gunthers Anzeige, er habe sie einem Ritter zugeschworen, den er nicht nennt, einfach antwortet:

»Ihr braucht mich nicht zu bitten; wie Ihr mir gebietet, so will ich immer sein; den Ihr, Herr, mir gebt zum Mann, dem will ich mich gern verloben.«[50]

Es fällt ihr gar nicht in den Sinn, daß ihre Liebe hier überhaupt in Betracht kommen kann. Gunther wirbt um Brünhild, Etzel um Kriemhild, ohne sie je gesehn zu haben; ebenso in der »Gutrun«[51] Siegebant von Irland um die norwegische Ute, Hetel von Hegelingen um Hilde von Irland, endlich Siegfried von Morland, Hartmut von Ormanien und Herwig von Seeland um Gutrun; und hier erst kommt es vor, daß diese sich freiwillig für letzteren entscheidet. In der Regel wird die Braut des jungen Fürsten ausgesucht von dessen Eltern, wenn sie noch leben, sonst von ihm selbst unter Beirat der großen Lehenträger, die in allen Fällen ein gewichtiges Wort dabei mitsprechen. Es kann auch gar nicht anders sein. Für den Ritter oder Baron wie für den Landesfürsten selbst ist die Verheiratung ein politischer Akt, eine Gelegenheit der Machtvergrößerung durch neue Bündnisse; das Interesse des *Hauses* hat zu entscheiden, nicht das Belieben des einzelnen. Wie soll da die Liebe in die Lage kommen, das letzte Wort zu sprechen über den Eheschluß?

Nicht anders mit dem Zunftbürger der mittelalterlichen Städte. Gerade die ihn schützenden Privilegien, die verklausulierten Zunftordnungen, die verkünstelten Grenzlinien, die ihn gesetzlich schieden, hier von den andern Zünften, dort von seinen eignen Zunftgenossen, da von seinen Gesellen und

Lehrlingen, zogen den Kreis schon eng genug, aus dem er sich eine passende Gattin suchen konnte. Und welche unter ihnen die passendste war, das entschied unter diesem verwickelten System unbedingt nicht sein individuelles Belieben, sondern das Familieninteresse.

So blieb also in der unendlichen Mehrzahl der Fälle der Eheschluß bis zum Ende des Mittelalters, was er von Anfang an gewesen, eine Sache, die nicht von den Beteiligten entschieden wurde. Im Anfang kam man bereits verheiratet auf die Welt – verheiratet mit einer ganzen Gruppe des andern Geschlechts. In den späteren Formen der Gruppenehe fand wahrscheinlich ein ähnliches Verhältnis statt, nur unter stets wachsender Verengerung der Gruppe. In der Paarungsehe ist es Regel, daß die Mütter die Ehen ihrer Kinder verabreden; auch hier entscheiden Rücksichten auf neue Verwandtschaftsbande, die dem jungen Paar eine stärkere Stellung in Gens und Stamm verschaffen sollen. Und als mit dem Überwiegen des Privateigentums über das Gemeineigentum und mit dem Interesse an der Vererbung das Vaterrecht und die Monogamie zur Herrschaft kamen, da wurde der Eheschluß erst recht abhängig von ökonomischen Rücksichten. Die *Form* der Kaufehe verschwindet, die Sache wird in stets steigendem Maß durchgeführt, so daß nicht nur die Frau, sondern auch der Mann einen Preis erhält – nicht nach seinen persönlichen Eigenschaften, sondern nach seinem Besitz. Daß die gegenseitige Neigung der Beteiligten der alles andre überwiegende Grund des Eheschlusses sein sollte, das war in der Praxis der herrschenden Klassen unerhört geblieben von Anfang an; so etwas kam vor höchstens in der Romantik oder – bei den unterdrückten Klassen, die nicht zählten.

Das war der Zustand, den die kapitalistische Produktion vorfand, als sie, seit dem Zeitalter der geographischen Entdeckungen, durch den Welthandel und die Manufaktur sich anschickte zur Weltherrschaft. Man sollte meinen, dieser Modus der Eheschließung habe ihr ausnehmend gepaßt, und so war es auch. Und dennoch – die Ironie der Weltgeschichte ist unergründlich – war sie es, die die entscheidende Bresche in ihn legen mußte: Indem sie alle Dinge in Waren verwandelte, löste sie alle überkommenen, altherkömmlichen Verhältnisse auf, setzte an die Stelle der ererbten Sitte, des historischen Rechts, den Kauf und Verkauf, den »freien« Vertrag; wie denn der englische Jurist H. S. Maine[52] glaubte, eine ungeheure Entdeckung gemacht zu haben, als er sagte, unser ganzer Fortschritt gegen frühere Epochen bestehe darin, daß wir gekommen seien from status to contract, von erblich überkommenen zu freiwillig kontrahierten Zuständen, was freilich schon im »Kommunistischen Manifest«[53] stand, soweit es richtig ist.

Zum Vertragschließen gehören aber Leute, die frei über ihre Personen, Handlungen und Besitztümer verfügen können und die einander gleichberechtigt gegenüberstehn. Diese »freien« und »gleichen« Leute zu schaffen, war grade eine der Hauptarbeiten der kapitalistischen Produktion. Geschah dies auch im Anfang noch in nur halbbewußter, obendrein religiös verkleideter Weise, so stand doch von der lutherischen und calvinischen Reformation an der Satz fest, daß der Mensch nur dann für seine Handlungen vollauf verantwortlich sei, wenn er sie in voller Freiheit des Willens begangen, und daß es sittliche Pflicht sei, Widerstand zu leisten gegen jeden Zwang zu unsittlicher Tat. Wie reimte sich dies aber mit der bisherigen Praxis der Eheschließung? Die Ehe war nach bürgerlicher Auffassung ein Vertrag, ein Rechtsgeschäft, und zwar das wichtigste von allen, weil es über Körper und Geist von zwei Menschen auf Lebenszeit Verfügung traf. Es wurde damals zwar formell freiwillig geschlossen; ohne das Jawort der Beteiligten ging es nicht. Aber man wußte nur zu gut, wie das Jawort zustande kam und wer die eigentlichen Eheschließer waren. Wenn aber zu allen andern Verträgen wirkliche Freiheit der Entschließung gefordert wurde, warum nicht zu diesem? Hatten die zwei jungen Leute, die verkuppelt werden sollten, nicht auch das Recht, über sich selbst, über ihren Leib und dessen Organe frei zu verfügen? War nicht die Geschlechtsliebe durch das Rittertum in die Mode gekommen und war, gegenüber der ritterlichen Ehebruchsliebe, nicht die Liebe der Ehegatten ihre richtige bürgerliche Form? Wenn es aber Pflicht der Eheleute, einander zu lieben, war es nicht ebensosehr Pflicht der Liebenden, einander zu heiraten und niemand anders? Stand dies Recht der Liebenden nicht höher als das Recht der Eltern, Verwandten und sonstigen hergebrachten Heiratsmakler und Ehekuppler? Brach das Recht der freien persönlichen Prüfung ungeniert in Kirche und Religion ein, wie sollte es stehenbleiben vor dem unerträglichen Anspruch der älteren Generation, über Leib, Seele, Vermögen, Glück und Unglück der jüngeren zu verfügen?

Diese Fragen mußten aufgeworfen werden zu einer Zeit, die alle alten Bande der Gesellschaft auflockerte und alle ererbten Vorstellungen ins Wanken brachte. Die Welt war mit einem Schlage fast zehnmal größer geworden; statt eines Quadranten einer Halbkugel lag jetzt die ganze Erdkugel vor dem Blick der Westeuropäer, die sich beeilten, die andern sieben Quadranten in Besitz zu nehmen. Und wie die alten engen Heimatsschranken, so fielen auch die tausendjährigen Schranken der mittelalterlichen vorgeschriebnen Denkweise. Dem äußern wie dem innern Auge des Menschen öffnete sich ein unendlich weiterer Horizont. Was galt die Wohlmeinung der Ehrbarkeit, was das durch Geschlechter vererbte ehrsame Zunftprivilegium dem jungen Mann, den die Reichtümer Indiens, die Gold- und Silberminen Mexikos und Potosis anlockten. Es war die fahrende Ritterzeit des Bürgertums; sie hatte auch ihre Romantik und ihre Liebesschwärmerei, aber auf bürgerlichem Fuß und mit in letzter Instanz bürgerlichen Zielen.

So geschah es, daß das aufkommende Bürgertum, namentlich der protestantischen Länder, wo am meisten am Bestehenden gerüttelt wurde, auch für die Ehe die Freiheit der Vertragschließung mehr und mehr anerkannte und in der oben geschilderten Weise durchführte. Die Ehe blieb Klassenehe, aber innerhalb der Klasse wurde den Beteiligten ein gewisser

Grad von Freiheit der Wahl zugestanden. Und auf dem Papier, in der moralischen Theorie wie in der poetischen Schilderung, stand nichts unerschütterlicher fest, als daß jede Ehe unsittlich, die nicht auf gegenseitiger Geschlechtsliebe und wirklich freier Übereinkunft der Gatten beruht. Kurzum, die Liebesehe war proklamiert als Menschenrecht, und zwar nicht nur als droit de l'homme[1], sondern auch ausnahmsweise als droit de la femme[2].

Dies Menschenrecht unterschied sich aber in einem Punkt von allen übrigen sogenannten Menschenrechten. Während diese in der Praxis auf die herrschende Klasse, die Bourgeoisie, beschränkt blieben und der unterdrückten Klasse, dem Proletariat, direkt oder indirekt verkümmert wurden, bewährt sich hier wieder die Ironie der Geschichte. Die herrschende Klasse bleibt beherrscht von den bekannten ökonomischen Einflüssen und weist daher nur in Ausnahmefällen wirklich frei geschlossene Ehen auf, während diese bei der beherrschten Klasse, wie wir sahen, die Regel sind.

Die volle Freiheit der Eheschließung kann also erst dann allgemein durchgeführt werden, wenn die Beseitigung der kapitalistischen Produktion und der durch sie geschaffnen Eigentumsverhältnisse alle die ökonomischen Nebenrücksichten entfernt hat, die jetzt noch einen so mächtigen Einfluß auf die Gattenwahl ausüben. Dann bleibt eben kein andres Motiv mehr als die gegenseitige Zuneigung.

Da nun die Geschlechtsliebe ihrer Natur nach ausschließlich ist – obwohl sich diese Ausschließlichkeit heutzutage nur in der Frau durchweg verwirklicht –, so ist die auf Geschlechtsliebe begründete Ehe ihrer Natur nach Einzelehe. Wir haben gesehn, wie recht Bachofen hatte, wenn er den Fortschritt von der Gruppenehe zur Einzelehe vorwiegend als das Werk der Frauen ansah; nur der Fortgang von der Paarungsehe zur Monogamie kommt auf Rechnung der Männer; und er bestand, historisch, wesentlich in einer Verschlechterung der Stellung der Frauen und einer Erleichterung der Untreue der

[1]Recht des Mannes – [2]Recht der Frau

Männer. Fallen nun noch die ökonomischen Rücksichten weg, infolge deren die Frauen sich diese gewohnheitsmäßige Untreue der Männer gefallen ließen – die Sorge um ihre eigne Existenz und noch mehr die um die Zukunft der Kinder –, so wird die damit erreichte Gleichstellung der Frau aller bisherigen Erfahrung nach in unendlich stärkerem Maß dahin wirken, daß die Männer wirklich monogam werden, als dahin, daß die Frauen polyandrisch.

Was aber von der Monogamie ganz entschieden wegfallen wird, das sind alle die Charaktere, die ihr durch ihr Entstehn aus den Eigentumsverhältnissen aufgedrückt wurden, und diese sind erstens die Vorherrschaft des Mannes und zweitens die Unlösbarkeit. Die Vorherrschaft des Mannes in der Ehe ist einfache Folge seiner ökonomischen Vorherrschaft und fällt mit dieser von selbst. Die Unlösbarkeit der Ehe ist teils Folge der ökonomischen Lage, unter der die Monogamie entstand, teils Tradition aus der Zeit, wo der Zusammenhang dieser ökonomischen Lage mit der Monogamie noch nicht recht verstanden und religiös outriert wurde. Sie ist schon heute tausendfach durchbrochen. Ist nur die auf Liebe gegründete Ehe sittlich, so auch nur die, worin die Liebe fortbesteht. Die Dauer des Anfalls der individuellen Geschlechtsliebe ist aber nach den Individuen sehr verschieden, namentlich bei den Männern, und ein positives Aufhören der Zuneigung oder ihre Verdrängung durch eine neue leidenschaftliche Liebe macht die Scheidung für beide Teile wie für die Gesellschaft zur Wohltat. Nur wird man den Leuten ersparen, durch den nutzlosen Schmutz eines Scheidungsprozesses zu waten.

Was wir also heutzutage vermuten können über die Ordnung der Geschlechtsverhältnisse nach der bevorstehenden Wegfegung der kapitalistischen Produktion ist vorwiegend negativer Art, beschränkt sich meist auf das, was wegfällt. Was aber wird hinzukommen? Das wird sich entscheiden, wenn ein neues Geschlecht herangewachsen sein wird: ein Geschlecht von Männern, die nie in ihrem Leben in den Fall gekommen sind, für Geld oder andre soziale Machtmittel die

Preisgebung einer Frau zu erkaufen, und von Frauen, die nie in den Fall gekommen sind, weder aus irgendwelchen andern Rücksichten als wirklicher Liebe sich einem Mann hinzugeben, noch dem Geliebten die Hingabe zu verweigern aus Furcht vor den ökonomischen Folgen. Wenn diese Leute da sind, werden sie sich den Teufel darum scheren, was man heute glaubt, daß sie tun sollen; sie werden sich ihre eigne Praxis und ihre danach abgemeßne öffentliche Meinung über die Praxis jedes einzelnen selbst machen – Punktum.

Kehren wir indes zurück zu Morgan, von dem wir uns ein beträchtliches entfernt haben. Die geschichtliche Untersuchung der während der Zivilisationsperiode entwickelten gesellschaftlichen Institutionen geht über den Rahmen seines Buchs hinaus. Die Schicksale der Monogamie während dieses Zeitraums beschäftigen ihn daher nur ganz kurz. Auch er sieht in der Weiterbildung der monogamen Familie einen Fortschritt, eine Annäherung an die volle Gleichberechtigung der Geschlechter, ohne daß er dies Ziel jedoch für erreicht hält. Aber, sagt er,

»wenn die Tatsache anerkannt wird, daß die Familie vier Formen nacheinander durchgemacht hat und sich jetzt in einer fünften befindet, so entsteht die Frage, ob diese Form für die Zukunft von Dauer sein kann. Die einzig mögliche Antwort ist die, daß sie fortschreiten muß, wie die Gesellschaft fortschreitet, sich verändern im Maß, wie die Gesellschaft sich verändert, ganz wie bisher. Sie ist das Geschöpf des Gesellschaftssystems und wird seinen Bildungsstand widerspiegeln. Da die monogame Familie sich verbessert hat seit dem Beginn der Zivilisation, und sehr merklich in der modernen Zeit, so kann man mindestens vermuten, daß sie weiterer Vervollkommnung fähig, bis die Gleichheit beider Geschlechter erreicht ist. Sollte in entfernter Zukunft die monogame Familie nicht imstande sein, die Ansprüche der Gesellschaft zu erfüllen, so ist unmöglich vorherzusagen, von welcher Beschaffenheit ihre Nachfolgerin sein wird.«[54]

III
Die irokesische Gens

Wir kommen jetzt zu einer andern Entdeckung Morgans, die mindestens von derselben Wichtigkeit ist wie die Rekonstruktion der Urfamilienform aus den Verwandtschaftssystemen. Der Nachweis, daß die durch Tiernamen bezeichneten Geschlechtsverbände innerhalb eines Stammes amerikanischer Indianer wesentlich identisch sind mit den genea der Griechen, den gentes der Römer; daß die amerikanische Form die ursprüngliche, die griechisch-römische die spätere, abgeleitete ist; daß die ganze Gesellschaftsorganisation der Griechen und Römer der Urzeit in Gens, Phratrie und Stamm ihre getreue Parallele findet in der amerikanisch-indianischen; daß die Gens eine allen Barbaren bis zu ihrem Eintritt in die Zivilisation, und selbst noch nachher, gemeinsame Einrichtung ist (soweit unsere Quellen bis jetzt reichen) – dieser Nachweis hat mit einem Schlag die schwierigsten Partien der ältesten griechischen und römischen Geschichte aufgeklärt und uns gleichzeitig über die Grundzüge der Gesellschaftsverfassung der Urzeit – vor Einführung des *Staats* – ungeahnte Aufschlüsse gegeben. So einfach die Sache auch aussieht, sobald man sie einmal kennt, so hat Morgan sie doch erst in der letzten Zeit entdeckt; in seiner vorhergehenden, 1871 erschienenen Schrift[25] war er noch nicht hinter dies Geheimnis gekommen, dessen Enthüllung seitdem die sonst so zuversichtlichen englischen Urhistoriker für eine Zeitlang mäuschenstill gemacht hat.

Das lateinische Wort gens, welches Morgan allgemein für diesen Geschlechtsverband anwendet, kommt wie das griechische gleichbedeutende genos von der allgemein-arischen Wurzel gan (deutsch, wo nach der Regel k für arisches g stehen muß, kan), welche erzeugen bedeutet. Gens, genos, sanskrit dschanas, gotisch (nach der obigen Regel) kuni, altnordisch und angelsächsisch kyn, englisch kin, mittelhochdeutsch künne bedeuten gleichmäßig Geschlecht, Abstammung. Gens im Lateinischen, genos im Griechischen, wird aber speziell für jenen Geschlechtsverband gebraucht, der sich gemeinsamer Abstammung (hier von einem gemeinsamen Stammvater) rühmt und durch gewisse gesellschaftliche und religiöse Einrichtungen zu einer besondern Gemeinschaft verknüpft ist, dessen Entstehung und Natur trotzdem allen unsern Geschichtsschreibern bis jetzt dunkel blieb.

Wir haben schon oben, bei der Punaluafamilie, gesehn, was die Zusammensetzung einer Gens in der ursprünglichen Form ist. Sie besteht aus allen Personen, die vermittelst der Punaluaehe und nach den in ihr mit Notwendigkeit herrschenden Vorstellungen die anerkannte Nachkommenschaft einer bestimmten einzelnen Stammutter, der Gründerin der Gens, bilden. Da in dieser Familienform die Vaterschaft ungewiß, gilt nur weibliche Linie. Da die Brüder ihre Schwestern nicht heiraten dürfen, sondern nur Frauen andrer Abstammung, so fallen die mit diesen fremden Frauen erzeugten Kinder nach Mutterrecht außerhalb der Gens. Es bleiben also nur die Nachkommen der *Töchter* jeder Generation innerhalb des Geschlechtsverbandes; die der Söhne gehn über in die Gentes ihrer Mütter. Was wird nun aus dieser Blutsverwandtschaftsgruppe, sobald sie sich als besondre Gruppe, gegenüber ähnlichen Gruppen innerhalb eines Stammes, konstituiert?

Als klassische Form dieser ursprünglichen Gens nimmt Morgan die der Irokesen, speziell des Senekastammes. Bei diesem gibt es acht Gentes, nach Tieren benannt: 1. Wolf, 2. Bär, 3. Schildkröte, 4. Biber, 5. Hirsch, 6. Schnepfe, 7. Reiher, 8. Falke. In jeder Gens herrscht folgender Brauch:

1. Sie erwählt ihren Sachem (Friedensvorsteher) und Häuptling (Kriegsanführer). Der Sachem muß aus der Gens selbst gewählt werden, und sein Amt war erblich in ihr, insofern es bei Erledigung sofort neu besetzt werden mußte; der Kriegsanführer konnte auch außerhalb der Gens gewählt werden und zeitweise ganz fehlen. Zum Sachem wurde nie der Sohn des vorigen gewählt, da bei den Irokesen Mutterrecht herrschte, der

Sohn also einer andern Gens angehörte; wohl aber und oft der Bruder oder Schwestersohn. Bei der Wahl stimmten *alle* mit, Männer und Weiber. Die Wahl mußte aber von den übrigen sieben Gentes bestätigt werden, und dann erst wurde der Gewählte feierlich eingesetzt, und zwar durch den gemeinsamen Rat des ganzen Irokesenbundes. Die Bedeutung hiervon wird sich später zeigen. Die Gewalt des Sachem innerhalb der Gens war väterlich, rein moralischer Natur; Zwangsmittel hatte er nicht. Daneben war er von Amts wegen Mitglied des Stammesrats der Senekas wie des Bundesrats der Gesamtheit der Irokesen. Der Kriegshäuptling hatte nur auf Kriegszügen etwas zu befehlen.

2. Sie setzt den Sachem und Kriegshäuptling nach Belieben ab. Dies geschieht wieder von Männern und Weibern zusammen. Die Abgesetzten sind nachher einfache Krieger wie die andern, Privatpersonen. Der Stammesrat kann übrigens auch Sachems absetzen, selbst gegen den Willen der Gens.

3. Kein Mitglied darf innerhalb der Gens heiraten. Dies ist die Grundregel der Gens, das Band, das sie zusammenhält; es ist der negative Ausdruck der sehr positiven Blutsverwandtschaft, kraft deren die in ihr einbegriffenen Individuen erst eine Gens werden. Durch die Entdeckung dieser einfachen Tatsache hat Morgan die Natur der Gens zum erstenmal enthüllt. Wie wenig die Gens bisher verstanden wurde, beweisen die früheren Berichte über Wilde und Barbaren, wo die verschiedenen Körperschaften, aus denen die Gentilordnung sich zusammensetzt, unbegriffen und ununterschieden als Stamm, Clan, Thum usw. durcheinandergeworfen wurden und von diesen zuweilen gesagt wird, daß die Heirat innerhalb einer solchen Körperschaft verboten sei. Damit war denn die rettungslose Konfusion gegeben, in der Herr McLennan als Napoleon auftreten und Ordnung schaffen konnte, durch den Machtspruch: Alle Stämme teilen sich in solche, innerhalb deren die Ehe verboten ist (exogame), und solche, in denen sie erlaubt (endogame). Und nachdem er so die Sache erst recht gründlich verfahren, konnte er sich in den tiefsinnigsten Untersuchungen ergehen,

welche von seinen beiden abgeschmackten Klassen die ältere sei: die Exogamie oder die Endogamie. Mit der Entdeckung der auf Blutsverwandtschaft, und daraus hervorgehender Unmöglichkeit der Ehe unter ihren Mitgliedern, begründeten Gens hörte dieser Unsinn von selbst auf. – Es ist selbstverständlich, daß auf der Stufe, auf der wir die Irokesen vorfinden, das Eheverbot innerhalb der Gens unverbrüchlich eingehalten wird.

4. Das Vermögen Verstorbner fiel an die übrigen Gentilgenossen, es mußte in der Gens bleiben. Bei der Unbedeutendheit der Gegenstände, die ein Irokese hinterlassen konnte, teilten sich die nächsten Gentilverwandten in die Erbschaft; starb ein Mann, dann seine leiblichen Brüder und Schwestern und der Mutterbruder; starb eine Frau, dann ihre Kinder und leiblichen Schwestern, nicht aber ihre Brüder. Ebendeshalb konnten Mann und Frau nicht voneinander erben oder die Kinder vom Vater.

5. Die Gentilgenossen schuldeten einander Hülfe, Schutz und namentlich Beistand zur Rache für Verletzung durch Fremde. Der *einzelne* verließ sich für seine Sicherheit auf den Schutz der Gens und konnte es; wer ihn verletzte, verletzte die ganze Gens. Hieraus, aus den Blutbanden der Gens, entsprang die Verpflichtung zur Blutrache, die von den Irokesen unbedingt anerkannt wurde. Erschlug ein Gentilfremder einen Gentilgenossen, so war die ganze Gens des Getöteten zur Blutrache verpflichtet. Zuerst versuchte man Vermittlung; die Gens des Töters hielt Rat und machte dem Rat der Gens des Getöteten Beilegungsanträge, meist Ausdrücke des Bedauerns und bedeutende Geschenke anbietend. Wurden diese angenommen, war die Sache erledigt. Im andern Fall ernannte die verletzte Gens einen oder mehrere Rächer, die den Töter zu verfolgen und zu erschlagen verpflichtet waren. Geschah dies, so hatte die Gens des Erschlagnen kein Recht, sich zu beklagen, der Fall war ausgeglichen.

6. Die Gens hat bestimmte Namen oder Reihen von Namen, die im ganzen Stamm nur sie gebrauchen darf, so daß der Name

des einzelnen zugleich sagt, welcher Gens er angehört. Ein Gentilname führt Gentilrechte von vornherein mit sich.

7. Die Gens kann Fremde in sich adoptieren und sie dadurch in den ganzen Stamm aufnehmen. Die Kriegsgefangnen, die man nicht tötete, wurden so vermittelst Adoption in einer Gens Stammesmitglieder der Senekas und erhielten damit die vollen Gentil- und Stammesrechte. Die Adoption geschah auf Antrag einzelner Gentilgenossen, Männer, die den Fremden als Bruder resp. Schwester, Frauen, die ihn als Kind annahmen; die feierliche Aufnahme in die Gens war zur Bestätigung nötig. Oft wurden so einzelne, ausnahmsweise zusammengeschrumpfte Gentes durch Massenadoption aus einer andern Gens, mit Einwilligung dieser, neu gestärkt. Bei den Irokesen fand die feierliche Aufnahme in die Gens in öffentlicher Sitzung des Stammesrats statt, wodurch sie tatsächlich eine religiöse Zeremonie wurde.

8. Spezielle religiöse Feierlichkeiten kann man bei indianischen Gentes schwerlich nachweisen; aber die religiösen Zeremonien der Indianer hängen mehr oder minder mit den Gentes zusammen. Bei den sechs jährlichen religiösen Festen der Irokesen wurden die Sachems und Kriegshäuptlinge der einzelnen Gentes von Amts wegen den »Glaubenshütern« zugezählt und hatten priesterliche Funktionen.

9. Die Gens hat einen gemeinsamen Begräbnisplatz. Dieser ist bei den mitten unter Weißen eingeengten Irokesen des Staats New York jetzt verschwunden, hat aber früher bestanden. Bei andern Indianern besteht er noch; so bei den den Irokesen nah verwandten Tuskaroras, die, obgleich Christen, für jede Gens eine bestimmte Reihe im Kirchhof haben, so daß zwar die Mutter in derselben Reihe begraben wird wie die Kinder, aber nicht der Vater. Und auch bei den Irokesen geht die ganze Gens eines Verstorbenen zum Begräbnis, besorgt das Grab, die Grabreden etc.

10. Die Gens hat einen Rat, die demokratische Versammlung aller männlichen und weiblichen erwachsenen Gentilen, alle mit gleichem Stimmrecht. Dieser Rat erwählte Sachems

und Kriegshäuptlinge und setzte sie ab; ebenso die übrigen »Glaubenshüter«; er beschloß über Bußgaben (Wergeld) oder Blutrache für gemordete Gentilen; er adoptierte Fremde in die Gens. Kurz, er war die souveräne Gewalt in der Gens.

Dies sind Befugnisse einer typischen indianischen Gens.

»Alle ihre Mitglieder sind freie Leute, verpflichtet, *einer* des *andern* Freiheit zu schützen; gleich in persönlichen Rechten – weder Sachems noch Kriegsführer beanspruchen irgendwelchen Vorrang; sie bilden eine Brüderschaft, verknüpft durch Blutbande. Freiheit, Gleichheit, Brüderlichkeit, obwohl nie formuliert, waren die Grundprinzipien der Gens, und diese war wiederum die Einheit eines ganzen gesellschaftlichen Systems, die Grundlage der organisierten indianischen Gesellschaft. Das erklärt den unbeugsamen Unabhängigkeitssinn und die persönliche Würde des Auftretens, die jedermann bei den Indianern anerkennt.«[55]

Zur Zeit der Entdeckung waren die Indianer von ganz Nordamerika in Gentes organisiert, nach Mutterrecht. Nur in einigen Stämmen, wie den der Dakotas, waren die Gentes verfallen, und in einigen andern, Ojibwas, Omahas, waren sie nach Vaterrecht organisiert.

Bei sehr vielen indianischen Stämmen mit mehr als fünf oder sechs Gentes finden wir je drei, vier oder mehr Gentes zu einer besondern Gruppe vereinigt, die Morgan in getreuer Übertragung des indianischen Namens nach ihrem griechischen Gegenbild Phratrie (Brüderschaft) nennt. So haben die Senekas zwei Phratrien; die erste umfaßt die Gentes 1–4, die zweite die Gentes 5–8. Die nähere Untersuchung zeigt, daß diese Phratrien meist die ursprünglichen Gentes darstellen, in die sich der Stamm anfänglich spaltete; denn bei dem Heiratsverbot innerhalb der Gens mußte jeder Stamm notwendig mindestens zwei Gentes umfassen, um selbständig bestehn zu können. Im Maß, wie sich der Stamm vermehrte, spaltete sich jede Gens wieder in zwei oder mehrere, die nun jede als besondre Gens erscheinen, während die ursprüngliche Gens, die alle Tochtergentes umfaßt, fortlebt als Phratrie. Bei den Senekas und den meisten andern Indianern sind die

Gentes der einen Phratrie Brudergentes, während die der andern ihre Vettergentes sind – Bezeichnungen, die im amerikanischen Verwandtschaftssystem, wie wir sahn, einen sehr reellen und ausdrucksvollen Sinn haben. Ursprünglich durfte auch kein Seneka innerhalb seiner Phratrie heiraten, doch ist dies längst außer Gebrauch gekommen und auf die Gens beschränkt. Tradition der Senekas war, daß Bär und Hirsch die beiden ursprünglichen Gentes seien, von denen die andern abgezweigt. Nachdem diese neue Einrichtung einmal eingewurzelt, wurde sie nach dem Bedürfnis modifiziert; starben Gentes einer Phratrie aus, so wurden zuweilen zur Ausgleichung ganze Gentes aus andern Phratrien in jene versetzt. Daher finden wir bei verschiednen Stämmen die gleichnamigen Gentes verschieden gruppiert in den Phratrien.

Die Funktionen der Phratrie bei den Irokesen sind teils gesellschaftliche, teils religiöse. 1. Das Ballspiel spielen die Phratrien gegeneinander; jede schickt ihre besten Spieler vor, die übrigen sehen zu, jede Phratrie besonders aufgestellt, und wetten gegeneinander auf das Gewinnen der ihrigen. – 2. Im Stammesrat sitzen die Sachems und Kriegsführer jeder Phratrie zusammen, die beiden Gruppen einander gegenüber, jeder Redner spricht zu den Repräsentanten jeder Phratrie als zu einer besondern Körperschaft. – 3. War ein Totschlag im Stamm vorgekommen, wo Töter und Getötete nicht zu derselben Phratrie gehörten, so appellierte die verletzte Gens oft an ihre Brudergentes; diese hielten einen Phratrienrat und wandten sich an die andre Phratrie als Gesamtheit, damit diese ebenfalls einen Rat versammle zur Beilegung der Sache. Hier tritt also die Phratrie wieder als ursprüngliche Gens auf und mit größerer Aussicht auf Erfolg als die schwächere einzelne Gens, ihre Tochter. – 4. Bei Todesfällen hervorragender Leute übernahm die entgegengesetzte Phratrie die Besorgung der Bestattung und der Begräbnisfeierlichkeiten, während die Phratrie des Verstorbenen als leidtragend mitging. Starb ein Sachem, so meldete die entgegengesetzte Phratrie die Erledigung des Amts dem Bundesrat der Irokesen an. – 5. Bei der Wahl eines Sachems kam ebenfalls der Phratrienrat ins Spiel. Bestätigung durch die Brudergentes wurde als ziemlich selbstverständlich angesehn, aber die Gentes der andern Phratrie mochten opponieren. In solchem Fall kam der Rat dieser Phratrie zusammen; hielt er die Opposition aufrecht, so war die Wahl wirkungslos. – 6. Früher hatten die Irokesen besondre religiöse Mysterien, von den Weißen medicine-lodges genannt. Diese wurden bei den Senekas gefeiert durch zwei religiöse Genossenschaften, mit regelrechter Einweihung für neue Mitglieder; auf jede der beiden Phratrien entfiel eine dieser Genossenschaften. – 7. Wenn, wie fast sicher, die vier linages (Geschlechter), die die vier Viertel von Tlascalá zur Zeit der Eroberung bewohnten[56], vier Phratrien waren, so ist damit bewiesen, daß die Phratrien wie bei den Griechen und ähnliche Geschlechtsverbände bei den Deutschen auch als militärische Einheiten galten; diese vier linages zogen in den Kampf, jede einzelne als besondre Schar, mit eigner Uniform und Fahne und unter eignem Führer.

Wie mehrere Gentes eine Phratrie, so bilden, in der klassischen Form, mehrere Phratrien einen Stamm; in manchen Fällen fehlt bei stark geschwächten Stämmen das Mittelglied, die Phratrie. Was bezeichnet nun einen Indianerstamm in Amerika?

1. Ein eignes Gebiet und ein eigner Name. Jeder Stamm besaß außer dem Ort seiner wirklichen Niederlassung noch ein beträchtliches Gebiet zu Jagd und Fischfang. Darüber hinaus lag ein weiter, neutraler Landstrich, der bis ans Gebiet des nächsten Stammes reichte, bei sprachverwandten Stämmen geringer, bei nichtsprachverwandten größer war. Es ist dies der Grenzwald der Deutschen, die Wüste, die Cäsars Sueven um ihr Gebiet schaffen, das îsarnholt (dänisch jarnwed, limes Danicus) zwischen Dänen und Deutschen, der Sachsenwald und der branibor (slawisch = Schutzwald), von dem Brandenburg seinen Namen trägt, zwischen Deutschen und Slawen. Das solchergestalt durch unsichre Grenzen ausgeschiedne Gebiet war das Gemeinland des Stamms, von Nachbarstäm-

men als solches anerkannt, von ihm selbst gegen Übergriffe verteidigt. Die Unsicherheit der Grenzen wurde meist erst praktisch nachteilig, wenn die Bevölkerung sich stark vermehrt hatte. – Die Stammesnamen erscheinen meist mehr zufällig entstanden als absichtlich gewählt; mit der Zeit kam es häufig vor, daß ein Stamm von den Nachbarstämmen mit einem andern als dem von ihm selbst gebrauchten bezeichnet wurde; ähnlich wie die Deutschen ihren ersten geschichtlichen Gesamtnamen, Germanen, von den Kelten auferlegt bekamen.

2. Ein besondrer, nur diesem Stamm eigentümlicher *Dialekt.* In der Tat fallen Stamm und Dialekt der Sache nach zusammen; Neubildung von Stämmen und Dialekten durch Spaltung ging noch bis vor kurzem in Amerika vor sich und wird auch jetzt kaum ganz aufgehört haben. Wo zwei geschwächte Stämme sich zu einem verschmolzen haben, kommt es ausnahmsweise vor, daß im selben Stamm zwei nahverwandte Dialekte gesprochen werden. Die Durchschnittsstärke amerikanischer Stämme ist unter 2000 Köpfen; die Tscherokesen indes sind an 26000 stark, die größte Zahl Indianer in den Vereinigten Staaten, die denselben Dialekt sprechen.

3. Das Recht, die von den Gentes erwählten Sachems und Kriegsführer feierlich einzusetzen und

4. das Recht, sie wieder abzusetzen, auch gegen den Willen ihrer Gens. Da diese Sachems und Kriegsführer Mitglieder des Stammesrats sind, erklären sich diese Rechte des Stammes ihnen gegenüber von selbst. Wo sich ein Bund von Stämmen gebildet hatte und die Gesamtzahl der Stämme in einem Bundesrat vertreten war, gingen obige Rechte auf diesen über.

5. Der Besitz gemeinsamer religiöser Vorstellungen (Mythologie) und Kultusverrichtungen.

»Die Indianer waren in ihrer barbarischen Art ein religiöses Volk.«[57]

Ihre Mythologie ist noch keineswegs kritisch untersucht; sie stellten sich die Verkörperungen ihrer religiösen Vorstellungen – Geister aller Art – bereits unter menschlicher Gestalt vor, aber die Unterstufe der Barbarei, auf der sie sich befanden, kennt noch keine bildlichen Darstellungen, sogenannte Götzen. Es ist ein in der Entwicklung zur Vielgötterei sich befindender Natur- und Elementarkultus. Die verschiednen Stämme hatten ihre regelmäßigen Feste, mit bestimmten Kultusformen, namentlich Tanz und Spielen; der Tanz besonders war ein wesentlicher Bestandteil aller religiösen Feierlichkeiten; jeder Stamm hielt die seinigen besonders ab.

6. Ein Stammesrat für gemeinsame Angelegenheiten. Er war zusammengesetzt aus sämtlichen Sachems und Kriegsführern der einzelnen Gentes, ihren wirklichen, weil stets absetzbaren Vertretern; er beriet öffentlich, umgeben von den übrigen Stammesgliedern, die das Recht hatten dreinzureden und mit ihrer Ansicht gehört zu werden; der Rat entschied. In der Regel wurde jeder Anwesende auf Verlangen gehört, auch die Weiber konnten durch einen Redner ihrer Wahl ihre Ansicht vortragen lassen. Bei den Irokesen mußte der endliche Beschluß einstimmig gefaßt werden, wie dies auch in manchen Beschlüssen deutscher Markgemeinden der Fall war. Dem Stammesrat lag ob namentlich die Regelung des Verhältnisses zu fremden Stämmen; er empfing Gesandtschaften und sandte solche ab, er erklärte Krieg und schloß Frieden. Kam es zum Krieg, so wurde dieser meist von Freiwilligen geführt. Im Prinzip galt jeder Stamm als im Kriegszustand befindlich mit jedem andern Stamm, mit dem er keinen ausdrücklichen Friedensvertrag geschlossen. Kriegerische Auszüge gegen solche Feinde wurden meist organisiert durch einzelne hervorragende Krieger; sie gaben einen Kriegstanz, wer mittanzte, erklärte damit seine Beteiligung am Zug. Die Kolonne wurde sofort gebildet und in Bewegung gesetzt. Ebenso wurde die Verteidigung des angegriffnen Stammesgebiets meist durch freiwillige Aufgebote geführt. Der Auszug und die Rückkehr solcher Kolonnen gaben stets Anlaß zu öffentlichen Festlichkeiten. Genehmigung des Stammesrats zu solchen Auszügen

war nicht erforderlich und wurde weder verlangt noch gegeben. Es sind ganz die Privatkriegszüge deutscher Gefolgschaften, wie Tacitus sie uns schildert, nur daß bei den Deutschen die Gefolgschaften bereits einen ständigern Charakter angenommen haben, einen festen Kern bilden, der schon in Friedenszeiten organisiert wird und um den sich im Kriegsfall die übrigen Freiwilligen gruppieren. Solche Kriegskolonnen waren selten zahlreich; die bedeutendsten Expeditionen der Indianer, auch auf große Entfernungen, wurden von unbedeutenden Streitkräften vollführt. Traten mehrere solche Gefolgschaften zu einer großen Unternehmung zusammen, so gehorchte jede nur ihrem eignen Führer; die Einheit des Feldzugsplans wurde durch einen Rat dieser Führer gut oder schlecht gesichert. Es ist die Kriegführung der Alamannen im vierten Jahrhundert am Oberrhein, wie wir sie bei Ammianus Marcellinus geschildert finden.

7. In einigen Stämmen finden wir einen Oberhäuptling, dessen Befugnisse indessen sehr gering sind. Es ist einer der Sachems, der in Fällen, die rasches Handeln erfordern, provisorische Maßregeln zu treffen hat bis zu der Zeit, wo der Rat sich versammeln und endgültig beschließen kann. Es ist ein schwacher, aber in der weitren Entwicklung meist unfruchtbar gebliebner Ansatz zu einem Beamten mit vollstreckender Gewalt; dieser hat sich vielmehr, wie sich zeigen wird, in den meisten Fällen, wo nicht überall, aus dem obersten Heerführer entwickelt.

Über die Vereinigung im Stamm kam die große Mehrzahl der amerikanischen Indianer nicht hinaus. In wenig zahlreichen Stämmen, durch weite Grenzstriche voneinander geschieden, durch ewige Kriege geschwächt, besetzten sie mit wenig Menschen ein ungeheures Gebiet. Bündnisse zwischen verwandten Stämmen bildeten sich hie und da aus augenblicklicher Notlage und zerfielen mit ihr. Aber in einzelnen Gegenden hatten sich ursprünglich verwandte Stämme aus der Zersplitterung wieder zusammengeschlossen zu dauernden Bünden und so den ersten Schritt getan zur Bildung von Nationen.

In den Vereinigten Staaten finden wir die entwickeltste Form eines solchen Bundes bei den Irokesen. Von ihren Sitzen westlich vom Mississippi ausziehend, wo sie wahrscheinlich einen Zweig der großen Dakota-Familie gebildet, ließen sie sich nach langer Wanderung im heutigen Staat New York nieder, in fünf Stämme geteilt: Senekas, Cayugas, Onondagas, Oneidas und Mohawks. Sie lebten von Fisch, Wild und rohem Gartenbau, wohnten in Dörfern, die meist durch ein Pfahlwerk geschützt. Nie über 20 000 Köpfe stark, hatten sie in allen fünf Stämmen eine Anzahl von Gentes gemeinsam, sprachen nahverwandte Dialekte derselben Sprache und besetzten nun ein zusammenhängendes Gebiet, das unter die fünf Stämme verteilt war. Da dies Gebiet neu erobert, war gewohnheitsmäßiges Zusammenhalten dieser Stämme gegen die Verdrängten natürlich und entwickelte sich, spätestens anfangs des 15. Jahrhunderts, zu einem förmlichen »ewigen Bund«, einer Eidgenossenschaft, die auch sofort im Gefühl ihrer neuen Stärke einen angreifenden Charakter annahm und auf der Höhe ihrer Macht, gegen 1675, große Landstriche ringsumher erobert und die Bewohner teils vertrieben, teils tributpflichtig gemacht hatte. Der Irokesenbund liefert die fortgeschrittenste gesellschaftliche Organisation, zu der es die Indianer gebracht, soweit sie die Unterstufe der Barbarei nicht überschritten (also mit Ausnahme der Mexikaner, Neumexikaner und Peruaner). Die Grundbestimmungen des Bundes waren folgende:

1. Ewiger Bund der fünf blutsverwandten Stämme auf Grundlage vollkommner Gleichheit und Selbständigkeit in allen innern Stammesangelegenheiten. Diese Blutsverwandtschaft bildete die wahre Grundlage des Bundes. Von den fünf Stämmen hießen drei die Vaterstämme und waren Brüder untereinander; die beiden andern hießen Sohnstämme und waren ebenfalls Bruderstämme untereinander. Drei Gentes – die ältesten – waren in allen fünf, andre drei in drei Stämmen noch lebendig vertreten, die Mitglieder jeder dieser Gentes allesamt Brüder durch alle fünf Stämme. Die gemeinsame, nur

dialektisch verschiedne Sprache war Ausdruck und Beweis der gemeinsamen Abstammung.

2. Das Organ des Bundes war ein Bundesrat von 50 Sachems, alle gleich in Rang und Ansehn; dieser Rat entschied endgültig über alle Angelegenheiten des Bundes.

3. Diese 50 Sachems waren bei Stiftung des Bundes auf die Stämme und Gentes verteilt worden, als Träger neuer Ämter, ausdrücklich für Bundeszwecke errichtet. Sie wurden von den betreffenden Gentes bei jeder Erledigung neu gewählt und konnten von ihnen jederzeit abgesetzt werden; das Recht der Einsetzung in ihr Amt aber gehört dem Bundesrat.

4. Diese Bundessachems waren auch Sachems in ihren jedesmaligen Stämmen und hatten Sitz und Stimme im Stammesrat.

5. Alle Beschlüsse des Bundesrats mußten einstimmig gefaßt werden.

6. Die Abstimmung geschah nach Stämmen, so daß jeder Stamm und in jedem Stamm alle Ratsmitglieder zustimmen mußten, um einen gültigen Beschluß zu fassen.

7. Jeder der fünf Stammesräte konnte den Bundesrat berufen, dieser aber nicht sich selbst.

8. Die Sitzungen fanden vor versammeltem Volk statt; jeder Irokese konnte das Wort ergreifen; der Rat allein entschied.

9. Der Bund hatte keine persönliche Spitze, keinen Chef der vollziehenden Gewalt.

10. Dagegen hatte er zwei oberste Kriegsführer, mit gleichen Befugnissen und gleicher Gewalt (die beiden »Könige« der Spartaner, die beiden Konsuln in Rom).

Das war die ganze öffentliche Verfassung, unter der die Irokesen über vierhundert Jahre gelebt haben und noch leben. Ich habe sie ausführlicher nach Morgan geschildert, weil wir hier Gelegenheit haben, die Organisation einer Gesellschaft zu studieren, die noch keinen *Staat* kennt. Der Staat setzt eine von der Gesamtheit der jedesmal Beteiligten getrennte, besondre öffentliche Gewalt voraus, und Maurer, der mit richtigem Instinkt die deutsche Markverfassung als eine vom Staat wesentlich verschiedne, wenn auch ihm großenteils später zugrunde liegende, an sich rein gesellschaftliche Institution erkennt – Maurer untersucht daher in allen seinen Schriften das allmähliche Entstehn der öffentlichen Gewalt aus und neben den ursprünglichen Verfassungen der Marken, Dörfer, Höfe und Städte. Wir sehn bei den nordamerikanischen Indianern, wie ein ursprünglich einheitlicher Volksstamm sich über einen ungeheuren Kontinent allmählich ausbreitet, wie Stämme durch Spaltung zu Völkern, ganzen Gruppen von Stämmen werden, die Sprachen sich verändern, bis nicht nur sie einander unverständlich werden, sondern auch fast jede Spur der ursprünglichen Einheit verschwindet; wie daneben in den Stämmen die einzelnen Gentes sich in mehrere spalten, die alten Muttergentes als Phratrien sich erhalten und doch die Namen dieser ältesten Gentes bei weit entfernten und lange getrennten Stämmen sich gleichbleiben – der Wolf und der Bär sind Gentilnamen noch bei einer Majorität aller indianischen Stämme. Und auf sie alle paßt im ganzen und großen die oben geschilderte Verfassung – nur daß viele es nicht bis zum Bund verwandter Stämme gebracht haben.

Wir sehn aber auch, wie sehr – die Gens als gesellschaftliche Einheit einmal gegeben – die ganze Verfassung von Gentes, Phratrien und Stamm sich mit fast zwingender Notwendigkeit – weil Natürlichkeit – aus dieser Einheit entwickelt. Alle drei sind Gruppen verschiedner Abstufungen von Blutsverwandtschaft, jede abgeschlossen in sich und ihre eignen Angelegenheiten ordnend, jede aber auch die andre ergänzend. Und der Kreis der ihnen anheimfallenden Angelegenheiten umfaßt die Gesamtheit der öffentlichen Angelegenheiten des Barbaren der Unterstufe. Wo wir also bei einem Volk die Gens als gesellschaftliche Einheit vorfinden, werden wir auch nach einer ähnlichen Organisation des Stammes suchen dürfen wie die hier geschilderte; und wo hinreichende Quellen vorliegen, wie bei Griechen und Römern, werden wir sie nicht nur finden, sondern uns auch überzeugen, daß, wo die Quellen uns im Stich lassen, die Vergleichung der amerikanischen Gesellschaftsverfassung uns über die schwierigsten Zweifel und Rätsel hinweghilft.

Und es ist eine wunderbare Verfassung in all ihrer Kindlichkeit und Einfachheit, diese Gentilverfassung! Ohne Soldaten, Gendarmen und Polizisten, ohne Adel, Könige, Statthalter, Präfekten oder Richter, ohne Gefängnisse, ohne Prozesse geht alles seinen geregelten Gang. Allen Zank und Streit entscheidet die Gesamtheit derer, die es angeht, die Gens oder der Stamm, oder die einzelnen Gentes unter sich – nur als äußerstes, selten angewandtes Mittel droht die Blutrache, von der unsre Todesstrafe auch nur die zivilisierte Form ist, behaftet mit allen Vorteilen und Nachteilen der Zivilisation. Obwohl viel mehr gemeinsame Angelegenheiten vorhanden sind als jetzt – die Haushaltung ist einer Reihe von Familien gemein und kommunistisch, der Boden ist Stammesbesitz, nur die Gärtchen sind den Haushaltungen vorläufig zugewiesen –, so braucht man doch nicht eine Spur unsres weitläufigen und verwickelten Verwaltungsapparats. Die Beteiligten entscheiden, und in den meisten Fällen hat jahrhundertelanger Gebrauch bereits alles geregelt. Arme und Bedürftige kann es nicht geben – die kommunistische Haushaltung und die Gens kennen ihre Verpflichtungen gegen Alte, Kranke und im Kriege Gelähmte. Alle sind gleich und frei – auch die Weiber. Für Sklaven ist noch kein Raum, für Unterjochung fremder Stämme in der Regel auch noch nicht. Als die Irokesen um 1651 die Eries und die »Neutrale Nation«[58] besiegt hatten, boten sie ihnen an, als Gleichberechtigte in den Bund zu treten; erst als die Besiegten dies weigerten, wurden sie aus ihrem Gebiet vertrieben. Und welche Männer und Weiber eine solche Gesellschaft erzeugt, beweist die Bewundrung aller Weißen, die mit unverdorbnen Indianern zusammenkamen, vor der persönlichen Würde, Geradheit, Charakterstärke und Tapferkeit dieser Barbaren.

Von der Tapferkeit haben wir ganz neuerdings in Afrika Beispiele erlebt. Die Zulukaffern vor einigen Jahren wie die

Nubier vor ein paar Monaten – beides Stämme, bei denen Gentileinrichtungen noch nicht ausgestorben – haben getan, was kein europäisches Heer tun kann.[59] Nur mit Lanzen und Wurfspeeren bewaffnet, ohne Feuergewehr, sind sie im Kugelregen der Hinterlader der englischen Infanterie – der anerkannt ersten der Welt für das geschlossene Gefecht – bis an die Bajonette vorgerückt und haben sie mehr als einmal in Unordnung gebracht und selbst geworfen, trotz der kolossalen Ungleichheit der Waffen und trotzdem, daß sie gar keine Dienstzeit haben und nicht wissen, was Exerzieren ist. Was sie aushalten und leisten können, beweist die Klage der Engländer, daß ein Kaffer in 24 Stunden einen längeren Weg rascher zurücklegt als ein Pferd – der kleinste Muskel springt vor, hart und gestählt, wie Peitschenschnur, sagt ein englischer Maler.

So sahn die Menschen und die menschliche Gesellschaft aus, ehe die Scheidung in verschiedne Klassen vor sich gegangen war. Und wenn wir ihre Lage vergleichen mit der der ungeheuren Mehrzahl der heutigen zivilisierten Menschen, so ist der Abstand enorm zwischen dem heutigen Proletarier und Kleinbauer und dem alten freien Gentilgenossen.

Das ist die eine Seite. Vergessen wir aber nicht, daß diese Organisation dem Untergang geweiht war. Über den Stamm ging sie nicht hinaus; der Bund der Stämme bezeichnet schon den Anfang ihrer Untergrabung, wie sich zeigen wird und wie sich schon zeigte in den Unterjochungsversuchen der Irokesen. Was außerhalb des Stammes, war außerhalb des Rechts. Wo nicht ausdrücklicher Friedensvertrag vorlag, herrschte Krieg von Stamm zu Stamm, und der Krieg wurde geführt mit der Grausamkeit, die den Menschen vor den übrigen Tieren auszeichnet und die erst später gemildert wurde durch das Interesse. Die Gentilverfassung in ihrer Blüte, wie wir sie in Amerika sahen, setzte voraus eine äußerst unentwickelte Produktion, also eine äußerst dünne Bevölkerung auf weitem Gebiet; also ein fast vollständiges Beherrschtsein des Menschen von der ihm fremd gegenüberstehnden, unverstandnen äußern Natur, das sich widerspiegelt in den kindischen religiösen Vorstellungen. Der Stamm blieb die Grenze für den Menschen, sowohl dem Stammesfremden als auch sich selbst gegenüber: Der Stamm, die Gens und ihre Einrichtungen waren heilig und unantastbar, waren eine von Natur gegebne höhere Macht, der der einzelne im Fühlen, Denken und Tun unbedingt untertan blieb. So imposant die Leute dieser Epoche uns erscheinen, so sehr sind sie ununterschieden einer vom andern, sie hängen noch, wie Marx sagt, an der Nabelschnur des naturwüchsigen Gemeinwesens.[2] Die Macht dieser naturwüchsigen Gemeinwesen mußte gebrochen werden – sie wurde gebrochen. Aber sie wurde gebrochen durch Einflüsse, die uns von vornherein als eine Degradation erscheinen, als ein Sündenfall von der einfachen sittlichen Höhe der alten Gentilgesellschaft. Es sind die niedrigsten Interessen – gemeine Habgier, brutale Genußsucht, schmutziger Geiz, eigensüchtiger Raub am Gemeinbesitz –, die die neue, zivilisierte, die Klassengesellschaft einweihen; es sind die schmählichsten Mittel – Diebstahl, Vergewaltigung, Hinterlist, Verrat, die die alte klassenlose Gentilgesellschaft unterhöhlen und zu Fall bringen. Und die neue Gesellschaft selbst, während der ganzen dritthalbtausend Jahre ihres Bestehns, ist nie etwas andres gewesen als die Entwicklung der kleinen Minderzahl auf Kosten der ausgebeuteten und unterdrückten großen Mehrzahl, und sie ist dies jetzt mehr als je zuvor.

IV
Die griechische Gens

Griechen wie Pelasger und andre stammverwandte Völker waren schon seit vorgeschichtlicher Zeit geordnet nach derselben organischen Reihe wie die Amerikaner: Gens, Phratrie, Stamm, Bund von Stämmen. Die Phratrie konnte fehlen wie bei den Doriern, der Bund von Stämmen brauchte noch nicht überall ausgebildet zu sein, aber in allen Fällen war die Gens die Einheit. Zur Zeit, wo die Griechen in die Geschichte eintreten, stehn sie an der Schwelle der Zivilisation; zwischen ihnen und den amerikanischen Stämmen, von denen oben die Rede war, liegen fast zwei ganze große Entwicklungsperioden, um welche die Griechen der Heroenzeit den Irokesen voraus sind. Die Gens der Griechen ist daher auch keineswegs mehr die archaische der Irokesen, der Stempel der Gruppenehe fängt an, sich bedeutend zu verwischen. Das Mutterrecht ist dem Vaterrecht gewichen; damit hat der aufkommende Privatreichtum seine erste Bresche in die Gentilverfassung gelegt. Eine zweite Bresche war natürlich Folge der ersten: Da nach Einführung des Vaterrechts das Vermögen einer reichen Erbin durch ihre Heirat an ihren Mann, also in eine andre Gens gekommen wäre, durchbrach man die Grundlage alles Gentilrechts und erlaubte nicht nur, sondern *gebot* in diesem Fall, daß das Mädchen innerhalb der Gens heiratete, um dieser das Vermögen zu erhalten.

Nach Grotes[60] griechischer Geschichte wurde speziell die athenische Gens zusammengehalten durch:

1. Gemeinsame religiöse Feierlichkeiten und ausschließliches Recht des Priestertums zu Ehren eines bestimmten Gottes, des angeblichen Stammvaters der Gens, der in dieser Eigenschaft durch einen besondern Beinamen bezeichnet wurde.

2. Gemeinsamen Begräbnisplatz (vgl. Demosthenes' »Eubulides«)[61].

3. Gegenseitiges Beerbungsrecht.

4. Gegenseitige Verpflichtung zu Hülfe, Schutz und Unterstützung bei Vergewaltigung.

5. Gegenseitiges Recht und Verpflichtung zur Heirat in der Gens in gewissen Fällen, besonders wo es Waisentöchter oder Erbinnen betraf.

6. Besitz, wenigstens in einigen Fällen, von gemeinsamem Eigentum mit einem eignen Archon (Vorsteher) und Schatzmeister.

Sodann band die Vereinigung in der Phratrie mehrere Gentes zusammen, doch weniger eng; doch auch hier finden wir gegenseitige Rechte und Pflichten ähnlicher Art, besonders Gemeinsamkeit bestimmter Religionsübungen und das Recht der Verfolgung, wenn ein Phrator getötet worden. Die Gesamtheit der Phratrien eines Stammes hatte wiederum gemeinsame, regelmäßig wiederkehrende heilige Feierlichkeiten unter Vortritt eines aus den Adligen (Eupatriden) gewählten Phylobasileus (Stammvorstehers).

So weit Grote. Und Marx fügt hinzu: »Durch die griechische Gens guckt der Wilde (Irokese z. B.) aber auch unverkennbar durch.«[2] Er wird noch unverkennbarer, sobald wir etwas weiter untersuchen.

Der griechischen Gens kommt nämlich ferner zu:

7. Abstammung nach Vaterrecht.

8. Verbot der Heirat in der Gens außer im Fall von Erbinnen.

Diese Ausnahme und ihre Fassung als Gebot beweisen die Geltung der alten Regel. Diese folgt ebenfalls aus dem allgemein gültigen Satz, daß die Frau durch die Heirat auf die religiösen Riten ihrer Gens verzichtete und in die ihres Mannes übertrat, in dessen Phratrie sie auch eingeschrieben wurde. Heirat außerhalb der Gens war hiernach und nach einer berühmten Stelle des Dikäarchos Regel[62], und Becker im »Charikles« nimmt geradezu an, daß niemand innerhalb seiner eignen Gens heiraten durfte.[63]

9. Das Recht der Adoption in die Gens; es erfolgte durch Adoption in die Familie, aber mit öffentlichen Formalitäten und nur ausnahmsweise.

10. Das Recht, die Vorsteher zu erwählen und abzusetzen. Daß jede Gens ihren Archon hatte, wissen wir; daß das Amt erblich in bestimmten Familien sei, wird nirgends gesagt. Bis ans Ende der Barbarei ist die Vermutung stets gegen strikte Erblichkeit, die ganz unverträglich ist mit Zuständen, wo Reiche und Arme innerhalb der Gens vollkommen gleiche Rechte hatten.

Nicht nur Grote, sondern auch Niebuhr, Mommsen und alle andern bisherigen Geschichtsschreiber des klassischen Altertums sind gescheitert an der Gens. So richtig sic auch viele ihrer Merkmale aufgezeichnet haben, so sahn sie in ihr stets eine *Gruppe von Familien* und machten es sich damit unmöglich, die Natur und den Ursprung der Gens zu verstehn. Die Familie ist unter der Gentilverfassung nie eine Organisationseinheit gewesen und konnte es nicht sein, weil Mann und Frau notwendig zu zwei verschiednen Gentes gehörten. Die Gens ging ganz ein in die Phratrie, die Phratrie in den Stamm; die Familie ging auf halb in die Gens des Mannes und halb in die der Frau. Auch der Staat erkennt im öffentlichen Recht keine Familie an; sie existiert bis heute nur für das Privatrecht. Und dennoch geht unsre ganze bisherige Geschichtsschreibung von der, namentlich im achtzehnten Jahrhundert unantastbar gewordnen, absurden Voraussetzung aus, die monogame Einzelfamilie, die kaum älter ist als die Zivilisation, sei der Kristallkern, um den sich Gesellschaft und Staat allmählich angesetzt habe.

»Herrn Grote ferner zu bemerken«, fügt Marx ein, »daß, obgleich die Griechen ihre Gentes aus der Mythologie herleiten, jene Gentes älter sind als die *von ihnen selbst* geschaffne Mythologie mit ihren Göttern und Halbgöttern.«[2]

Grote wird von Morgan mit Vorliebe angeführt, weil er ein angesehner und doch ganz unverdächtiger Zeuge. Er erzählt weiterhin, daß jede athenische Gens einen von ihrem vermeintlichen Stammvater abgeleiteten Namen hatte, daß vor Solon allgemein, und noch nach Solon bei Abwesenheit eines Testaments, die Gentilgenossen (gennêtes) des Verstorbenen sein Vermögen erbten und daß im Fall von Totschlag zunächst die Verwandten, dann die Gentilgenossen und endlich die Phratoren des Erschlagenen das Recht und die Pflicht hatten, den Verbrecher vor den Gerichten zu verfolgen:

»Alles, was wir von den ältesten athenischen Gesetzen hören, ist begründet auf die Einteilung in Gentes und Phratrien.«[64]

Die Abstammung der Gentes von gemeinsamen Urahnen hat den »schulgelehrten Philistern« (Marx)[2] schweres Kopfbrechen gemacht. Da sie diese natürlich für rein mythisch ausgeben, so können sie sich die Entstehung einer Gens aus nebeneinanderstehenden, ursprünglich gar nicht verwandten Familien platterdings nicht erklären, und doch müssen sie dies fertigbringen, um nur das Dasein der Gentes zu erklären. Da wird denn ein sich im Kreise drehender Wortschwall aufgeboten, der nicht über den Satz hinauskommt: Der Stammbaum ist zwar eine Fabel, aber die Gens ist eine Wirklichkeit, und schließlich heißt es denn bei Grote – mit Einschiebungen von Marx – wie folgt:

»Wir hören von diesem Stammbaum nur selten, weil er vor die Öffentlichkeit nur in gewissen, besonders feierlichen Fällen gebracht wird. Aber die geringeren Gentes hatten ihre gemeinsamen Religionsübungen« (sonderbar dies, Mr. Grote!) »und gemeinsamen übermenschlichen Stammvater und Stammbaum ganz wie die berühmteren« (wie gar sonderbar dies, Herr Grote, bei *geringeren* Gentes!); »der Grundplan und die ideale Grundlage« (werter Herr, nicht *ideal*, sondern karnal, germanice *fleischlich!*) »war bei allen dieselbe.«[65]

Marx faßt Morgans Antwort hierauf wie folgt zusammen: »Das der Gens in ihrer Urform – und die Griechen hatten diese einst besessen wie andre Sterbliche – entsprechende Blutsverwandtschaftssystem bewahrte die Kenntnis der Verwandtschaften aller Mitglieder der Gentes untereinander. Sie lernten dies für sie entscheidend Wichtige durch Praxis von Kindesbeinen. Mit der monogamen Familie fiel dies in Vergessenheit.

Der Gentilname schuf einen Stammbaum, neben dem der der Einzelfamilie unbedeutend erschien. Es war nunmehr dieser Name, der die Tatsache der gemeinsamen Abstammung seiner Träger zu bewahren hatte; aber der Stammbaum der Gens ging so weit zurück, daß die Mitglieder ihre gegenseitige wirkliche Verwandtschaft nicht mehr nachweisen konnten, außer in beschränkter Zahl von Fällen bei neueren, gemeinschaftlichen Vorfahren. Der Name selbst war Beweis gemeinsamer Abstammung, und endgültiger Beweis, abgesehn von Adoptionsfällen. Dahingegen ist die tatsächliche Leugnung aller Verwandtschaft zwischen Gentilgenossen à la Grote und Niebuhr, welche die Gens in eine rein ersonnene und erdichtete Schöpfung verwandelt, würdig ›idealer‹, d. h. stubenhockerischer Schriftgelehrter. Weil die Verkettung der Geschlechter, namentlich mit Anbruch der Monogamie, in die Ferne gerückt und die vergangne Wirklichkeit im mythologischen Phantasiegebild widergespiegelt erscheint, schlossen und schließen Philister-Biedermänner, daß der Phantasiestammbaum wirkliche Gentes schuf!«[2]

Die *Phratrie* war, wie bei den Amerikanern, eine in mehrere Tochtergentes gespaltne und sie einigende Muttergens und leitete sie alle oft noch vom gemeinsamen Stammvater ab. So hatten nach Grote

»alle gleichzeitigen Glieder der Phratrie des Hekatäus einen und denselben Gott zum Stammvater im sechzehnten Glied«[66];

alle Gentes dieser Phratrie waren also buchstäblich Brudergentes. Die Phratrie kommt noch bei Homer als militärische Einheit vor, in der berühmten Stelle, wo Nestor dem Agamemnon rät: Ordne die Männer nach Stämmen und nach Phratrien, daß die Phratrie der Phratrie beistehe und der Stamm dem Stamm.[67] – Sonst hat sie das Recht und die Pflicht der Verfolgung der an einem Phrator begangnen Blutschuld, also in früherer Zeit auch die Verpflichtung zur Blutrache. Sie hat ferner gemeinsame Heiligtümer und Feste, wie denn die Ausbildung der gesamten griechischen Mythologie aus dem mitgebrachten altarischen Naturkultus wesentlich bedingt war durch die Gentes und Phratrien und innerhalb ihrer vor sich ging. Ferner hatte sie einen Vorsteher (phratriarchos) und nach de Coulanges auch Versammlungen und bindende Beschlüsse, eine Gerichtsbarkeit und Verwaltung. Selbst der spätere Staat, der die Gens ignorierte, ließ der Phratrie gewisse öffentliche Amtsverrichtungen.

Aus mehreren verwandten Phratrien besteht der Stamm. In Attika gab es vier Stämme, zu je drei Phratrien, von denen jede dreißig Gentes zählte. Solche Abzirkelung der Gruppen setzt bewußtes, planmäßiges Eingreifen in die naturwüchsig entstandne Ordnung voraus. Wie, wann und warum dies geschehn, darüber schweigt die griechische Geschichte, von der die Griechen selbst nur bis ins Heldenzeitalter hinein sich Erinnerung bewahrt haben.

Dialektische Abweichung war bei den auf verhältnismäßig kleinem Gebiet zusammengedrängten Griechen weniger entwickelt als in den weiten amerikanischen Wäldern; doch auch hier finden wir nur Stämme derselben Hauptmundart zu einem größern Ganzen vereinigt und selbst in dem kleinen Attika einen besondern Dialekt, der später als allgemeine Prosasprache der herrschende wurde.

In den homerischen Gedichten finden wir die griechischen Stämme meist schon zu kleinen Völkerschaften vereinigt, innerhalb deren Gentes, Phratrien und Stämme indes ihre Selbständigkeit noch vollkommen bewahrten. Sie wohnten bereits in mit Mauern befestigten Städten; die Bevölkerungszahl stieg mit der Ausdehnung der Herden, des Feldbaus und den Anfängen des Handwerks; damit wuchsen die Reichtumsverschiedenheiten und mit ihnen das aristokratische Element innerhalb der alten, naturwüchsigen Demokratie. Die einzelnen Völkchen führten unaufhörliche Kriege um den Besitz der besten Landstriche und auch wohl der Beute wegen; Sklaverei der Kriegsgefangnen war bereits anerkannte Einrichtung.

Die Verfassung dieser Stämme und Völkchen war nun wie folgt:

1. Stehende Behörde war der *Rat,* bulê, ursprünglich wohl

aus den Vorstehern der Gentes zusammengesetzt, später, als deren Zahl zu groß wurde, aus einer Auswahl, die Gelegenheit bot zur Ausbildung und Stärkung des aristokratischen Elements; wie denn auch Dionysios geradezu den Rat der Heroenzeit aus den Vornehmen (kratistoi) zusammengesetzt sein läßt.[68] Der Rat entschied endgültig in wichtigen Angelegenheiten; so faßt der von Theben, bei Äschylos, den für die gegebne Sachlage entscheidenden Beschluß, den Eteokles ehrenvoll zu begraben, die Leiche des Polynikes aber hinauszuwerfen, den Hunden zur Beute.[69] Mit Errichtung des Staats ging dieser Rat über in den späteren Senat.

2. Die *Volksversammlung* (agora). Bei den Irokesen fanden wir das Volk, Männer und Weiber, die Ratsversammlung umstehend, dreinredend in geordneter Weise und so ihre Beschlüsse beeinflussend. Bei den homerischen Griechen hat sich dieser »Umstand«, um einen altdeutschen Gerichtsausdruck zu gebrauchen, bereits entwickelt zur vollständigen Volksversammlung, wie dies ebenfalls bei den Deutschen der Urzeit der Fall war. Sie wurde vom Rat berufen zur Entscheidung wichtiger Angelegenheiten; jeder Mann konnte das Wort ergreifen. Die Entscheidung erfolgte durch Handerheben (Äschylos in den »Schutzflehenden«) oder durch Zuruf. Sie war souverän in letzter Instanz, denn, sagt Schoemann (»Griechische Alterthümer«),

»handelt es sich um eine Sache, zu deren Ausführung die Mitwirkung des Volks erforderlich ist, so verrät uns Homer kein Mittel, wie dasselbe gegen seinen Willen dazu gezwungen werden könne«.[70]

Es gab eben zu dieser Zeit, wo jedes erwachsene männliche Stammesmitglied Krieger war, noch keine vom Volk getrennte öffentliche Gewalt, die ihm hätte entgegengesetzt werden können. Die naturwüchsige Demokratie stand noch in voller Blüte, und dies muß der Ausgangspunkt bleiben zur Beurteilung der Macht und der Stellung sowohl des Rats wie des Basileus.

3. Der Heerführer (basileus). Hierzu bemerkt Marx: »Die

europäischen Gelehrten, meist geborne Fürstenbediente, machen aus dem Basileus einen Monarchen im modernen Sinn. Dagegen verwahrt sich der Yankee-Republikaner Morgan. Er sagt sehr ironisch, aber wahr, vom öligen Gladstone und dessen ›Juventus Mundi‹:

›Herr Gladstone präsentiert uns die griechischen Häuptlinge der Heldenzeit als Könige und Fürsten, mit der Zugabe, daß sie auch Gentlemen seien; er selbst muß aber zugeben: Im ganzen scheinen wir die Sitte oder das Gesetz der Erstgeburtsfolge hinreichend, aber nicht allzu scharf bestimmt vorzufinden.‹[71]«[2]

Es wird auch wohl dem Herrn Gladstone selbst scheinen, daß eine so verklausulierte Erstgeburtsfolge hinreichend, wenn auch nicht allzu scharf, geradesoviel wert ist wie gar keine.

Wie es mit der Erblichkeit der Vorsteherschaften bei den Irokesen und andern Indianern stand, sahen wir. Alle Ämter waren Wahlämter meist innerhalb einer Gens und insofern in dieser erblich. Bei Erledigungen wurde der nächste Gentilverwandte – Bruder oder Schwestersohn – allmählich vorgezogen, falls nicht Gründe vorlagen, ihn zu übergehn. Ging also bei den Griechen unter der Herrschaft des Vaterrechts das Amt des Basileus in der Regel auf den Sohn oder einen der Söhne über, so ist das nur Beweis, daß die Söhne hier die Wahrscheinlichkeit der Nachfolge durch Volkswahl für sich hatten, keineswegs aber Beweis rechtskräftiger Erbfolge ohne Volkswahl. Was hier vorliegt, ist bei den Irokesen und Griechen die erste Anlage zu besondern Adelsfamilien innerhalb der Gentes, und bei den Griechen noch dazu die erste Anlage einer künftigen erblichen Führerschaft oder Monarchie. Die Vermutung spricht also dafür, daß bei den Griechen der Basileus entweder vom Volk gewählt oder doch durch seine anerkannten Organe – Rat oder Agora – bestätigt werden mußte, wie dies für den römischen »König« (rex) galt.

In der »Ilias« erscheint der Männerbeherrscher Agamemnon nicht als oberster König der Griechen, sondern als oberster Befehlshaber eines Bundesheers vor einer belagerten Stadt.

Und auf diese seine Eigenschaft weist Odysseus hin, als Zwist unter den Griechen ausgebrochen war, in der berühmten Stelle: Nicht gut ist die Vielkommandiererei, einer sei Befehlshaber usw. (wobei noch der beliebte Vers mit dem Zepter späterer Zusatz).[72] »Odysseus hält hier keine Vorlesung über eine Regierungsform, sondern verlangt Gehorsam gegen den obersten Feldherrn im Kriege. Für die Griechen, die vor Troja nur als Heer erscheinen, geht es in der Agora demokratisch genug zu. Achilles, wenn er von Geschenken, d. h. Verteilung der Beute spricht, macht stets zum Verteiler weder den Agamemnon noch einen andern Basileus, sondern ›die Söhne der Achäer‹, d. h. das Volk. Die Prädikate: von Zeus erzeugt, von Zeus ernährt, beweisen nichts, da *jede* Gens von einem Gott abstammt, die des Stammeshaupts schon von einem ›vornehmeren‹ Gott – hier Zeus. Selbst die persönlich Unfreien, wie der Sauhirt Eumäus u. a. sind ›göttlich‹ (dioi und theioi) und dies in der ›Odyssee‹, also in viel späterer Zeit als die ›Ilias‹; in derselben ›Odyssee‹ wird der Name Heros noch dem Herold Mulios beigelegt, wie dem blinden Sänger Demodokos. Kurz, das Wort basileia, das die griechischen Schriftsteller für das homerische sogenannte Königtum anwenden (weil die Heerführerschaft ihr Hauptkennzeichen), mit Rat und Volksversammlung daneben, bedeutet nur – militärische Demokratie.« (Marx.)[2]

Der Basileus hatte außer den militärischen noch priesterliche und richterliche Amtsbefugnisse; letztere nicht näher bestimmt, erstere in seiner Eigenschaft als oberster Vertreter des Stamms oder Bundes von Stämmen. Von bürgerlichen, verwaltenden Befugnissen ist nie die Rede; er scheint aber von Amts wegen Ratsmitglied gewesen zu sein. Basileus mit König zu übersetzen, ist also etymologisch ganz richtig, da König (Kuning) von Kuni, Künne abstammt und Vorsteher einer Gens bedeutet. Aber der heutigen Bedeutung des Wortes König entspricht der altgriechische Basileus in keiner Weise. Thukydides nennt die alte Basileia ausdrücklich eine patrikê, d. h. von Gentes abgeleitete, und sagt, sie habe festbestimmte, also begrenzte Befugnisse gehabt.[73] Und Aristoteles sagt, die Basileia der Heroenzeit sei eine Führerschaft über Freie gewesen, und der Basileus Heerführer, Richter und Oberpriester[74]; Regierungsgewalt im spätern Sinne hatte er also nicht.[1*]

Wir sehn also in der griechischen Verfassung der Heldenzeit die alte Gentilorganisation noch in lebendiger Kraft, aber auch schon den Anfang ihrer Untergrabung: Vaterrecht mit Vererbung des Vermögens an die Kinder, wodurch die Reichtumsanhäufung in der Familie begünstigt und die Familie eine Macht wurde gegenüber der Gens; Rückwirkung der Reichtumsverschiedenheit auf die Verfassung vermittelst Bildung der ersten Ansätze zu einem erblichen Adel und Königtum; Sklaverei, zunächst noch bloß von Kriegsgefangnen, aber schon die Aussicht eröffnend auf Versklavung der eignen Stammes- und selbst Gentilgenossen; der alte Krieg von Stamm gegen Stamm bereits ausartend in systematische Räuberei zu Land und zur See, um Vieh, Sklaven, Schätze zu erobern, in regelrechte Erwerbsquelle; kurz, Reichtum gepriesen und geachtet als höchstes Gut und die alten Gentilordnungen gemißbraucht, um den gewaltsamen Raub von Reichtümern zu rechtfertigen. Es fehlte nur noch eins: eine Einrichtung, die die neuerworbnen Reichtümer der einzelnen nicht nur gegen die kommunistischen Traditionen der Gentilordnung sicherstellte, die nicht nur das früher so geringgeschätzte Privateigentum heiligte und diese Heiligung für den höchsten Zweck aller menschlichen Gemeinschaft erklärte,

[1*] Wie dem griechischen Basileus, so ist auch dem aztekischen Heerführer ein moderner Fürst untergeschoben worden. Morgan unterwirft die erst mißverständlichen und übertriebnen, später direkt lügenhaften Berichte der Spanier zum erstenmal der historischen Kritik und weist nach, daß die Mexikaner auf der Mittelstufe der Barbarei, höher jedoch als die neumexikanischen Pueblos-Indianer, standen und daß ihre Verfassung, soweit die entstellten Berichte sie erkennen lassen, dem entsprach: ein Bund dreier Stämme, der eine Anzahl andrer zur Tributpflichtigkeit unterworfen hatte und der regiert wurde von einem Bundesrat und Bundesfeldherrn, aus welchem letzteren die Spanier einen »Kaiser« machten.

sondern die auch die nacheinander sich entwickelnden neuen Formen der Eigentumserwerbung, also der stets beschleunigten Vermehrung des Reichtums mit dem Stempel allgemein gesellschaftlicher Anerkennung versah; eine Einrichtung, die nicht nur die aufkommende Spaltung der Gesellschaft in Klassen verewigte, sondern auch das Recht der besitzenden Klasse auf Ausbeutung der nichtbesitzenden und die Herrschaft jener über diese.

Und diese Einrichtung kam. Der *Staat* wurde erfunden.

V
Entstehung des athenischen Staats

Wie der Staat sich entwickelt hat, indem die Organe der Gentilverfassung teils umgestaltet, teils durch Einschiebung neuer Organe verdrängt und endlich vollständig durch wirkliche Staatsbehörden ersetzt wurden, während an die Stelle des in seinen Gentes, Phratrien und Stämmen sich selbst schützenden wirklichen »Volks in Waffen« eine diesen Staatsbehörden dienstbare, also auch gegen das Volk verwendbare, bewaffnete »öffentliche Gewalt« trat – davon können wir wenigstens das erste Stück nirgends besser verfolgen als im alten Athen. Die Formverwandlungen sind im wesentlichen von Morgan dargestellt, den sie erzeugenden ökonomischen Inhalt muß ich großenteils hinzufügen.

Zur Heroenzeit saßen die vier Stämme der Athener in Attika noch auf getrennten Gebieten; selbst die sie zusammensetzenden zwölf Phratrien scheinen in den zwölf Städten des Kekrops noch gesonderte Sitze gehabt zu haben. Die Verfassung war die der Heroenzeit: Volksversammlung, Volksrat, Basileus. Soweit die geschriebne Geschichte zurückreicht, war der Grund und Boden schon verteilt und in Privateigentum übergegangen, wie dies der gegen Ende der Oberstufe der Barbarei bereits verhältnismäßig entwickelten Warenproduktion und dem ihr entsprechenden Warenhandel gemäß ist. Neben Korn wurde Wein und Öl gewonnen; der Seehandel auf dem Ägäischen Meer wurde mehr und mehr den Phöniziern entzogen und fiel großenteils in attische Hände. Durch den Kauf und Verkauf von Grundbesitz, durch die fortschreitende Teilung der Arbeit zwischen Ackerbau und Handwerk, Handel und Schiffahrt, mußten die Angehörigen der Gentes, Phratrien und Stämme sehr bald durcheinanderkommen, der Distrikt der Phratrie und des Stammes Bewohner erhalten, die, obwohl Volksgenossen, doch diesen Körperschaften nicht angehörten, also in ihrem eignen Wohnort fremd waren. Denn jede Phratrie und jeder Stamm verwalteten in ruhigen Zeiten ihre Angelegenheiten selbst, ohne nach Athen zum Volksrat oder Basileus zu schicken. Wer aber im Gebiet der Phratrie oder des Stamms wohnte, ohne ihm anzugehören, konnte an dieser Verwaltung natürlich keinen Anteil nehmen.

Das geregelte Spiel der Organe der Gentilverfassung kam damit so in Unordnung, daß schon zur Heroenzeit Abhülfe nötig wurde. Die dem Theseus zugeschriebne Verfassung wurde eingeführt. Die Änderung bestand vor allem darin, daß eine Zentralverwaltung in Athen eingerichtet, d. h. ein Teil der bisher von den Stämmen selbständig verwalteten Angelegenheiten für gemeinsame erklärt und dem in Athen sitzenden gemeinsamen Rat übertragen wurden. Hiermit gingen die Athener einen Schritt weiter als irgendein eingebornes Volk in Amerika je gegangen: An die Stelle des bloßen Bundes nebeneinander wohnender Stämme trat ihre Verschmelzung zu einem einzigen Volk. Damit entsprang ein athenisches allgemeines Volksrecht, das über den Rechtsbräuchen der Stämme und Gentes stand; der athenische Bürger erhielt als solcher bestimmte Rechte und neuen Rechtsschutz auch auf Gebiet, wo er stammesfremd war. Damit war aber der erste Schritt geschehn zur Untergrabung der Gentilverfassung; denn es war der erste Schritt zur späteren Zulassung von Bürgern, die in ganz Attika stammesfremd waren, die ganz außerhalb der athenischen Gentilverfassung standen und blieben. Eine zweite dem Theseus zugeschriebne Einrichtung war die Einteilung des ganzen Volks, ohne Rücksicht auf Gens, Phratrie oder Stamm, in drei Klassen: Eupatriden oder Adlige, Geomoren oder Ackerbauer und Demiurgen oder Handwerker, und die Überweisung des ausschließlichen Rechts der Ämterbesetzung an die Adligen. Diese Einteilung blieb zwar, mit Ausnahme der Ämterbesetzung durch den Adel, wirkungslos, da sie sonst keine Rechtsunterschiede zwischen den Klassen begründete. Aber sie ist wichtig, weil sie uns die neuen gesellschaftlichen Elemente vorführt, die sich im stillen entwickelt hatten. Sie zeigt, daß die gewohnheitsmäßige Besetzung der Gentilämter aus gewissen Familien sich bereits zu einem wenig bestrittenen Anrecht dieser Familien auf die Ämter ausgebildet hatte, daß diese Familien, ohnehin mächtig durch Reichtum, anfingen, außerhalb ihrer Gentes sich zu einer eignen bevorrrechteten Klasse zusammenzutun, und daß der eben erst aufkeimende Staat diese Anmaßung heiligte. Sie zeigt ferner, daß die Teilung der Arbeit zwischen Landbauern und Handwerkern bereits genug erstarkt war, um der alten Gliederung nach Gentes und Stämmen den Vorrang in gesellschaftlicher Bedeutung streitig zu machen. Sie proklamiert endlich den unverträglichen Gegensatz zwischen Gentilgesellschaft und Staat; der erste Versuch der Staatsbildung besteht darin, die Gentes zu zerreißen, indem er die Mitglieder einer jeden in Bevorrechtete und Zurückgesetzte und diese wieder in zwei Gewerbsklassen scheidet und so einander entgegensetzt.

Die weitere politische Geschichte Athens bis auf Solon ist nur unvollkommen bekannt. Das Amt des Basileus kam in Abgang; an die Spitze des Staats traten aus dem Adel gewählte Archonten. Die Herrschaft des Adels stieg mehr und mehr, bis sie gegen das Jahr 600 vor unsrer Zeitrechnung unerträglich wurde. Und zwar war das Hauptmittel zur Unterdrückung der gemeinen Freiheit – das Geld und der Wucher. Der Hauptsitz des Adels war in und um Athen, wo der Seehandel, benebst noch immer gelegentlich mit in den Kauf genommenem Seeraub, ihn bereicherte und den Geldreichtum in seinen Händen konzentrierte. Von hier aus drang die sich entwickelnde Geldwirtschaft wie zersetzendes Scheidewasser in die auf Naturalwirtschaft gegründete, althergebrachte Daseinsweise der Landgemeinden. Die Gentilverfassung ist mit Geldwirtschaft absolut unverträglich; der Ruin der attischen Parzellenbauern fiel zusammen mit der Lockerung der sie schützend umschlingenden alten Gentilbande. Der Schuldschein und die Gutsverpfändung (denn auch die Hypothek hatten die Athener schon erfunden) achteten weder Gens noch Phratrie. Und die alte Gentilverfassung kannte kein Geld, keinen Vorschuß, keine Geldschuld. Daher bildete die sich immer üppiger ausbreitende Geldherrschaft des Adels auch ein neues Gewohnheitsrecht aus zur Sicherung des Gläubigers gegen den Schuldner, zur Weihe der Ausbeutung des Kleinbauern durch den Geldbesitzer. Sämtliche Feldfluren Attikas starrten von Pfandsäulen, an denen verzeichnet stand, das sie tragende Grundstück sei dem und dem verpfändet um soundso-viel Geld. Die Äcker, die nicht so bezeichnet, waren großenteils bereits wegen verfallner Hypotheken oder Zinsen verkauft, in das Eigentum des adligen Wucherers übergegangen; der Bauer konnte froh sein, wenn ihm erlaubt wurde, als Pächter darauf sitzenzubleiben und von *einem Sechstel* des Ertrags seiner Arbeit zu leben, während er *fünf Sechstel* dem neuen Herrn als Pacht zahlen mußte. Noch mehr. Reichte der Erlös des verkauften Grundstücks nicht hin zur Deckung der Schuld oder war diese Schuld ohne Sicherung durch Pfand aufgenommen, so mußte der Schuldner seine Kinder ins Ausland in die Sklaverei verkaufen, um den Gläubiger zu decken. Verkauf der Kinder durch den Vater – das war die erste Frucht des Vaterrechts und der Monogamie! Und war der Blutsauger dann noch nicht befriedigt, so konnte er den Schuldner selbst als Sklaven verkaufen. Das war die angenehme Morgenröte der Zivilisation beim athenischen Volk.

Früher, als die Lebenslage des Volks noch der Gentilverfassung entsprach, war eine solche Umwälzung unmöglich; und hier war sie gekommen, man wußte nicht wie. Gehn wir einen Augenblick zurück zu unsern Irokesen. Dort war ein Zustand undenkbar, wie er sich jetzt den Athenern sozusagen ohne ihr Zutun und sicher gegen ihren Willen aufgedrängt hatte. Dort konnte die sich jahraus, jahrein gleichbleibende Weise, den Lebensunterhalt zu produzieren, nie solche, wie von außen aufgezwungene Konflikte erzeugen, keinen Gegensatz von Reich und Arm, von Ausbeutern und Ausgebeuteten. Die Irokesen waren noch weit entfernt davon, die Natur zu beherrschen, aber innerhalb der für sie geltenden Naturgrenzen beherrschten sie ihre eigne Produktion. Abgesehn von schlechten Ernten in ihren Gärtchen, von Erschöpfung des Fischvorrats ihrer Seen und Flüsse, des Wildstandes ihrer Wälder, wußten sie, was bei ihrer Art, sich ihren Unterhalt zu erarbeiten, herauskam. Was herauskommen mußte, war der Lebensunterhalt, ob er kärglicher oder reichlicher ausfiel; was aber nie herauskommen konnte, das waren unbeabsichtigte gesellschaftliche Umwälzungen, Zerreißung der Gentilbande, Spaltung der Gentil- und Stammgenossen in entgegengesetzte, einander bekämpfende Klassen. Die Produktion bewegte sich in den engsten Schranken; aber – die Produzenten beherrschten ihr eignes Produkt. Das war der ungeheure Vorzug der barbarischen Produktion, der mit dem Eintritt der Zivilisation verlorenging und den wiederzuerobern, aber auf Grundlage der jetzt errungenen gewaltigen Naturbeherrschung durch den Menschen und der jetzt möglichen freien Assoziation, die Aufgabe der nächsten Generationen sein wird.

Anders bei den Griechen. Der aufgekommene Privatbesitz an Herden und Luxusgerät führte zum Austausch zwischen einzelnen, zur Verwandlung der Produkte in *Waren*. Und hier liegt der Keim der ganzen folgenden Umwälzung. Sobald die Produzenten ihr Produkt nicht mehr direkt selbst verzehrten, sondern es im Austausch aus der Hand gaben, verloren sie die Herrschaft darüber. Sie wußten nicht mehr, was aus ihm wurde, und die Möglichkeit war gegeben, daß das Produkt dereinst verwandt werde gegen den Produzenten, zu seiner Ausbeutung und Unterdrückung. Darum kann keine Gesellschaft auf die Dauer die Herrschaft über ihre eigne Produktion und die Kontrolle über die gesellschaftlichen Wirkungen ihres Produktionsprozesses behalten, die nicht den Austausch zwischen einzelnen abschafft.

Wie rasch aber, nach dem Entstehn des Austausches zwischen einzelnen und mit der Verwandlung der Produkte in Waren, das Produkt seine Herrschaft über den Produzenten geltend macht, das sollten die Athener erfahren. Mit der

Warenproduktion kam die Bebauung des Bodens durch einzelne für eigne Rechnung, damit bald das Grundeigentum einzelner. Es kam ferner das Geld, die allgemeine Ware, gegen die alle andern austauschbar waren; aber indem die Menschen das Geld erfanden, dachten sie nicht daran, daß sie damit wieder eine neue gesellschaftliche Macht schufen, die *eine* allgemeine Macht, vor der die ganze Gesellschaft sich beugen mußte. Und diese neue, ohne Wissen und Willen ihrer eignen Erzeuger plötzlich emporgesprungne Macht war es, die, in der ganzen Brutalität ihrer Jugendlichkeit, ihre Herrschaft den Athenern zu fühlen gab.

Was war zu machen? Die alte Gentilverfassung hatte sich nicht nur ohnmächtig erwiesen gegen den Siegeszug des Geldes; sie war auch absolut unfähig, innerhalb ihres Rahmens selbst nur Raum zu finden für so etwas wie Geld, Gläubiger und Schuldner, Zwangseintreibung von Schulden. Aber die neue gesellschaftliche Macht war einmal da, und fromme Wünsche, Sehnsucht nach Rückkehr der guten alten Zeit, trieben Geld und Zinswucher nicht wieder aus der Welt. Und obendrein waren eine Reihe andrer, untergeordneter Breschen in die Gentilverfassung gelegt. Die Durcheinanderwürfelung der Gentilgenossen und Phratoren auf dem ganzen attischen Gebiet, namentlich in der Stadt Athen selbst, war von Geschlecht zu Geschlecht größer geworden, trotzdem daß auch jetzt noch ein Athener zwar Grundstücke außerhalb seiner Gens verkaufen durfte, nicht aber sein Wohnhaus. Die Teilung der Arbeit zwischen den verschiednen Produktionszweigen: Ackerbau, Handwerk, im Handwerk wieder zahllose Unterarten, Handel, Schiffahrt usw., hatte sich mit den Fortschritten der Industrie und des Verkehrs immer vollständiger entwickelt; die Bevölkerung teilte sich nun nach ihrer Beschäftigung in ziemlich feste Gruppen, deren jede eine Reihe neuer, gemeinsamer Interessen hatte, für die in der Gens oder Phratrie kein Platz war, die also zu ihrer Besorgung neue Ämter nötig machten. Die Zahl der Sklaven hatte sich bedeutend vermehrt und muß schon damals die der freien

Athener weit überstiegen haben; die Gentilverfassung kannte ursprünglich keine Sklaverei, also auch kein Mittel, diese Masse Unfreier im Zaum zu halten. Und endlich hatte der Handel eine Menge Fremder nach Athen gebracht, die dort des leichtern Gelderwerbs wegen sich niederließen und ebenfalls nach der alten Verfassung recht- und schutzlos und trotz herkömmlicher Duldung ein störend fremdes Element im Volk blieben.

Kurz, mit der Gentilverfassung ging es zu Ende. Die Gesellschaft wuchs täglich mehr aus ihr heraus; selbst die schlimmsten Übel, die unter ihren Augen entstanden waren, konnte sie nicht hemmen noch heben. Aber der Staat hatte sich inzwischen im stillen entwickelt. Die neuen, durch die Teilung der Arbeit zuerst zwischen Stadt und Land, dann zwischen den verschiednen städtischen Arbeitszweigen geschaffnen Gruppen hatten neue Organe geschaffen zur Wahrnehmung ihrer Interessen; Ämter aller Art waren eingerichtet worden. Und dann brauchte der junge Staat vor allem eine eigne Macht, die bei den seefahrenden Athenern zunächst nur eine Seemacht sein konnte, zu einzelnen kleinen Kriegen und zum Schutz der Handelsschiffe. Es wurden, zu unbekannter Zeit vor Solon, die Naukrarien errichtet, kleine Gebietsbezirke, zwölf in jedem Stamm; jede Naukrarie mußte ein Kriegsschiff stellen, ausrüsten und bemannen und stellte außerdem noch zwei Reiter. Diese Einrichtung griff die Gentilverfassung zwiefach an. Erstens, indem sie eine öffentliche Gewalt schuf, die schon nicht mehr ohne weiteres mit der Gesamtheit des bewaffneten Volks zusammenfiel; und zweitens, indem sie zum erstenmal das Volk zu öffentlichen Zwecken einteilte, nicht nach Verwandtschaftsgruppen, sondern nach *örtlichem Zusammenwohnen*. Was das zu bedeuten hatte, wird sich zeigen.

Konnte die Gentilverfassung dem ausgebeuteten Volk keine Hülfe bringen, so blieb nur der entstehende Staat. Und dieser brachte sie in der solonischen Verfassung, indem er sich zugleich neuerdings auf Kosten der alten Verfassung stärkte.

Solon – die Art, wie seine in das Jahr 594 vor unsrer Zeitrechnung fallende Reform durchgesetzt wurde, geht uns hier nichts an – Solon eröffnete die Reihe der sogenannten politischen Revolutionen, und zwar mit einem Eingriff in das Eigentum. Alle bisherigen Revolutionen sind Revolutionen gewesen zum Schutz einer Art des Eigentums gegen eine andere Art des Eigentums. Sie können das eine nicht schützen, ohne das andre zu verletzen. In der Großen Französischen Revolution wurde das feudale Eigentum geopfert, um das bürgerliche zu retten; in der solonischen mußte das Eigentum der Gläubiger herhalten zum Besten des Eigentums der Schuldner. Die Schulden wurden einfach für ungültig erklärt. Die Einzelheiten sind uns nicht genau bekannt, aber Solon rühmt sich in seinen Gedichten, die Pfandsäulen von den verschuldeten Grundstücken entfernt und die wegen Schulden ins Ausland Verkauften und Geflüchteten zurückgeführt zu haben. Dies war nur möglich durch offne Eigentumsverletzung. Und in der Tat, von der ersten bis zur letzten sogenannten politischen Revolution sind sie alle gemacht worden zum Schutz des Eigentums – *einer* Art – und durchgeführt durch Konfiskation, auch genannt Diebstahl des Eigentums – einer *andern* Art. So wahr ist es, daß seit drittehalbtausend Jahren das Privateigentum hat erhalten werden können nur durch Eigentumsverletzung.

Nun aber kam es darauf an, die Wiederkehr solcher Versklavung der freien Athener zu verhindern. Dies geschah zunächst durch allgemeine Maßregeln, z. B. durch das Verbot von Schuldverträgen, worin die Person des Schuldners verpfändet wurde. Ferner wurde ein größtes Maß des von einem einzelnen zu besitzenden Grundeigentums festgesetzt, um dem Heißhunger des Adels nach dem Bauernland wenigstens einige Schranken zu ziehn. Dann aber kamen Verfassungsänderungen; für uns sind die wichtigsten diese:

Der Rat wurde auf vierhundert Mitglieder gebracht, hundert aus jedem Stamm; hier blieb also noch der Stamm die Grundlage. Das war aber auch die einzige Seite, nach welcher hin die alte Verfassung in den neuen Staatskörper hineingezogen wurde. Denn im übrigen teilte Solon die Bürger in vier Klassen je nach ihrem Grundbesitz und seinem Ertrag; 500, 300 und 150 Medimnen Korn (1 Medimnus = ca. 41 Liter) waren die Minimalerträge für die ersten drei Klassen; wer weniger oder keinen Grundbesitz hatte, fiel in die vierte Klasse. Alle Ämter konnten nur aus den obersten drei, die höchsten nur aus der ersten Klasse besetzt werden; die vierte Klasse hatte nur das Recht, in der Volksversammlung zu reden und zu stimmen, aber hier wurden alle Beamten gewählt, hier hatten sie Rechenschaft abzulegen, hier wurden alle Gesetze gemacht, und hier bildete die vierte Klasse die Majorität. Die aristokratischen Vorrechte wurden in der Form von Vorrechten des Reichtums teilweise erneuert, aber das Volk behielt die entscheidende Macht. Ferner bildeten die vier Klassen die Grundlage einer neuen Heeresorganisation. Die beiden ersten Klassen stellten die Reiterei; die dritte hatte als schwere Infanterie zu dienen; die vierte als leichtes, ungepanzertes Fußvolk oder auf der Flotte und wurde dann wahrscheinlich auch besoldet.

Hier wird also ein ganz neues Element in die Verfassung eingeführt: der Privatbesitz. Je nach der Größe ihres Grundeigentums werden die Rechte und Pflichten der Staatsbürger abgemessen, und soweit die Vermögensklassen Einfluß gewinnen, soweit werden die alten Blutsverwandtschaftskörper verdrängt; die Gentilverfassung hatte eine neue Niederlage erlitten.

Die Abmessung der politischen Rechte nach dem Vermögen war indes keine der Einrichtungen, ohne die der Staat nicht bestehn kann. Eine so große Rolle sie auch in der Verfassungsgeschichte der Staaten gespielt hat, so haben doch sehr viele Staaten, und grade die am vollständigsten entwickelten, ihrer nicht bedurft. Auch in Athen spielte sie nur eine vorübergehende Rolle; seit Aristides standen alle Ämter jedem Bürger offen.[75]

Während der nächstfolgenden achtzig Jahre kam die athenische Gesellschaft allmählich in die Richtung, in der sie sich in den folgenden Jahrhunderten weiterentwickelt hat. Dem üppigen Landwucher der vorsolonischen Zeit war ein Riegel vorgeschoben, ebenso der maßlosen Konzentration des Grundbesitzes. Der Handel und das mit Sklavenarbeit immer mehr im großen betriebne Handwerk und Kunsthandwerk wurden herrschende Erwerbszweige. Man wurde aufgeklärter. Statt in der anfänglichen brutalen Weise die eignen Mitbürger auszubeuten, beutete man vorwiegend die Sklaven und die außerathenische Kundschaft aus. Der bewegliche Besitz, der Geldreichtum und der Reichtum an Sklaven und Schiffen wuchs immer mehr, aber er war jetzt nicht mehr bloßes Mittel zum Erwerb von Grundbesitz wie in der ersten, bornierten Zeit, er war Selbstzweck geworden. Damit war einerseits der alten Adelsmacht eine siegreiche Konkurrenz erwachsen in der neuen Klasse von industriellen und kaufmännischen Reichen, andrerseits aber auch den Resten der alten Gentilverfassung der letzte Boden entzogen. Die Gentes, Phratrien und Stämme, deren Mitglieder jetzt über ganz Attika zerstreut und vollständig durcheinandergeworfen wohnten, waren damit zu politischen Körperschaften ganz untauglich geworden; eine Menge athenischer Bürger gehörten gar keiner Gens an, sie waren Eingewanderte, die zwar ins Bürgerrecht, aber nicht in einen der alten Geschlechtsverbände aufgenommen worden; daneben stand noch die stets wachsende Zahl der bloß schutzverwandten fremden Einwandrer.[76]

Währenddessen gingen die Parteikämpfe voran; der Adel suchte seine früheren Vorrechte wiederzuerobern und erlangte wieder für einen Augenblick die Oberhand, bis die Revolution des Kleisthenes (509 vor unsrer Zeitrechnung) ihn endgültig stürzte; mit ihm aber auch den letzten Rest der Gentilverfassung.[77]

Kleisthenes, in seiner neuen Verfassung, ignorierte die vier alten auf Gentes und Phratrien begründeten Stämme. An ihre Stelle trat eine ganz neue Organisation auf Grund der schon in den Naukrarien versuchten Einteilung der Bürger nach dem bloßen Ort der Ansässigkeit. Nicht mehr die Zugehörigkeit zu den Geschlechtsverbänden, sondern nur der Wohnsitz entschied; nicht das Volk, sondern das Gebiet wurde eingeteilt, die Bewohner wurden politisch bloßes Zubehör des Gebiets.

Ganz Attika wurde in hundert Gemeindebezirke, Demen, geteilt, deren jeder sich selbst verwaltete. Die in jedem Demos ansässigen Bürger (Demoten) erwählten ihren Vorsteher (Demarch) und Schatzmeister sowie dreißig Richter mit Gerichtsbarkeit über kleinere Streitsachen. Sie erhielten ebenfalls einen eignen Tempel und Schutzgott oder Heroen, dessen Priester sie wählten. Die höchste Macht im Demos war bei der Versammlung der Demoten. Es ist, wie Morgan richtig bemerkt, das Urbild der selbstregierenden amerikanischen Stadtgemeinde.[78] Mit derselben Einheit, mit der der moderne Staat in seiner höchsten Ausbildung endigt, mit derselben fing der entstehende Staat in Athen an.

Zehn dieser Einheiten, Demen, bildeten einen Stamm, der aber zum Unterschied vom alten Geschlechtsstamm jetzt Ortsstamm genannt wird. Der Ortsstamm war nicht allein eine selbstverwaltende politische, er war auch eine militärische Körperschaft; er erwählte den Phylarchen oder Stammvorsteher, der die Reiterei, den Taxiarchen, der das Fußvolk, und den Strategen, der die gesamte im Stammesgebiet ausgehobene Mannschaft befehligte. Er stellte ferner fünf Kriegsschiffe nebst Mannschaft und Befehlshaber und erhielt einen attischen Heros, nach welchem er sich benannte, zum Schutzheiligen. Endlich wählte er fünfzig Ratsmänner in den athenischen Rat.

Den Abschluß bildete der athenische Staat, regiert von dem aus den fünfhundert Erwählten der zehn Stämme zusammengesetzten Rat und in letzter Instanz von der Volksversammlung, wo jeder athenische Bürger Zutritt und Stimmrecht hatte; daneben besorgten Archonten und andre Beamte die verschiednen Verwaltungszweige und Gerichtsbarkeiten. Ein oberster Beamter der vollziehenden Gewalt bestand in Athen nicht.

Mit dieser neuen Verfassung und mit der Zulassung einer sehr großen Zahl Schutzverwandter, teils Eingewanderter, teils freigelaßner Sklaven, waren die Organe der Geschlechterverfassung aus den öffentlichen Angelegenheiten hinausgedrängt; sie sanken herab zu Privatvereinen und religiösen Genossenschaften. Aber der moralische Einfluß, die überkommene Anschauungs- und Denkweise der alten Gentilzeit erbten sich noch lange fort und starben erst allmählich aus. Das zeigte sich bei einer ferneren staatlichen Einrichtung.

Wir sahn, daß ein wesentliches Kennzeichen des Staats in einer von der Masse des Volks unterschiednen öffentlichen Gewalt besteht. Athen hatte damals nur erst ein Volksheer und eine unmittelbar vom Volk gestellte Flotte; diese schützten nach außen und hielten die Sklaven im Zaum, die schon damals die große Mehrzahl der Bevölkerung bildeten. Gegenüber den Bürgern bestand die öffentliche Gewalt zunächst nur als die Polizei, die so alt ist wie der Staat, weshalb die naiven Franzosen des 18. Jahrhunderts auch nicht von zivilisierten Völkern sprachen, sondern von polizierten (nations policées). Die Athener richteten also gleichzeitig mit ihrem Staat auch eine Polizei ein, eine wahre Gendarmerie von Bogenschützen zu Fuß und zu Pferd – Landjäger, wie man in Süddeutschland und der Schweiz sagt. Diese Gendarmerie aber wurde gebildet – aus *Sklaven.* So entwürdigend kam dieser Schergendienst dem freien Athener vor, daß er sich lieber vom bewaffneten Sklaven verhaften ließ, als daß er selbst sich zu solcher Schmachtat hergab. Das war noch die alte Gentilgesinnung. Der Staat konnte ohne die Polizei nicht bestehn, aber er war noch jung und hatte noch nicht moralischen Respekt genug, um ein Handwerk achtungswert zu machen, das den alten Gentilgenossen notwendig infam erschien.

Wie sehr der jetzt in seinen Hauptzügen fertige Staat der neuen gesellschaftlichen Lage der Athener angemessen war, zeigt sich in dem raschen Aufblühn des Reichtums, des Handels und der Industrie. Der Klassengegensatz, auf dem die gesellschaftlichen und politischen Einrichtungen beruhten, war nicht mehr der von Adel und gemeinem Volk, sondern der von Sklaven und Freien, Schutzverwandten und Bürgern. Zur Zeit der höchsten Blüte bestand die ganze athenische freie Bürgerschaft, Weiber und Kinder eingeschlossen, aus etwa 90 000 Köpfen, daneben 365 000 Sklaven beiderlei Geschlechts und 45 000 Schutzverwandte – Fremde und Freigelaßne. Auf jeden erwachsenen männlichen Bürger kamen also mindestens 18 Sklaven und über zwei Schutzverwandte. Die große Sklavenzahl kam daher, daß viele von ihnen in Manufakturen, großen Räumen, unter Aufsehern zusammen arbeiteten. Mit der Entwicklung des Handels und der Industrie aber kam Akkumulation und Konzentration der Reichtümer in wenigen Händen, Verarmung der Masse der freien Bürger, denen nur die Wahl blieb, entweder der Sklavenarbeit durch eigne Handwerksarbeit Konkurrenz zu machen, was für schimpflich, banausisch galt und auch wenig Erfolg versprach – oder aber zu verlumpen. Sie taten, unter den Umständen mit Notwendigkeit, das letztere, und da sie die Masse bildeten, richteten sie damit den ganzen athenischen Staat zugrunde. Nicht die Demokratie hat Athen zugrunde gerichtet, wie die europäischen, fürstenschweifwedelnden Schulmeister behaupten, sondern die Sklaverei, die die Arbeit des freien Bürgers ächtete.

Die Entstehung des Staats bei den Athenern ist ein besonders typisches Muster der Staatsbildung überhaupt, weil sie einerseits ganz rein, ohne Einmischung äußerer oder innerer Vergewaltigung vor sich geht – die Usurpation des Pisistratos hinterließ keine Spur ihrer kurzen Dauer[79] –, weil sie andrerseits einen Staat von sehr hoher Formentwicklung, die demokratische Republik, unmittelbar aus der Gentilgesellschaft hervorgehen läßt und endlich weil wir mit allen wesentlichen Einzelheiten hinreichend bekannt sind.

VI
Gens und Staat in Rom

Aus der Sage von der Gründung Roms geht hervor, daß die erste Ansiedlung durch eine Anzahl zu einem Stamm vereinigter latinischer Gentes (der Sage nach hundert) erfolgte, denen sich bald ein sabellischer Stamm, der ebenfalls hundert Gentes gezählt haben soll, und endlich ein dritter, aus verschiedenen Elementen bestehender Stamm, wieder von angeblich hundert Gentes, anschloß. Die ganze Erzählung zeigt auf den ersten Blick, daß hier wenig mehr naturwüchsig war außer der Gens und diese selbst in manchen Fällen nur ein Ableger einer in der alten Heimat fortbestehenden Muttergens. Die Stämme tragen an der Stirn den Stempel künstlicher Zusammensetzung, jedoch meist aus verwandten Elementen und nach dem Vorbild des alten gewachsenen, nicht gemachten Stamms; wobei nicht ausgeschlossen bleibt, daß der Kern jedes der drei Stämme ein wirklicher, alter Stamm gewesen sein kann. Das Mittelglied, die Phratrie, bestand aus zehn Gentes und hieß Curie; ihrer waren also dreißig.

Daß die römische Gens dieselbe Institution war wie die griechische, ist anerkannt; ist die griechische eine Fortbildung derjenigen gesellschaftlichen Einheit, deren Urform uns die amerikanischen Rothäute vorführen, so gilt dasselbe ohne weiteres auch für die römische. Wir können uns hier also kürzer fassen.

Die römische Gens hatte wenigstens in der ältesten Zeit der Stadt folgende Verfassung:

1. Gegenseitiges Erbrecht der Gentilgenossen; das Vermögen blieb in der Gens. Da in der römischen Gens wie in der griechischen schon Vaterrecht herrschte, waren die Nachkommen der weiblichen Linie ausgeschlossen. Nach dem Gesetz der zwölf Tafeln[80], dem ältesten uns bekannten geschriebnen römischen Recht, erbten zunächst die Kinder als

Leibeserben; in deren Ermanglung die Agnaten (Verwandte in *männlicher* Linie); und in deren Abwesenheit die Gentilgenossen. In allen Fällen blieb das Vermögen in der Gens. Wir sehn hier das allmähliche Eindringen neuer, durch vermehrten Reichtum und Monogamie verursachter Rechtsbestimmungen in den Gentilbrauch: Das ursprüngliche gleiche Erbrecht der Gentilgenossen wird zuerst – wohl schon früh, wie oben erwähnt – durch Praxis auf die Agnaten beschränkt, endlich auf die Kinder und deren Nachkommen im Mannsstamm; in den zwölf Tafeln erscheint dies selbstverständlich in umgekehrter Ordnung.

2. Besitz eines gemeinsamen Begräbnisplatzes. Die patrizische Gens Claudia erhielt bei ihrer Einwanderung aus Regilli nach Rom ein Stück Land für sich angewiesen, dazu in der Stadt einen gemeinsamen Begräbnisplatz. Noch unter Augustus wurde der nach Rom gekommene Kopf des im Teutoburger Wald gefallenen Varus[81] im gentilitius tumulus[1] beigesetzt; die Gens (Quinctilia) hatte also noch einen besondern Grabhügel.

3. Gemeinsame religiöse Feiern. Diese, die sacra gentilitia, sind bekannt.

4. Verpflichtung, nicht in der Gens zu heiraten. Dies scheint in Rom nie in ein geschriebnes Gesetz verwandelt worden zu sein, aber die Sitte blieb. Von der Unmasse römischer Ehepaare, deren Namen uns aufbewahrt, hat kein einziges gleichen Gentilnamen für Mann und Frau. Das Erbrecht beweist diese Regel ebenfalls. Die Frau verliert durch die Heirat ihre agnatischen Rechte, tritt aus ihrer Gens, weder sie noch ihre Kinder können von ihrem Vater oder dessen Brüdern erben, weil sonst das Erbteil der väterlichen Gens verlorenginge. Dies hat Sinn nur unter der Voraussetzung, daß die Frau keinen Gentilgenossen heiraten kann.

5. Ein gemeinsamer Grundbesitz. Dieser war in der Urzeit stets vorhanden, sobald das Stammland anfing geteilt zu werden. Unter den latinischen Stämmen finden wir den Boden

[1]Gentilgrabhügel

teils im Besitz des Stammes, teils der Gens, teils der Haushaltungen, welche damals schwerlich Einzelfamilien waren. Romulus soll die ersten Landteilungen an einzelne gemacht haben, ungefähr eine Hektare (zwei Jugera) auf jeden. Doch finden wir noch später Grundbesitz in den Händen der Gentes, vom Staatsland gar nicht zu sprechen, um das sich die ganze innere Geschichte der Republik dreht.

6. Pflicht der Gentilgenossen zu gegenseitigem Schutz und Beistand. Davon zeigt uns die geschriebne Geschichte nur noch Trümmer; der römische Staat trat gleich von vornherein mit solcher Übermacht auf, daß das Recht des Schutzes gegen Unbill auf ihn überging. Als Appius Claudius verhaftet wurde[82], legte seine ganze Gens Trauer an, selbst die seine persönlichen Feinde waren. Zur Zeit des zweiten Punischen Kriegs[83] verbanden sich die Gentes zur Auslösung ihrer kriegsgefangnen Gentilgenossen; der Senat *verbot* es ihnen.

7. Recht, den Gentilnamen zu tragen. Blieb bis in die Kaiserzeit; den Freigelaßnen erlaubte man, den Gentilnamen ihrer ehemaligen Herren anzunehmen, doch ohne Gentilrechte.

8. Recht der Adoption Fremder in die Gens. Dies geschah durch Adoption in eine Familie (wie bei den Indianern), die die Aufnahme in die Gens mit sich führte.

9. Das Recht, den Vorsteher zu wählen und abzusetzen, wird nirgends erwähnt. Da aber in der ersten Zeit Roms alle Ämter durch Wahl oder Ernennung besetzt wurden, vom Wahlkönig abwärts, und auch die Priester der Curien von diesen gewählt, so dürfen wir für die Vorsteher (principes) der Gentes dasselbe annehmen – so sehr auch die Wahl aus einer und derselben Familie in der Gens schon Regel geworden sein mochte.

Das waren die Befugnisse einer römischen Gens. Mit Ausnahme des bereits vollendeten Übergangs zum Vaterrecht sind sie das treue Spiegelbild der Rechte und Pflichten einer irokesischen Gens; auch hier »guckt der Irokese unverkennbar durch«[2].

Welche Verwirrung, auch bei unsern anerkanntesten Geschichtsschreibern, heute noch über die römische Gentilordnung herrscht, dafür nur ein Beispiel. In Mommsens Abhandlung über die römischen Eigennamen der republikanischen und augustinischen Zeit (»Römische Forschungen«, Berlin 1864, I. Band) heißt es:

»Außer den sämtlichen männlichen Geschlechtsgenossen, mit Ausschluß natürlich der Sklaven, aber mit Einschluß der Zugewandten und Schutzbefohlnen, kommt der Geschlechtsname auch den Frauen zu ... Der Stamm« (wie Mommsen hier gens übersetzt) »ist ... ein aus gemeinschaftlicher – wirklicher oder vermuteter oder auch fingierter – Abstammung hervorgegangenes, durch Fest-, Grab- und Erbgenossenschaft vereinigtes Gemeinwesen, dem alle persönlich freien Individuen, also auch die Frauen, sich zuzählen dürfen und müssen. Schwierigkeit aber macht die Bestimmung des Geschlechtsnamens der verheirateten Frauen. Dieselbe fällt freilich weg, solange die Frau sich nicht anders als mit einem Geschlechtsgenossen vermählen durfte; und nachweislich hat es für die Frauen lange Zeit größere Schwierigkeit gehabt, außerhalb als innerhalb des Geschlechts sich zu verheiraten, wie denn jenes Recht, die gentis enuptio, noch im 6. Jahrhundert als persönliches Vorrecht zur Belohnung vergeben worden ist ... Wo nun aber dergleichen Ausheiratungen vorkamen, muß die Frau in ältester Zeit damit in den Stamm des Mannes übergegangen sein. Nichts ist sicherer, als daß die Frau in der alten religiösen Ehe völlig in die rechtliche und sakrale Gemeinschaft des Mannes ein- und aus der ihrigen austritt. Wer weiß es nicht, daß die verheiratete Frau das Erbrecht gegen ihre Gentilen aktiv und passiv einbüßt, dagegen mit ihrem Mann, ihren Kindern und dessen Gentilen überhaupt in Erbverband tritt? Und wenn sie ihrem Mann an Kindes Statt wird und in seine Familie gelangt, wie kann sie seinem Geschlecht fernbleiben?« (S. 8–11.)

Mommsen behauptet also, die römischen Frauen, die einer Gens angehörten, hätten ursprünglich nur *innerhalb* ihrer Gens heiraten dürfen, die römische Gens sei also endogam gewesen, nicht exogam. Diese Ansicht, die aller Erfahrung bei andern Völkern widerspricht, gründet sich hauptsächlich, wenn nicht ausschließlich, auf eine einzige vielumstrittene Stelle des Livius (Buch XXXIX, c. 19), wonach der Senat im

Jahr der Stadt 568, vor unsrer Zeitrechnung 186, beschloß, uti Feceniae Hispallae datio, deminutio, gentis enuptio, tutoris optio item esset quasi ei vir testamento dedisset; utique ei ingenuo nubere liceret, neu quid ei qui eam duxisset, ob id fraudi ignominiaeve esset – daß die Fecenia Hispalla das Recht haben soll, über ihr Vermögen zu verfügen, es zu vermindern, außer der Gens zu heiraten und sich einen Vormund zu wählen, ganz als ob ihr (verstorbner) Mann ihr dies Recht durch Testament übertragen hätte; daß sie einen Vollfreien heiraten dürfe, und daß dem, der sie zur Frau nehme, dies nicht als schlechte Handlung oder Schande angerechnet werden soll.

Unzweifelhaft wird hier also der Fecenia, einer Freigelaßnen, das Recht erteilt, außerhalb der Gens zu heiraten. Und ebenso unzweifelhaft hatte hiernach der Ehemann das Recht, testamentarisch seiner Frau das Recht zu übertragen, nach seinem Tode außerhalb der Gens zu heiraten. Aber außerhalb *welcher* Gens?

Mußte die Frau innerhalb ihrer Gens heiraten, wie Mommsen annimmt, so blieb sie auch nach der Heirat in dieser Gens. Erstens aber ist diese behauptete Endogamie der Gens grade das, was zu beweisen ist. Und zweitens, wenn die Frau in der Gens heiraten mußte, dann natürlich auch der Mann, der ja sonst keine Frau bekam. Dann kommen wir dahin, daß der Mann seiner Frau testamentarisch ein Recht vermachen konnte, das er selbst, und für sich selbst, nicht besaß; wir kommen auf einen rechtlichen Widersinn. Mommsen fühlt dies auch und vermutet daher:

»Es bedurfte für die Ausheiratung aus dem Geschlecht rechtlich wohl nicht bloß der Einwilligung des Gewalthabenden, sondern der sämtlichen Gentilgenossen.« (S. 10, Note.)

Das ist erstens eine sehr kühne Vermutung, und zweitens widerspricht es dem klaren Wortlaut der Stelle; der Senat gibt ihr dies Recht *an Stelle des Mannes,* er gibt ihr ausdrücklich nicht mehr und nicht minder, als ihr Mann ihr hätte geben können, aber was er ihr gibt, ist ein *absolutes,* von keiner andern Beschränkung abhängiges Recht; so daß, wenn sie davon Gebrauch macht, auch ihr neuer Mann darunter nicht leiden soll; er beauftragt sogar die gegenwärtigen und künftigen Konsuln und Prätoren, dafür zu sorgen, daß ihr keinerlei Unbill daraus erwachse. Mommsens Annahme scheint also durchaus unzulässig.

Oder aber: Die Frau heiratete einen Mann aus einer andern Gens, blieb aber selbst in ihrer angebornen Gens. Dann hätte nach der obigen Stelle ihr Mann das Recht gehabt, der Frau zu erlauben, aus ihrer eignen Gens hinauszuheiraten. Das heißt, er hätte das Recht gehabt, Verfügungen zu treffen in Angelegenheiten einer Gens, zu der er gar nicht gehörte. Die Sache ist so widersinnig, daß darüber kein Wort weiter zu verlieren ist.

Bleibt also nur die Annahme, die Frau habe in erster Ehe einen Mann aus einer andern Gens geheiratet und sei durch die Heirat ohne weiteres in die Gens des Mannes übergetreten, wie dies Mommsen auch für solche Fälle tatsächlich zugibt. Dann erklärt sich der ganze Zusammenhang sofort. Die Frau, durch die Heirat losgerissen von ihrer alten Gens und aufgenommen in den neuen Gentilverband des Mannes, hat in diesem eine ganz besondre Stellung. Sie ist zwar Gentilgenossin, aber nicht blutsverwandt; die Art ihrer Aufnahme schließt sie von vornherein aus von jedem Eheverbot innerhalb der Gens, in die sie ja gerade hineingeheiratet hat; sie ist ferner in den Eheverband der Gens aufgenommen, erbt beim Tode ihres Mannes von seinem Vermögen, also Vermögen eines Gentilgenossen. Was ist natürlicher, als daß dies Vermögen in der Gens bleiben, sie also verpflichtet sein soll, einen Gentilgenossen ihres ersten Mannes zu heiraten und keinen andern? Und wenn eine Ausnahme gemacht werden soll, wer ist so kompetent, sie dazu zu bevollmächtigen wie derjenige, der ihr dies Vermögen vermacht hat, ihr erster Mann? Im Augenblick, wo er ihr einen Vermögensteil vermacht und ihr gleichzeitig erlaubt, diesen Vermögensteil durch Heirat oder infolge von Heirat in eine fremde Gens zu übertragen, gehört ihm dies Vermögen noch, er verfügt also buchstäblich nur über sein Eigentum. Was die Frau selbst angeht und ihr Verhältnis zur Gens ihres Mannes, so ist er es, der sie in diese Gens durch einen freien Willensakt – die Heirat – eingeführt hat; es scheint also ebenfalls natürlich, daß er die geeignete Person ist, sie zum Austritt aus dieser Gens durch zweite Heirat zu bevollmächtigen. Kurzum, die Sache scheint einfach und selbstverständlich, sobald wir die wunderbare Vorstellung von der endogamen römischen Gens fallenlassen und sie mit Morgan als ursprünglich exogam fassen.

Es bleibt noch eine letzte Annahme, die auch ihre Vertreter gefunden hat, und wohl die zahlreichsten: Die Stelle besage nur,

»daß freigelaßne Mägde (libertae) nicht ohne besondre Bewilligung e gente enubere« (aus der Gens ausheiraten) »oder sonst einen der Akte vornehmen durften, der, mit capitis deminutio minima[1] verbunden, den Austritt der liberta aus dem Gentilverbande bewirkt hätte«. (Lange, »Römische Alterthümer«, Berlin 1856, I, S. 195, wo sich auf Huschke zu unsrer livianischen Stelle bezogen wird.)[84]

Ist diese Annahme richtig, so beweist die Stelle für die Verhältnisse vollfreier Römerinnen erst recht nichts und kann von einer Verpflichtung derselben, innerhalb der Gens zu heiraten, erst recht nicht die Rede sein.

Der Ausdruck enuptio gentis kommt nur in dieser einen Stelle und sonst in der ganzen römischen Literatur nicht mehr vor; das Wort enubere, ausheiraten, nur dreimal, ebenfalls bei Livius, und dann nicht in Beziehung auf die Gens. Die Phantasie, daß Römerinnen nur innerhalb der Gens heiraten durften, verdankt nur dieser einen Stelle ihre Existenz. Sie kann aber absolut nicht aufrechterhalten werden. Denn entweder bezieht sich die Stelle auf besondre Beschränkungen für Freigelaßne, und dann beweist sie nichts für Vollfreie (ingenuae); oder aber sie gilt auch für Vollfreie, und dann beweist sie vielmehr, daß die Frau in der Regel außer ihrer Gens heiratete,

[1]Verlust der Familienrechte

aber mit der Heirat in die Gens des Mannes übertrat; also gegen Mommsen und für Morgan. –

Noch fast dreihundert Jahre nach Gründung Roms waren die Gentilbande so stark, daß eine patrizische Gens, die der Fabier, mit Einwilligung des Senats einen Kriegszug gegen die Nachbarstadt Veji auf eigne Faust unternehmen konnte. 306 Fabier sollen ausgezogen und in einem Hinterhalt sämtlich erschlagen worden sein; ein einziger zurückgebliebener Knabe habe die Gens fortgepflanzt.

Zehn Gentes bildeten, wie gesagt, eine Phratrie, die hier Curie hieß und wichtigere öffentliche Befugnisse erhielt als die griechische Phratrie. Jede Curie hatte ihre eignen Religionsübungen, Heiligtümer und Priester; diese letzteren, in ihrer Gesamtheit, bildeten eins der römischen Priesterkollegien. Zehn Curien bildeten einen Stamm, der wahrscheinlich, wie die übrigen latinischen Stämme, ursprünglich einen gewählten Vorsteher – Heerführer und Oberpriester – hatte. Die Gesamtheit der drei Stämme bildete das römische Volk, den Populus Romanus.

Dem römischen Volk konnte also nur angehören, wer Mitglied einer Gens und durch sie einer Curie und eines Stammes war. Die erste Verfassung dieses Volkes war folgende. Die öffentlichen Angelegenheiten wurden besorgt zunächst durch den Senat, der, wie Niebuhr zuerst richtig gesehn, aus den Vorstehern der dreihundert Gentes zusammengesetzt war; ebendeswegen, als Gentilälteste, hießen sie Väter, patres, und ihre Gesamtheit Senat (Rat der Ältesten, von senex, alt). Die gewohnheitsmäßige Wahl aus immer derselben Familie jeder Gens rief auch hier den ersten Stammesadel ins Leben; diese Familien nannten sich Patrizier und nahmen ausschließliches Recht des Eintritts in den Senat und alle andern Ämter in Anspruch. Daß das Volk sich diesen Anspruch mit der Zeit gefallen ließ und er sich in ein wirkliches Recht verwandelte, drückt die Sage dahin aus, daß Romulus den ersten Senatoren und ihren Nachkommen das Patriziat mit dessen Vorrechten erteilt habe. Der Senat, wie die athenische Bulê, hatte die

Entscheidung in vielen Angelegenheiten, die Vorberatung in wichtigeren und namentlich bei neuen Gesetzen. Diese wurden entschieden durch die Volksversammlung, genannt comitia curiata (Versammlung der Curien). Das Volk kam zusammen, in Curien gruppiert, in jeder Curie wahrscheinlich nach Gentes, bei der Entscheidung hatte jede der dreißig Curien eine Stimme. Die Versammlung der Curien nahm an oder verwarf alle Gesetze, wählte alle höhern Beamten mit Einschluß des rex (sogenannten Königs), erklärte Krieg (aber der Senat schloß Frieden) und entschied als höchstes Gericht, auf Berufung der Beteiligten, in allen Fällen, wo es sich um Todesstrafe gegen einen römischen Bürger handelte. – Endlich stand neben Senat und Volksversammlung der rex, der genau dem griechischen Basileus entsprach und keineswegs der fast absolute König war, als den Mommsen[85] ihn darstellt.[1*] Auch er war Heerführer, Oberpriester und Vorsitzer in gewissen Gerichten. Zivilbefugnisse oder Macht über Leben, Freiheit und Eigentum der Bürger hatte er durchaus nicht, soweit sie nicht aus der Disziplinargewalt des Heerführers oder der urteilsvollstreckenden Gewalt des Gerichtsvorsitzers entsprangen. Das Amt des rex war nicht erblich; er wurde im Gegenteil, wahrscheinlich auf Vorschlag des Amtsvorgängers, von der Versammlung der Curien zuerst gewählt und dann in einer zweiten Versammlung feierlich eingesetzt. Daß er auch absetzbar war, beweist das Schicksal des Tarquinius Superbus.

Wie die Griechen zur Heroenzeit, lebten also die Römer zur Zeit der sogenannten Könige in einer auf Gentes, Phratrien

[1*] Das lateinische rex ist das keltisch-irische righ (Stammesvorsteher) und das gotische reiks; daß dies ebenfalls, wie ursprünglich auch unser Fürst (d. h. wie englisch first, dänisch förste, der erste) Gentil- oder Stammesvorsteher bedeutete, geht hervor daraus, daß die Goten schon im 4. Jahrhundert ein besonderes Wort für den späteren König, den Heerführer eines gesamten Volkes, besaßen: thiudans. Artaxerxes und Herodes heißen in Ulfilas' Bibelübersetzung nie reiks, sondern thiudans und das Reich des Kaisers Tiberius nicht reiki, sondern thiudinassus. Im Namen des gotischen Thiudans, oder wie wir ungenau übersetzen, Königs Thiudareiks, Theodorich, d. h. Dietrich, fließen beide Benennungen zusammen.

und Stämmen begründeten und aus ihnen entwickelten militärischen Demokratie. Mochten auch die Curien und Stämme zum Teil künstliche Bildungen sein, sie waren geformt nach den echten, naturwüchsigen Vorbildern der Gesellschaft, aus der sie hervorgegangen und die sie noch auf allen Seiten umgab. Mochte auch der naturwüchsige patrizische Adel bereits Boden gewonnen haben, mochte die Reges[1] ihre Befugnisse allmählich zu erweitern suchen – das ändert den ursprünglichen Grundcharakter der Verfassung nicht, und auf diesen allein kommt es an.

Inzwischen vermehrte sich die Bevölkerung der Stadt Rom und des römischen, durch Eroberung erweiterten Gebiets teils durch Einwanderung, teils durch die Bewohner der unterworfnen, meist latinischen Bezirke. Alle diese neuen Staatsangehörigen (die Frage wegen der Klienten lassen wir hier beiseite) standen außerhalb der alten Gentes, Curien und Stämme, bildeten also keinen Teil des populus romanus, des eigentlichen römischen Volks. Sie waren persönlich freie Leute, konnten Grundeigentum besitzen, mußten Steuern und Kriegsdienste leisten. Aber sie konnten keine Ämter bekleiden und weder an der Versammlung der Curien teilnehmen noch an der Verteilung der eroberten Staatsländereien. Sie bildeten die von allen öffentlichen Rechten ausgeschlossene Plebs. Durch ihre stets wachsende Zahl, ihre militärische Ausbildung und Bewaffnung wurden sie eine drohende Macht gegenüber dem alten, gegen allen Zuwachs von außen jetzt fest abgeschlossenen Populus. Dazu kam, daß der Grundbesitz zwischen Populus und Plebs ziemlich gleichmäßig verteilt gewesen zu sein scheint, während der allerdings noch nicht sehr entwickelte kaufmännische und industrielle Reichtum wohl vorwiegend bei der Plebs war.

Bei der großen Dunkelheit, worin die ganz sagenhafte Urgeschichte Roms gehüllt ist – eine Dunkelheit, noch bedeutend verstärkt durch die rationalistisch-pragmatischen Deu-

[1]Königsmacht

tungsversuche und Berichte der späteren juristisch gebildeten Quellenschriftsteller –, ist es unmöglich, weder über Zeit noch Verlauf, noch Anlaß der Revolution etwas Bestimmtes zu sagen, die der alten Gentilverfassung ein Ende machte. Gewiß ist nur, daß ihre Ursache in den Kämpfen zwischen Plebs und Populus lag.

Die neue, dem Rex Servius Tullius zugeschriebne, sich an griechische Muster, namentlich Solon, anlehnende Verfassung schuf eine neue Volksversammlung, die ohne Unterschied Populus und Plebejer ein- oder ausschloß, je nachdem sie Kriegsdienste leisteten oder nicht. Die ganze waffenpflichtige Mannschaft wurde nach dem Vermögen in sechs Klassen eingeteilt. Der geringste Besitz in jeder der fünf Klassen war: I. 100 000 Aß; II. 75 000; III. 50 000; IV. 25 000; V. 11 000 Aß; nach Dureau de la Malle gleich ungefähr 14 000, 10 500, 7 000, 3 600 und 1 570 Mark. Die sechste Klasse, die Proletarier, bestand aus den weniger Begüterten, Dienst- und Steuerfreien. In der neuen Volksversammlung der Centurien (comitia centuriata) traten die Bürger militärisch an, kompanieweise in ihren Centurien zu hundert Mann, und jede Centurie hatte eine Stimme. Nun aber stellte die erste Klasse 80 Centurien; die zweite 22, die dritte 20, die vierte 22, die fünfte 30, die sechste des Anstands halber auch eine. Dazu kamen die aus den Reichsten gebildeten Reiter mit 18 Centurien; zusammen 193; Majorität der Stimmen: 97. Nun hatten die Reiter und die erste Klasse zusammen allein 98 Stimmen, also die Majorität; waren sie einig, wurden die übrigen gar nicht gefragt; der gültige Beschluß war gefaßt.

Auf diese neue Versammlung der Centurien gingen nun alle politischen Rechte der früheren Versammlung der Curien (bis auf einige nominelle) über; die Curien und die sie zusammensetzenden Gentes wurden dadurch, wie in Athen, zu bloßen Privat- und religiösen Genossenschaften degradiert und vegetierten als solche noch lange fort, während die Versammlung der Curien bald ganz einschlief. Um auch die alten drei Geschlechterstämme aus dem Staat zu verdrängen, wurden vier Ortsstämme, deren jeder ein Viertel der Stadt bewohnte, mit einer Reihe von politischen Rechten eingeführt.

Somit war auch in Rom, schon vor der Abschaffung des sogenannten Königtums, die alte auf persönlichen Blutbanden beruhende Gesellschaftsordnung gesprengt und eine neue, auf Gebietseinteilung und Vermögensunterschied begründete, wirkliche Staatsverfassung an ihre Stelle gesetzt. Die öffentliche Gewalt bestand hier in der kriegsdienstpflichtigen Bürgerschaft gegenüber nicht nur den Sklaven, sondern auch den vom Heeresdienst und der Bewaffnung ausgeschlossenen sogenannten Proletariern.

Innerhalb dieser neuen Verfassung, die bei der Vertreibung des letzten, wirkliche Königsgewalt usurpierenden Rex Tarquinius Superbus und Ersetzung des rex durch zwei Heerführer (Konsuln) mit gleicher Amtsgewalt (wie bei den Irokesen) nur weiter ausgebildet wurde – innerhalb dieser Verfassung bewegt sich die ganze Geschichte der römischen Republik mit allen ihren Kämpfen der Patrizier und Plebejer um den Zugang zu den Ämtern und die Beteiligung an den Staatsländereien, mit dem endlichen Aufgehn des Patrizieradels in der neuen Klasse der großen Grund- und Geldbesitzer, die allmählich allen Grundbesitz der durch den Kriegsdienst ruinierten Bauern aufsogen, die so entstandnen enormen Landgüter mit Sklaven bebauten, Italien entvölkerten und damit nicht nur dem Kaisertum die Tür öffneten, sondern auch seinen Nachfolgern, den deutschen Barbaren.

VII
Die Gens bei Kelten und Deutschen

Der Raum verbietet uns, auf die noch jetzt bei den verschiedensten wilden und barbarischen Völkern in reinerer oder getrübterer Form bestehenden Gentilinstitutionen einzugehn oder auf die Spuren davon in der älteren Geschichte asiatischer Kulturvölker. Die einen oder die andern finden sich überall. Nur ein paar Beispiele: Ehe noch die Gens erkannt war, hat der Mann, der sich die meiste Mühe gab sie mißzuverstehen, hat McLennan sie nachgewiesen und im ganzen richtig beschrieben bei Kalmücken, Tscherkessen, Samojeden und bei drei indischen Völkern: den Waralis, den Magars und den Munnipuris. Neuerdings hat M. Kowalewski sie entdeckt und beschrieben bei den Pschaven, Schevsuren, Svaneten und andern kaukasischen Stämmen. Hier nur einige kurze Notizen über das Vorkommen der Gens bei Kelten und Germanen.

Die ältesten erhaltenen keltischen Gesetze zeigen uns die Gens noch in vollem Leben; in Irland lebt sie wenigstens instinktiv im Volksbewußtsein noch heute, nachdem die Engländer sie gewaltsam gesprengt; in Schottland stand sie noch Mitte des vorigen Jahrhunderts in voller Blüte und erlag auch hier nur den Waffen, der Gesetzgebung und den Gerichtshöfen der Engländer.

Die altwalisischen Gesetze, die mehrere Jahrhunderte vor der englischen Eroberung[86], spätestens im 11. Jahrhundert, niedergeschrieben wurden, zeigen noch gemeinschaftlichen Ackerbau ganzer Dörfer, wenn auch nur als ausnahmsweisen Rest früherer allgemeiner Sitte; jede Familie hatte fünf Acker zur eignen Bebauung; ein Stück wurde daneben gemeinsam bebaut und der Ertrag verteilt. Daß diese Dorfgemeinden Gentes repräsentieren oder Unterabteilungen von Gentes, ist bei der Analogie von Irland und Schottland nicht zu bezweifeln, selbst wenn eine erneuerte Prüfung der walisischen

Gesetze, zu der mir die Zeit fehlt (meine Auszüge sind vom Jahr 1869)[87], dies nicht direkt beweisen sollte. Was aber die walisischen Quellen, und mit ihnen die irischen, direkt beweisen, ist, daß bei den Kelten die Paarungsehe im 11. Jahrhundert noch keineswegs durch die Monogamie verdrängt war. In Wales wurde eine Ehe erst unlöslich, oder besser unkündbar, nach sieben Jahren. Fehlten nur drei Nächte an den sieben Jahren, so konnten die Gatten sich trennen. Dann wurde geteilt: die Frau teilte, der Mann wählte sein Teil. Die Möbel wurden nach gewissen, sehr humoristischen Regeln geteilt. Löste der Mann die Ehe, so mußte er der Frau ihre Mitgift und einiges andre zurückgeben; war es die Frau, so erhielt sie weniger. Von den Kindern bekam der Mann zwei, die Frau eines, und zwar das mittelste. Wenn die Frau nach der Scheidung einen andern Mann nahm und der erste Mann holte sie sich wieder, so mußte sie ihm folgen, auch wenn sie schon *einen* Fuß im neuen Ehebett hatte. Waren die beiden aber sieben Jahre zusammengewesen, so waren sie Mann und Frau, auch ohne vorherige förmliche Heirat. Keuschheit der Mädchen vor der Heirat wurde durchaus nicht streng eingehalten oder gefordert; die hierauf bezüglichen Bestimmungen sind äußerst frivoler Natur und keineswegs der bürgerlichen Moral gemäß. Beging eine Frau einen Ehebruch, so durfte der Mann sie prügeln (einer der drei Fälle, wo ihm dies erlaubt, sonst verfiel er in Strafe), dann aber weiter keine Genugtuung fordern, denn

»für dasselbe Vergehen soll entweder Sühnung sein oder Rache, aber nicht beides zugleich«[88].

Die Gründe, auf die hin die Frau die Scheidung verlangen durfte, ohne in ihren Ansprüchen bei der Auseinandersetzung zu verlieren, waren sehr umfassender Art: Übler Atem des Mannes genügte. Das an den Stammeshäuptling oder König zu zahlende Loskaufgeld für das Recht der ersten Nacht (gobr merch, daher der mittelalterliche Name marcheta, französisch marquette) spielt eine große Rolle im Gesetzbuch. Die Weiber hatten Stimmrecht in den Volksversammlungen. Fügen wir hinzu, daß in Irland ähnliche Verhältnisse bezeugt sind; daß dort ebenfalls Ehen auf Zeit ganz gebräuchlich und der Frau bei der Trennung genau geregelte, große Begünstigungen, sogar Entschädigung für ihre häuslichen Dienste zugesichert waren; daß dort eine »erste Frau« neben andern Frauen vorkommt und bei Erbteilungen zwischen ehelichen und unehelichen Kindern kein Unterschied gemacht wird – so haben wir ein Bild der Paarungsehe, wogegen die in Nordamerika gültige Eheform streng erscheint, wie es aber im 11. Jahrhundert bei einem Volk nicht verwundern kann, das noch zu Cäsars Zeit in der Gruppenehe lebte.

Die irische Gens (Sept, der Stamm heißt Clainne, Clan) wird nicht nur durch die alten Rechtsbücher, sondern auch durch die zur Verwandlung des Clanlandes in Domäne des englischen Königs hinübergesandten englischen Juristen des 17. Jahrhunderts bestätigt und beschrieben. Der Boden war bis zu dieser letzteren Zeit Gemeineigentum des Clans oder der Gens, soweit er nicht bereits von den Häuptlingen in ihre Privatdomäne verwandelt worden war. Wenn ein Gentilgenosse starb, also eine Haushaltung einging, so nahm der Vorsteher (caput cognationis nannten ihn die englischen Juristen) eine neue Landteilung des ganzen Gebiets unter den übrigen Haushaltungen vor. Diese muß im ganzen nach den in Deutschland gültigen Regeln erfolgt sein. Noch jetzt finden sich einige – vor vierzig oder fünfzig Jahren sehr zahlreiche – Dorffluren in sog. Rundale. Die Bauern, Einzelpächter des früher der Gens gemeinsam gehörigen, vom englischen Eroberer geraubten Bodens, zahlen jeder die Pacht für sein Stück, werfen aber das Acker- und Wiesenland aller Stücke zusammen, teilen es nach Lage und Qualität in »Gewanne«, wie es an der Mosel heißt, und geben jedem seinen Anteil in jedem Gewann; Moor- und Weideland wird gemeinsam genutzt. Noch vor fünfzig Jahren wurde von Zeit zu Zeit, manchmal jährlich, neu umgeteilt. Die Flurkarte eines solchen Rundale-Dorfes sieht ganz genauso aus wie die einer deutschen Gehöferschaft an der Mosel oder im Hochwald. Auch in den

»factions«[1] lebt die Gens fort. Die irischen Bauern teilen sich oft in Parteien, die auf scheinbar ganz widersinnigen oder sinnlosen Unterschieden beruhen, den Engländern ganz unverständlich sind und keinen andern Zweck zu haben scheinen als die beliebten solennen Prügeleien der einen Faktion gegen die andre. Es sind künstliche Wiederbelebungen, nachgeborner Ersatz für die zersprengten Gentes, die die Fortdauer des ererbten Gentilinstinkts in ihrer Weise dartun. In manchen Gegenden sind übrigens die Gentilgenossen noch ziemlich auf dem alten Gebiet zusammen; so hatte noch in den dreißiger Jahren die große Mehrzahl der Bewohner der Grafschaft Monaghan nur vier Familiennamen, d.h. stammte aus vier Gentes oder Clans.[1*]

In Schottland datiert der Untergang der Gentilordnung von der Niederwerfung des Aufstandes von 1745.[90] Welches Glied dieser Ordnung der schottische Clan speziell darstellt, bleibt noch zu untersuchen; daß er aber ein solches, ist unzweifelhaft. In Walter Scotts Romanen sehn wir diesen hochschottischen Clan lebendig vor uns. Er ist, sagt Morgan,

[1*] *Zur vierten Auflage.* Während einiger in Irland[89] zugebrachten Tage ist mir wieder frisch ins Bewußtsein getreten, wie sehr das Landvolk dort noch in den Vorstellungen der Gentilzeit lebt. Der Grundbesitzer, dessen Pächter der Bauer ist, gilt diesem noch immer als eine Art Clanchef, der den Boden im Interesse aller zu verwalten hat, dem der Bauer Tribut in der Form von Pacht bezahlt, von dem er aber auch in Notfällen Unterstützung erhalten soll. Und ebenso gilt jeder Wohlhabendere als verpflichtet zur Unterstützung seiner ärmeren Nachbarn, sobald diese in Not geraten. Solche Hülfe ist nicht Almosen, sie ist das, was dem ärmeren vom reicheren Clangenossen oder Clanchef von Rechts wegen zukommt. Man begreift die Klage der politischen Ökonomen und Juristen über die Unmöglichkeit, dem irischen Bauer den Begriff des modernen bürgerlichen Eigentums beizubringen; ein Eigentum, das nur Rechte hat, aber keine Pflichten, will dem Irländer platterdings nicht in den Kopf. Man begreift aber auch, wie Irländer, die mit solchen naiven Gentilvorstellungen plötzlich in die großen englischen oder amerikanischen Städte verschlagen werden, unter eine Bevölkerung mit ganz andern Moral- und Rechtsanschauungen, wie solche Irländer da leicht an Moral und Recht total irre werden, allen Halt verlieren und oft massenhaft der Demoralisation verfallen mußten.

[1]»Parteien«

»ein vortreffliches Musterbild der Gens in seiner Organisation und in seinem Geist, ein schlagendes Beispiel der Herrschaft des Gentillebens über die Gentilen... In ihren Fehden und in ihrer Blutrache, in der Gebietsverteilung nach Clans, in ihrer gemeinsamen Bodennutzung, in der Treue der Clanglieder gegen den Häuptling und gegeneinander finden wir die überall wiederkehrenden Züge der Gentilgesellschaft... Die Abstammung zählte nach Vaterrecht, so daß die Kinder der Männer in den Clans blieben, während die der Weiber in die Clans ihrer Väter übertraten.«[91]

Daß aber in Schottland früher Mutterrecht herrschte, beweist die Tatsache, daß in der königlichen Familie der Pikten, nach Beda[92], weibliche Erbfolge galt. Ja selbst ein Stück Punaluafamilie hatte sich, wie bei den Walisern, so bei den Skoten, bis ins Mittelalter bewahrt in dem Recht der ersten Nacht, das der Clanhäuptling oder der König als letzter Vertreter der früheren gemeinsamen Ehemänner bei jeder Braut auszuüben berechtigt war, sofern es nicht abgekauft wurde.

Daß die Deutschen bis zur Völkerwanderung in Gentes organisiert waren, ist unzweifelhaft. Sie können das Gebiet zwischen Donau, Rhein, Weichsel und den nördlichen Meeren erst wenige Jahrhunderte vor unsrer Zeitrechnung besetzt haben; die Cimbern und Teutonen waren noch in voller Wanderung, und die Sueven fanden erst zu Cäsars Zeit feste Wohnsitze. Von ihnen sagt Cäsar ausdrücklich, sie hätten sich nach Gentes und Verwandtschaften (gentibus cognationibusque)[93] niedergelassen, und im Munde eines Römers der gens Julia hat dies Wort gentibus eine nicht wegzudemonstrierende bestimmte Bedeutung. Dies galt von allen Deutschen; selbst die Ansiedlung in den eroberten Römerprovinzen scheint noch nach Gentes erfolgt zu sein. Im alamannischen Volksrecht wird bestätigt, daß das Volk auf dem eroberten Boden südlich der Donau nach Geschlechtern (genealogiae) sich ansiedelte[94]; genealogia wird ganz in demselben Sinn gebraucht wie später Mark- oder Dorfgenossenschaft. Es ist neuerdings von Kowalewski die Ansicht aufgestellt worden, diese genealogiae seien die großen Hausgenossenschaften, unter die das Land verteilt worden sei und aus denen sich erst später die Dorfgenossenschaft entwickelt. Dasselbe dürfte denn auch von der fara gelten, mit welchem Ausdruck bei Burgundern und Langobarden – also bei einem gotischen und einem herminonischen oder hochdeutschen Volksstamm – so ziemlich, wenn nicht genau dasselbe bezeichnet wird wie mit genealogia im alamannischen Rechtsbuch. Was hier in Wirklichkeit vorliegt: Gens oder Hausgenossenschaft, muß noch untersucht werden.

Die Sprachdenkmäler lassen uns im Zweifel darüber, ob bei allen Deutschen ein gemeinsamer Ausdruck für Gens bestand und welcher. Etymologisch entspricht dem griechischen genos, lateinischen gens das gotische kuni, mittelhochdeutsch künne, und wird auch in demselben Sinn gebraucht. Auf die Zeiten des Mutterrechts weist zurück, daß der Name für Weib von derselben Wurzel stammt: griechisch gyne, slawisch žena, gotisch qvino, altnordisch kona, kuna. – Bei Langobarden und Burgundern finden wir, wie gesagt, fara, das Grimm von einer hypothetischen Wurzel fisan, zeugen, ableitet. Ich möchte lieber auf die handgreiflichere Herleitung von faran, fahren, wandern, zurückgehn, als Bezeichnung einer fast selbstredend aus Verwandten sich zusammensetzenden, festen Abteilung des Wanderzugs, eine Bezeichnung, die im Lauf der mehrhundertjährigen Wanderung erst nach Ost, dann nach West, sich allmählich auf die Geschlechtsgenossenschaft selbst übertrug. – Ferner gotisch sibja, angelsächsisch sib, althochdeutsch sippia, sippa, Sippe. Altnordisch kommt nur der Plural sifjar, die Verwandten vor; der Singular nur als Name einer Göttin, Sif. – Und endlich kommt noch ein andrer Ausdruck im »Hildebrandslied«[95] vor, wo Hildebrand den Hadubrand fragt,

»wer sein Vater wäre unter den Männern im Volk ... oder welches Geschlechtes du seist« (eddo huêlîhhes *cnuosles* du sîs).

Soweit ein gemeinsamer deutscher Name für die Gens bestanden hat, wird er wohl gotisch kuni gelautet haben; dafür spricht nicht nur die Identität mit dem entsprechenden Ausdruck der verwandten Sprachen, sondern auch der Umstand, daß von ihm das Wort kuning, König, sich herleitet, welches ursprünglich einen Gentil- oder Stammesvorsteher bedeutet. Sibja, Sippe, scheint außer Betracht zu kommen, wenigstens bedeutet sifjar im Altnordischen nicht nur Blutsverwandte, sondern auch Verschwägerte, umfaßt also die Angehörigen mindestens *zweier Gentes*; sif kann also nicht selbst der Ausdruck für Gens gewesen sein.

Wie bei Mexikanern und Griechen war auch bei den Deutschen die Schlachtordnung, sowohl die Reiterschwadron wie die Keilkolonne des Fußvolks, nach Gentilkörperschaften gegliedert; wenn Tacitus sagt: nach Familien und Verwandtschaften[96], so erklärt sich dieser unbestimmte Ausdruck daher, daß zu seiner Zeit die Gens in Rom längst aufgehört hatte, eine lebendige Vereinigung zu sein.

Entscheidend ist eine Stelle bei Tacitus, wo es heißt: Der Mutterbruder sieht seinen Neffen an wie seinen Sohn, ja einige halten das Blutband zwischen mütterlichem Onkel und Neffen noch heiliger und enger als das zwischen Vater und Sohn, so daß, wenn Geiseln gefordert werden, der Schwestersohn für eine größere Garantie gilt als der eigne Sohn dessen, den man binden will. Hier haben wir ein lebendiges Stück aus der nach Mutterrecht organisierten, also ursprünglichen Gens, und zwar als etwas die Deutschen besonders Auszeichnendes.[1*] Wurde vom Genossen einer solchen Gens

[1*] Die aus der Zeit des Mutterrechts stammende besonders enge Natur des Bandes zwischen mütterlichem Onkel und Neffen, die bei vielen Völkern vorkommt, kennen die Griechen nur in der Mythologie der Heroenzeit. Nach Diodor (IV, 34) erschlägt Meleager die Söhne des Thestius, die Brüder seiner Mutter Althäa. Diese sieht in dieser Tat einen so unsühnbaren Frevel, daß sie dem Mörder, ihrem eignen Sohn, flucht und ihm den Tod anwünscht. »Die Götter erhörten, wie man erzählt, ihre Wünsche und machten dem Leben des Meleager ein Ende.« Nach demselben Diodor (IV, 44) landen die Argonauten unter Herakles in Thrakien und finden dort, daß Phineus seine mit seiner verstoßenen Gemahlin, der Boreade Kleopatra, erzeugten beiden Söhne auf Antreiben seiner neuen Gemahlin schmählich mißhandelt. Aber unter den Argonauten sind auch Boreaden, Brüder der Kleopatra, als Mutterbrüder der

der eigne Sohn zum Pfand eines Gelöbnisses gegeben und fiel als Opfer bei Vertragsbruch des Vaters, so hatte dieser das mit sich selbst auszumachen. War es aber der Schwestersohn, der geopfert wurde, so war das heiligste Gentilrecht verletzt; der nächste, zum Schutz des Knaben oder Jünglings vor allen andern verpflichtete Gentilverwandte hatte seinen Tod verschuldet; entweder durfte er ihn nicht verpfänden, oder er mußte den Vertrag halten. Hätten wir sonst nicht eine Spur von Gentilverfassung bei den Deutschen, diese eine Stelle würde hinreichen.

Noch entscheidender, weil um etwa 800 Jahre später, ist eine Stelle aus dem altnordischen Lied von der Götterdämmerung und vom Weltuntergang, der »Völuspâ«[98]. In diesem »Gesicht der Seherin«, worin, wie jetzt durch Bang und Bugge nachgewiesen, auch christliche Elemente verwoben sind, heißt es bei der Schilderung der die große Katastrophe einleitenden Zeit allgemeiner Entartung und Verderbtheit:

Broedhr munu berjask ok at bönum verdask,
munu *systrungar* sifjum spilla.

»Brüder werden sich befehden und einander zu Mördern werden, es werden *Schwesterkinder* die Sippe brechen.«

Systrungr heißt der Sohn der Mutterschwester, und daß solche die Blutsverwandtschaft gegeneinander verleugnen, gilt dem Dichter noch als eine Steigerung selbst des Verbrechens des Brudermords. Die Steigerung liegt in dem systrungar, das die Verwandtschaft auf Mutterseite betont; stände statt dessen syskina-börn, Geschwisterkinder, oder syskina-synir, Geschwistersöhne, so böte die zweite Zeile gegen die erste keine Steigerung, sondern einen schwächenden Abstieg. Also selbst zur Wikingerzeit, wo die »Völuspâ« entstand, war die Erinnerung an das Mutterrecht in Skandinavien noch nicht verwischt.

Mißhandelten. Sie nehmen sich sofort ihrer Neffen an, befreien sie und erschlagen die Wächter.[97]

Im übrigen war das Mutterrecht zu Tacitus' Zeit wenigstens bei den ihm näher bekannten Deutschen schon dem Vaterrecht gewichen: Die Kinder erbten vom Vater; wo keine Kinder waren, die Brüder und die Onkel von Vater- und Mutterseite. Die Zulassung des Mutterbruders zur Erbschaft hängt mit der Erhaltung der eben erwähnten Sitte zusammen und beweist ebenfalls, wie jung das Vaterrecht damals noch bei den Deutschen war. Auch bis tief ins Mittelalter finden sich Spuren von Mutterrecht. Damals noch scheint man der Vaterschaft, namentlich bei Leibeignen, nicht recht getraut zu haben; wenn also ein Feudalherr von einer Stadt einen entlaufnen Leibeignen zurückforderte, mußte z. B. in Augsburg, Basel und Kaiserslautern die Leibeigenschaft des Verklagten beschworen werden von sechs seiner nächsten Blutsverwandten, und zwar ausschließlich von Mutterseite (Maurer, »Städteverfassung«, I, S. 381).

Einen ferneren Rest des eben erst absterbenden Mutterrechts bietet die dem Römer fast unbegreifliche Achtung der Deutschen vor dem weiblichen Geschlecht. Jungfrauen aus edler Familie galten für dic bindendsten Geiseln bei Verträgen mit den Deutschen; der Gedanke daran, daß ihre Frauen und Töchter in Gefangenschaft und Sklaverei fallen können, ist ihnen fürchterlich und stachelt mehr als alles andere ihren Mut in der Schlacht; etwas Heiliges und Prophetisches sehn sie in der Frau, sie hören auf ihren Rat auch in den wichtigsten Angelegenheiten, wie denn Veleda, die brukterische Priesterin an der Lippe, die treibende Seele des ganzen Bataveraufstandes war, in dem Civilis an der Spitze von Deutschen und Belgiern die ganze Römerherrschaft in Gallien erschütterte.[99] Im Hause scheint die Herrschaft der Frau unbestritten; sie, die Alten und Kinder haben freilich auch alle Arbeit zu besorgen, der Mann jagt, trinkt oder faulenzt. So sagt Tacitus; da er aber nicht sagt, wer den Acker bestellt, und bestimmt erklärt, die Sklaven leisteten nur Abgaben, aber keine Fronarbeit, so wird die Masse der erwachsenen Männer doch wohl die wenige Arbeit haben tun müssen, die der Landbau erforderte.

Die Form der Ehe war, wie schon oben gesagt, eine allmählich der Monogamie sich nähernde Paarungsehe. Strikte Monogamie war es noch nicht, da Vielweiberei der Vornehmen gestattet war. Im ganzen wurde streng auf Keuschheit der Mädchen gehalten (im Gegensatz zu den Kelten), und ebenso spricht Tacitus mit einer besondern Wärme von der Unverbrüchlichkeit des Ehebandes bei den Deutschen. Nur Ehebruch der Frau gibt er als Scheidungsgrund an. Aber sein Bericht läßt hier manches lückenhaft und trägt ohnehin den den liederlichen Römern vorgehaltnen Tugendspiegel gar zu sehr zur Schau. Soviel ist sicher: Waren die Deutschen in ihren Wäldern diese ausnahmsweisen Tugendritter, so hat es nur geringer Berührung mit der Außenwelt bedurft, um sie auf das Niveau der übrigen europäischen Durchschnittsmenschen herunterzubringen; die letzte Spur der Sittenstrenge verschwand inmitten der Römerwelt noch weit rascher als die deutsche Sprache. Man lese nur Gregor von Tours. Daß in den deutschen Urwäldern nicht die raffinierte Üppigkeit der Sinnenlust herrschen konnte wie in Rom, versteht sich von selbst, und so bleibt den Deutschen auch in dieser Beziehung noch Vorzug genug vor der Römerwelt, ohne daß wir ihnen eine Enthaltsamkeit in fleischlichen Dingen andichten, die nie und nirgends bei einem ganzen Volk geherrscht hat.

Der Gentilverfassung entsprungen ist die Verpflichtung, die Feindschaften des Vaters oder der Verwandten ebenso zu erben wie die Freundschaften; ebenso das Wergeld, die Buße anstatt der Blutrache für Totschlag oder Verletzungen. Dies Wergeld, das noch vor einem Menschenalter als eine spezifisch deutsche Institution angesehen wurde, ist jetzt bei Hunderten von Völkern als allgemeine Milderungsform der aus der Gentilordnung entspringenden Blutrache nachgewiesen. Wir finden es, ebenso wie die Verpflichtung zur Gastfreundschaft, unter andern bei den amerikanischen Indianern; die Beschreibung, wie die Gastfreundschaft nach Tacitus (»Germania«, c. 21) ausgeübt wurde, ist fast bis in die Einzelnheiten dieselbe, die Morgan von seinen Indianern gibt.

Der heiße und endlose Streit darüber, ob die Deutschen des Tacitus das Ackerland schon endgültig aufgeteilt oder nicht und wie die betreffenden Stellen zu deuten, gehört jetzt der Vergangenheit an. Seitdem die gemeinsame Bebauung des Ackerlands durch die Gens und später durch kommunistische Familiengemeinden, die Cäsar noch bei den Sueven bezeugt[100], und die ihr folgende Landzuweisung an einzelne Familien mit periodischer Neuaufteilung fast bei allen Völkern nachgewiesen, seitdem festgestellt ist, daß diese periodische Wiederverteilung des Ackerlands in Deutschland selbst stellenweise bis auf unsre Tage sich erhalten hat, ist darüber kein Wort weiter zu verlieren. Wenn die Deutschen von dem gemeinsamen Landbau, den Cäsar den Sueven ausdrücklich zuschreibt (geteilten oder Privatacker gibt es bei ihnen durchaus nicht, sagt er), in den 150 Jahren bis zu Tacitus übergegangen waren zur Einzelbebauung mit jährlicher Neuverteilung des Bodens, so ist das wahrlich Fortschritt genug; der Übergang von jener Stufe zum vollen Privateigentum am Boden während jener kurzen Zwischenzeit und ohne jede fremde Einmischung schließt eine einfache Unmöglichkeit ein. Ich lese also im Tacitus nur, was er mit dürren Worten sagt: Sie wechseln (oder teilen neu um) das bebaute Land jedes Jahr, und es bleibt Gemeinland genug dabei übrig.[101] Es ist die Stufe des Ackerbaus und der Bodenaneignung, die der damaligen Gentilverfassung der Deutschen genau entspricht.

Den vorstehenden letzten Absatz lasse ich unverändert, wie er in den früheren Auflagen steht. Inzwischen hat sich die Frage anders gedreht. Seit dem von Kowalewski (vgl. oben S. 44[1]) nachgewiesenen weitverbreiteten, wo nicht allgemeinen Vorkommen der patriarchalischen Hausgenossenschaft als Zwischenstufe zwischen der mutterrechtlichen kommunistischen und der modernen isolierten Familie fragt es sich nicht mehr, wie noch zwischen Maurer und Waitz um Gemeineigentum oder Privateigentum am Boden, sondern um die *Form* des Gemeineigentums. Daß zur Zeit des Cäsar bei den Sueven

[1] *Siehe vorl. Band, S. 71*

nicht nur Gemeineigentum, sondern auch gemeinsame Bebauung für gemeinsame Rechnung bestand, darüber ist kein Zweifel. Ob die wirtschaftliche Einheit die Gens war oder die Hausgenossenschaft oder eine zwischen beiden liegende kommunistische Verwandtschaftsgruppe oder ob je nach den Bodenverhältnissen alle drei Gruppen vorkamen, darüber wird sich noch lange streiten lassen. Nun aber behauptet Kowalewski, der von Tacitus geschilderte Zustand habe nicht die Mark- oder Dorfgenossenschaft, sondern die Hausgenossenschaft zur Voraussetzung; erst aus dieser letzteren habe sich dann viel später, infolge des Anwachsens der Bevölkerung, die Dorfgenossenschaft entwickelt.

Hiernach hätten die Ansiedlungen der Deutschen auf dem zur Römerzeit von ihnen besetzten wie auf dem den Römern später abgenommenen Gebiet nicht aus Dörfern bestanden, sondern aus großen Familiengenossenschaften, die mehrere Generationen umfaßten, eine entsprechende Landstrecke unter Bebauung nahmen und das umliegende Ödland mit den Nachbarn als gemeine Mark nutzten. Die Stelle des Tacitus vom Wechseln des bebauten Landes wäre dann in der Tat im agronomischen Sinn zu fassen: Die Genossenschaft habe jedes Jahr eine andre Strecke umgeackert und das Ackerland des Vorjahrs brachliegen oder wieder ganz verwildern lassen. Bei der dünnen Bevölkerung sei dann immer noch Ödland genug übriggeblieben, um jeden Streit um Landbesitz unnötig zu machen. Erst nach Jahrhunderten, als die Kopfzahl der Hausgenossen eine solche Stärke erreicht, daß gemeinsame Wirtschaft unter den damaligen Produktionsbedingungen nicht mehr möglich, hätten sie sich aufgelöst; die bisher gemeinsamen Äcker und Wiesen seien in der bekannten Weise unter die sich nunmehr bildenden Einzelhaushaltungen verteilt worden, anfangs auf Zeit, später ein für allemal, während Wald, Weide und Gewässer gemeinsam blieben.

Für Rußland scheint dieser Entwicklungsgang historisch vollständig nachgewiesen. Was Deutschland und in zweiter Linie die übrigen germanischen Länder betrifft, so ist nicht zu leugnen, daß diese Annahme in vieler Beziehung die Quellen besser erklärt und Schwierigkeiten leichter löst als die bisherige, die die Dorfgemeinschaft bis zu Tacitus zurückreichen läßt. Die ältesten Dokumente z. B. des Codex Laureshamensis[102] erklären sich im ganzen weit besser mit Hülfe der Hausgenossenschaft als der Dorfmarkgenossenschaft. Andrerseits eröffnet sie wieder neue Schwierigkeiten und neue, erst zu lösende Fragen. Hier können nur neue Untersuchungen Entscheidung bringen; ich kann jedoch nicht leugnen, daß die Zwischenstufe der Hausgenossenschaft auch für Deutschland, Skandinavien und England sehr viele Wahrscheinlichkeit für sich hat.

Während bei Cäsar die Deutschen teils eben erst zu festen Wohnsitzen gekommen sind, teils noch solche suchen, haben sie zu Tacitus' Zeit schon ein volles Jahrhundert der Ansässigkeit hinter sich; dementsprechend ist der Fortschritt in der Produktion des Lebensunterhalts unverkennbar. Sie wohnen in Blockhäusern; ihre Kleidung ist noch sehr waldursprünglich; grober Wollenmantel, Tierfelle, für Frauen und Vornehme leinene Unterkleider. Ihre Nahrung ist Milch, Fleisch, wilde Früchte und, wie Plinius hinzufügt, Haferbrei[103] (noch jetzt keltische Nationalkost in Irland und Schottland). Ihr Reichtum besteht in Vieh: Dies aber ist von schlechter Race, die Rinder klein, unansehnlich, ohne Hörner; die Pferde kleine Ponies und keine Renner. Geld wurde selten und wenig gebraucht, nur römisches. Gold und Silber verarbeiteten sie nicht und achteten seiner nicht, Eisen war selten und scheint wenigstens bei den Stämmen an Rhein und Donau fast nur eingeführt, nicht selbstgewonnen zu sein. Die Runenschrift (griechischen oder lateinischen Buchstaben nachgeahmt) war nur als Geheimschrift bekannt und wurde nur zu religiöser Zauberei gebraucht. Menschenopfer waren noch im Gebrauch. Kurz, wir haben hier ein Volk vor uns, das sich soeben aus der Mittelstufe der Barbarei auf die Oberstufe erhoben hatte. Während aber die an die Römer unmittelbar angrenzenden Stämme durch die erleichterte Einfuhr römischer Industrieprodukte an der Entwicklung einer selbständigen Metall- und Textilindustrie verhindert wurden, bildete sich eine solche im Nordosten, an der Ostsee, ganz unzweifelhaft aus. Die in den schleswigschen Mooren gefundenen Rüstungsstücke – langes Eisenschwert, Kettenpanzer, Silberhelm etc., mit römischen Münzen vom Ende des zweiten Jahrhunderts – und die durch die Völkerwanderung verbreiteten deutschen Metallsachen zeigen einen ganz eignen Typus von nicht geringer Ausbildung, selbst wo sie sich an ursprünglich römische Muster anlehnen. Die Auswanderung in das zivilisierte Römerreich machte dieser einheimischen Industrie überall ein Ende, außer in England. Wie einheitlich diese Industrie entstanden und fortgebildet war, zeigen z. B. die bronzenen Spangen; die in Burgund, in Rumänien, am Asowschen Meer gefundenen könnten mit englischen und schwedischen aus derselben Werkstatt hervorgegangen sein und sind ebenso unbezweifelt germanischen Ursprungs.

Der Oberstufe der Barbarei entspricht auch die Verfassung. Allgemein bestand nach Tacitus der Rat der Vorsteher (principes), der geringere Sachen entschied, wichtigere aber für die Entscheidung der Volksversammlung vorbereitete; diese selbst besteht auf der Unterstufe der Barbarei, wenigstens da, wo wir sie kennen, bei den Amerikanern, nur erst für die Gens, noch nicht für den Stamm oder den Stämmebund. Die Vorsteher (principes) scheiden sich noch scharf von den Kriegsführern (duces), ganz wie bei Irokesen. Erstere leben schon zum Teil von Ehrengeschenken an Vieh, Korn etc. von den Stammesgenossen; sie werden, wie in Amerika, meist aus derselben Familie gewählt; der Übergang zum Vaterrecht begünstigt, wie in Griechenland und Rom, die allmähliche Verwandlung der Wahl in Erblichkeit und damit die Bildung einer Adelsfamilie in jeder Gens. Dieser alte, sogenannte Stammesadel ging meist unter in der Völkerwanderung oder doch bald nachher. Die Heerführer wurden ohne Rücksicht auf Abstammung, bloß nach der Tüchtigkeit gewählt. Sie hatten wenig Gewalt und mußten durchs Beispiel wirken; die eigentliche Disziplinargewalt beim Heer legt Tacitus ausdrücklich den Priestern bei. Die wirkliche Macht lag bei der Volksversammlung. Der König oder Stammesvorsteher präsidiert; das Volk entscheidet – nein: durch Murren; ja: durch Akklamation und Waffenlärm. Sie ist zugleich Gerichtsversammlung; hier werden Klagen vorgebracht und abgeurteilt, hier Todesurteile gefällt, und zwar steht der Tod nur auf Feigheit, Volksverrat und unnatürlicher Wollust. Auch in den Gentes und andern Unterabteilungen richtet die Gesamtheit unter Vorsitz des Vorstehers, der, wie in allem deutschen ursprünglichen Gericht, nur Leiter der Verhandlung und Fragesteller gewesen sein kann; Urteilsfinder war von jeher und überall bei Deutschen die Gesamtheit.

Bünde von Stämmen hatten sich seit Cäsars Zeit ausgebildet; bei einigen von ihnen gab es schon Könige; der oberste Heerführer, wie bei Griechen und Römern, strebte bereits der Tyrannis zu und erlangte sie zuweilen. Solche glückliche Usurpatoren waren nun keineswegs unbeschränkte Herrscher; aber sie fingen doch schon an, die Fesseln der Gentilverfassung zu brechen. Während sonst freigelaßne Sklaven eine untergeordnete Stellung einnahmen, weil sie keiner Gens angehören konnten, kamen solche Günstlinge bei den neuen Königen oft zu Rang, Reichtum und Ehren. Gleiches geschah nach der Eroberung des Römerreichs von den nun zu Königen großer Länder gewordnen Heerführern. Bei den Franken spielten Sklaven und Freigelaßne des Königs erst am Hof, dann im Staat eine große Rolle; zum großen Teil stammt der neue Adel von ihnen ab.

Eine Einrichtung begünstigte das Aufkommen des Königtums: die Gefolgschaften. Schon bei den amerikanischen Rothäuten sahen wir, wie sich neben der Gentilverfassung Privatgesellschaften zur Kriegführung auf eigne Faust bilden. Diese Privatgesellschaften waren bei den Deutschen bereits ständige Vereine geworden. Der Kriegsführer, der sich einen Ruf erworben, versammelte eine Schar beutelustiger junger Leute um sich, ihm zu persönlicher Treue, wie er ihnen, verpflichtet. Der Führer verpflegte und beschenkte sie, ordnete sie hierarchisch; eine Leibgarde und schlagfertige Truppe zu kleineren, ein fertiges Offizierskorps für größere Auszüge. Schwach wie diese Gefolgschaften gewesen sein müssen und auch z. B. bei Odovakar in Italien später erscheinen, so bildeten sie doch schon den Keim des Verfalls der alten Volksfreiheit und bewährten sich als solche in und nach der Völkerwanderung. Denn erstens begünstigten sie das Aufkommen der königlichen Gewalt. Zweitens aber konnten sie, wie schon Tacitus bemerkt, zusammengehalten werden nur durch fortwährende Kriege und Raubzüge. Der Raub wurde Zweck. Hatte der Gefolgsherr in der Nähe nichts zu tun, so zog er mit seiner Mannschaft zu andern Völkern, bei denen es Krieg und Aussicht auf Beute gab; die deutschen Hülfsvölker, die unter römischer Fahne selbst gegen Deutsche in großer Menge fochten, waren zum Teil durch solche Gefolgschaften zusammengebracht. Das Landsknechtswesen, die Schmach und der Fluch der Deutschen, war hier schon in der ersten Anlage vorhanden. Nach Eroberung des Römerreichs bildeten diese Gefolgsleute der Könige neben den unfreien und römischen Hofbedienten den zweiten Hauptbestandteil des späteren Adels.

Im ganzen gilt also für die zu Völkern verbündeten deutschen Stämme dieselbe Verfassung, wie sie sich bei den Griechen der Heroenzeit und den Römern der sogenannten Königszeit entwickelt hatte: Volksversammlung, Rat der Gentilvorsteher, Heerführer, der schon einer wirklichen königlichen Gewalt zustrebt. Es war die ausgebildetste Verfassung, die die Gentilordnung überhaupt entwickeln konnte; sie war die Musterverfassung der Oberstufe der Barbarei. Schritt die Gesellschaft hinaus über die Grenzen, innerhalb deren diese Verfassung genügte, so war es aus mit der Gentilordnung; sie wurde gesprengt, der Staat trat an ihre Stelle.

VIII
Die Staatsbildung der Deutschen

Die Deutschen waren nach Tacitus ein sehr zahlreiches Volk. Eine ungefähre Vorstellung von der Stärke deutscher Einzelvölker erhalten wir bei Cäsar; er gibt die Zahl der auf dem linken Rheinufer erschienenen Usipeter und Tenkterer auf 180 000 Köpfe an, Weiber und Kinder eingeschlossen. Also etwa 100 000 auf ein Einzelvolk[1*], schon bedeutend mehr als z. B. die Gesamtheit der Irokesen in ihrer Blütezeit, wo sie, nicht 20 000 Köpfe stark, der Schrecken des ganzen Landes wurden, von den großen Seen bis an den Ohio und Potomac. Ein solches Einzelvolk nimmt auf der Karte, wenn wir versuchen, die in der Nähe des Rheins angesessenen, genauer bekannten nach den Berichten zu gruppieren, im Durchschnitt ungefähr den Raum eines preußischen Regierungsbezirks ein, also etwa 10 000 Quadratkilometer oder 182 geographische Quadratmeilen. Germania Magna[1] der Römer aber, bis an die Weichsel, umfaßt in runder Zahl 500 000 Quadratkilometer. Bei einer durchschnittlichen Kopfzahl der Einzelvölker von 100 000 würde die Gesamtzahl für Germania Magna sich auf fünf Millionen berechnen; für eine barbarische Völkergruppe eine ansehnliche Zahl, für unsre Verhältnisse – 10 Köpfe auf den Quadratkilometer oder 550 auf die geographische Quadratmeile – äußerst gering. Damit aber ist die Zahl der damals lebenden Deutschen keineswegs erschöpft. Wir wissen, daß die Karpaten entlang bis zur Donaumündung hinab deutsche

[1*] Die hier angenommene Zahl wird bestätigt durch eine Stelle Diodors über die gallischen Kelten: »In Gallien wohnen viele Völkerschaften von ungleicher Stärke. Bei den größten beträgt die Menschenzahl ungefähr 200 000, bei den kleinsten 50 000.« (Diodorus Siculus, V, 25.) Also durchschnittlich 125 000; die gallischen Einzelvölker sind, bei ihrem höheren Entwicklungsstand, unbedingt etwas zahlreicher anzunehmen als die deutschen.

[1] Großgermanien

Völker gotischen Stamms wohnten, Bastarner, Peukiner und andre, so zahlreich, daß Plinius aus ihnen den fünften Hauptstamm der Deutschen zusammensetzt[104] und daß sie, die schon 180 vor unsrer Zeitrechnung im Solddienst des makedonischen Königs Perseus auftreten, noch in den ersten Jahren des Augustus bis in die Gegend von Adrianopel vordrangen. Rechnen wir sie nur für eine Million, so haben wir als wahrscheinliche Anzahl der Deutschen zu Anfang unsrer Zeitrechnung mindestens sechs Millionen.

Nach der Niederlassung in Germanien muß sich die Bevölkerung mit steigender Geschwindigkeit vermehrt haben; die obenerwähnten industriellen Fortschritte allein würden dies beweisen. Die schleswigschen Moorfunde sind, nach den zugehörigen römischen Münzen, aus dem dritten Jahrhundert. Um diese Zeit herrschte also schon an der Ostsee ausgebildete Metall- und Textilindustrie, reger Verkehr mit dem Römerreich und ein gewisser Luxus bei Reicheren – alles Spuren dichterer Bevölkerung. Um diese Zeit aber beginnt auch der allgemeine Angriffskrieg der Deutschen auf der ganzen Linie des Rheins, des römischen Grenzwalls und der Donau, von der Nordsee bis zum Schwarzen Meer – direkter Beweis der immer stärker werdenden, nach außen drängenden Volkszahl. Dreihundert Jahre dauerte der Kampf, währenddessen der ganze Hauptstamm gotischer Völker (mit Ausnahme der skandinavischen Goten und der Burgunder) nach Südosten zog und den linken Flügel der großen Angriffslinie bildete, in deren Zentrum die Hochdeutschen (Herminonen) an der Oberdonau und auf dessen rechtem Flügel die Iskävonen, jetzt Franken genannt, am Rhein vordrangen; den Ingävonen fiel die Eroberung Britanniens zu. Am Ende des fünften Jahrhunderts lag das Römerreich entkräftet, blutlos und hülflos den eindringenden Deutschen offen.

Wir standen oben an der Wiege der antiken griechischen und römischen Zivilisation. Hier stehn wir an ihrem Sarg. Über alle Länder des Mittelmeerbeckens war der nivellierende Hobel der römischen Weltherrschaft gefahren, und das jahrhundertelang. Wo nicht das Griechische Widerstand leistete, hatten alle Nationalsprachen einem verdorbenen Lateinisch weichen müssen; es gab keine Nationalunterschiede, keine Gallier, Iberer, Ligurer, Noriker mehr, sie alle waren Römer geworden. Die römische Verwaltung und das römische Recht hatten überall die alten Geschlechterverbände aufgelöst und damit den letzten Rest lokaler und nationaler Selbsttätigkeit. Das neugebackne Römertum bot keinen Ersatz; es drückte keine Nationalität aus, sondern nur den Mangel einer Nationalität. Die Elemente neuer Nationen waren überall vorhanden; die lateinischen Dialekte der verschiednen Provinzen schieden sich mehr und mehr; die natürlichen Grenzen, die Italien, Gallien, Spanien, Afrika früher zu selbständigen Gebieten gemacht hatten, waren noch vorhanden und machten sich auch noch fühlbar. Aber nirgends war die Kraft vorhanden, diese Elemente zu neuen Nationen zusammenzufassen; nirgends war noch eine Spur von Entwicklungsfähigkeit, von Widerstandskraft, geschweige von Schaffungsvermögen. Die ungeheure Menschenmasse des ungeheuren Gebiets hatte nur ein Band, das sie zusammenhielt: den römischen Staat, und dieser war mit der Zeit ihr schlimmster Feind und Unterdrücker geworden. Die Provinzen hatten Rom vernichtet; Rom selbst war eine Provinzialstadt geworden wie die andern – bevorrechtet, aber nicht länger herrschend, nicht länger Mittelpunkt des Weltreichs, nicht einmal mehr Sitz der Kaiser und Unterkaiser, die in Konstantinopel, Trier, Mailand wohnten. Der römische Staat war eine riesige, komplizierte Maschine geworden, ausschließlich zur Aussaugung der Untertanen. Steuern, Staatsfronden und Lieferungen aller Art drückten die Masse der Bevölkerung in immer tiefere Armut; bis zur Unerträglichkeit wurde der Druck gesteigert durch die Erpressungen der Statthalter, Steuereintreiber, Soldaten. Dahin hatte es der römische Staat mit seiner Weltherrschaft gebracht: Er gründete sein Existenzrecht auf die Erhaltung der Ordnung nach innen und den Schutz gegen die Barbaren nach außen. Aber seine Ordnung war schlimmer als die ärgste

Unordnung, und die Barbaren, gegen die er die Bürger zu schützen vorgab, wurden von diesen als Retter ersehnt.

Der Gesellschaftszustand war nicht weniger verzweifelt. Schon seit den letzten Zeiten der Republik war die Römerherrschaft auf rücksichtslose Ausbeutung der eroberten Provinzen ausgegangen; das Kaisertum hatte diese Ausbeutung nicht abgeschafft, sondern im Gegenteil geregelt. Je mehr das Reich verfiel, desto höher stiegen Steuern und Leistungen, desto schamloser raubten und erpreßten die Beamten. Handel und Industrie waren nie Sache der völkerbeherrschenden Römer gewesen; nur im Zinswucher hatten sie alles übertroffen, was vor und nach ihnen war. Was sich von Handel vorgefunden und erhalten hatte, ging zugrunde unter der Beamtenerpressung; was sich noch durchschlug, fällt auf den östlichen, griechischen Teil des Reichs, der außer unsrer Betrachtung liegt. Allgemeine Verarmung, Rückgang des Verkehrs, des Handwerks, der Kunst, Abnahme der Bevölkerung, Verfall der Städte, Rückkehr des Ackerbaus auf eine niedrigere Stufe – das war das Endresultat der römischen Weltherrschaft.

Der Ackerbau, in der ganzen alten Welt der entscheidende Produktionszweig, war es wieder mehr als je. In Italien waren die seit Ende der Republik fast das ganze Gebiet einnehmenden ungeheuren Güterkomplexe (Latifundien) auf zweierlei Weise verwertet worden. Entweder als Viehweide, wo die Bevölkerung durch Schafe und Ochsen ersetzt war, deren Wartung nur wenige Sklaven erforderte. Oder als Villen, die mit Massen von Sklaven Gartenbau in großem Stil trieben, teils für den Luxus des Besitzers, teils für den Absatz auf den städtischen Märkten. Die großen Viehweiden hatten sich erhalten und wohl noch ausgedehnt; die Villengüter und ihr Gartenbau waren verkommen mit der Verarmung ihrer Besitzer und dem Verfall der Städte. Die auf Sklavenarbeit gegründete Latifundienwirtschaft rentierte sich nicht mehr; sie war aber damals die einzig mögliche Form der großen Agrikultur. Die Kleinkultur war wieder die allein lohnende Form geworden. Eine Villa nach der andern wurde in kleine Parzellen zerschlagen und ausgegeben an Erbpächter, die eine bestimmte Summe zahlten, oder partiarii, mehr Verwalter als Pächter, die den sechsten oder gar nur neunten Teil des Jahresprodukts für ihre Arbeit erhielten. Vorherrschend aber wurden diese kleinen Ackerparzellen an Kolonen ausgetan, die dafür einen bestimmten jährlichen Betrag zahlten, an die Scholle gefesselt waren und mit ihrer Parzelle verkauft werden konnten; sie waren zwar keine Sklaven, aber auch nicht frei, konnten sich nicht mit Freien verheiraten, und ihre Ehen untereinander werden nicht als vollgültige Ehen, sondern wie die der Sklaven als bloße Beischläferei (contubernium) angesehn. Sie waren die Vorläufer der mittelalterlichen Leibeignen.

Die antike Sklaverei hatte sich überlebt. Weder auf dem Lande in der großen Agrikultur noch in den städtischen Manufakturen gab sie einen Ertrag mehr, der der Mühe wert war – der Markt für ihre Produkte war ausgegangen. Der kleine Ackerbau aber und das kleine Handwerk, worauf die riesige Produktion der Blütezeit des Reichs zusammengeschrumpft war, hatte keinen Raum für zahlreiche Sklaven. Nur für Haus- und Luxussklaven der Reichen war noch Platz in der Gesellschaft. Aber die absterbende Sklaverei war immer noch hinreichend, alle produktive Arbeit als Sklaventätigkeit, als freier Römer – und das war ja jetzt jedermann – unwürdig erscheinen zu lassen. Daher einerseits wachsende Zahl der Freilassungen überflüssiger, zur Last gewordner Sklaven, andrerseits Zunahme der Kolonen hier, der verlumpten Freien (ähnlich den poor whites[1] der Exsklavenstaaten Amerikas) dort. Das Christentum ist am allmählichen Aussterben der antiken Sklaverei vollständig unschuldig. Es hat die Sklaverei jahrhundertelang im Römerreich mitgemacht und später nie den Sklavenhandel der Christen verhindert, weder den der Deutschen im Norden noch den der Venetianer im Mittel-

[1]armen Weißen

meer, noch den späteren Negerhandel.[1*] Die Sklaverei bezahlte sich nicht mehr, darum starb sie aus. Aber die sterbende Sklaverei ließ ihren giftigen Stachel zurück in der Ächtung der produktiven Arbeit der Freien. Hier war die ausweglose Sackgasse, in der die römische Welt stak: Die Sklaverei war ökonomisch unmöglich, die Arbeit der Freien war moralisch geächtet. Die eine konnte nicht mehr, die andre noch nicht Grundform der gesellschaftlichen Produktion sein. Was hier allein helfen konnte, war nur eine vollständige Revolution.

In den Provinzen sah es nicht besser aus. Wir haben die meisten Nachrichten aus Gallien. Neben den Kolonen gab es hier noch freie Kleinbauern. Um gegen Vergewaltigung durch Beamte, Richter und Wucherer gesichert zu sein, begaben sich diese häufig in den Schutz, das Patronat eines Mächtigen; und zwar nicht nur einzelne taten dies, sondern ganze Gemeinden, so daß die Kaiser im vierten Jahrhundert mehrfach Verbote dagegen erließen. Aber was half es den Schutzsuchenden? Der Patron stellte ihnen die Bedingung, daß sie das Eigentum ihrer Grundstücke an ihn übertrügen, wogegen er ihnen die Nutznießung auf Lebenszeit zusicherte – ein Kniff, den die heilige Kirche sich merkte und im 9. und 10. Jahrhundert zur Mehrung des Reiches Gottes und ihres eignen Grundbesitzes weidlich nachahmte. Damals freilich, gegen das Jahr 475, eifert der Bischof Salvianus von Marseille noch entrüstet gegen solchen Diebstahl und erzählt, der Druck der römischen Beamten und großen Grundherren sei so arg geworden, daß viele »Römer« in die schon von Barbaren besetzten Gegenden flöhen und die dort ansässigen römischen Bürger vor nichts mehr Angst hätten, als wieder unter römische Herrschaft zu kommen.[106] Daß damals Eltern häufig aus Armut ihre Kinder in die Sklaverei verkauften, beweist ein dagegen erlassenes Gesetz.

Dafür, daß die deutschen Barbaren die Römer von ihrem

[1*] Nach dem Bischof Liutprand von Cremona war im 10. Jahrhundert in Verdun, also im heiligen deutschen Reich, der Hauptindustriezweig der Fabrikation von Eunuchen, die mit großem Profit nach Spanien für die maurischen Harems exportiert wurden.[105]

eignen Staat befreiten, nahmen sie ihnen zwei Drittel des gesamten Bodens und teilten ihn unter sich. Die Teilung geschah nach der Gentilverfassung; bei der verhältnismäßig geringen Zahl der Eroberer blieben sehr große Striche ungeteilt, Besitz teils des ganzen Volks, teils der einzelnen Stämme und Gentes. In jeder Gens wurde das Acker- und Wiesenland unter die einzelnen Haushaltungen zu gleichen Teilen verlost; ob in der Zeit wiederholte Aufteilungen stattfanden, wissen wir nicht, jedenfalls verloren sie sich in den Römerprovinzen bald, und die Einzelanteile wurden veräußerliches Privateigentum, Allod. Wald und Weide blieb ungeteilt zu gemeinsamer Nutzung; diese Nutzung sowie die Art der Bebauung der aufgeteilten Flur wurde geregelt nach altem Brauch und nach Beschluß der Gesamtheit. Je länger die Gens in ihrem Dorfe saß und je mehr Deutsche und Römer allmählich verschmolzen, desto mehr trat der verwandtschaftliche Charakter des Bandes zurück vor dem territorialen; die Gens verschwand in der Markgenossenschaft, in der allerdings noch oft genug Spuren des Ursprungs aus Verwandtschaft der Genossen sichtbar sind. So ging hier die Gentilverfassung, wenigstens in den Ländern, wo die Markgemeinschaft sich erhielt – Nordfrankreich, England, Deutschland und Skandinavien –, unmerklich in eine Ortsverfassung über und erhielt damit die Fähigkeit der Einpassung in den Staat. Aber sie behielt dennoch den naturwüchsig demokratischen Charakter bei, der die ganze Gentilverfassung auszeichnet, und erhielt so selbst in der ihr später aufgezwungnen Ausartung ein Stück Gentilverfassung und damit eine Waffe in den Händen der Unterdrückten, lebendig bis in die neueste Zeit.

Wenn so das Blutband in der Gens bald verlorenging, so war dies die Folge davon, daß auch im Stamm und Gesamtvolk seine Organe ausarteten infolge der Eroberung. Wir wissen, daß Herrschaft über Unterworfene mit der Gentilverfassung unverträglich ist. Hier sehn wir dies auf großem Maßstab. Die deutschen Völker, Herren der Römerprovinzen, hatten diese ihre Eroberung zu organisieren. Weder aber konnte man die

Römermassen in die Gentilkörper aufnehmen noch sie vermittelst dieser beherrschen. An die Spitze der, zunächst großenteils fortbestehenden, römischen lokalen Verwaltungskörper mußte man einen Ersatz für den römischen Staat stellen, und dieser konnte nur ein andrer Staat sein. Die Organe der Gentilverfassung mußten sich so in Staatsorgane verwandeln, und dies dem Drang der Umstände gemäß, sehr rasch. Der nächste Repräsentant des erobernden Volks war aber der Heerführer. Die Sicherung des eroberten Gebiets nach innen und außen forderte Stärkung seiner Macht. Der Augenblick war gekommen zur Verwandlung der Feldherrnschaft in Königtum: sie vollzog sich.

Nehmen wir das Frankenreich. Hier waren dem siegreichen Volk der Salier nicht nur die weiten römischen Staatsdomänen, sondern auch noch alle die sehr großen Landstrecken als Vollbesitz zugefallen, die nicht an die größeren und kleineren Gau- und Markgenossenschaften verteilt waren, namentlich alle größeren Waldkomplexe. Das erste, was der aus einem einfachen obersten Heerführer in einen wirklichen Landesfürsten verwandelte Frankenkönig tat, war, dies Volkseigentum in königliches Gut zu verwandeln, es dem Volk zu stehlen und an sein Gefolge zu verschenken oder zu verleihen. Dies Gefolge, ursprünglich seine persönliche Kriegsgefolgschaft und die übrigen Unterführer des Heers, verstärkte sich bald nicht nur durch Römer, d.h. romanisierte Gallier, die ihm durch ihre Schreiberkunst, ihre Bildung, ihre Kenntnis der romanischen Landessprache und lateinischen Schriftsprache sowie des Landesrechts bald unentbehrlich wurden, sondern auch durch Sklaven, Leibeigne und Freigelassene, die seinen Hofstaat ausmachten und aus denen er seine Günstlinge wählte. An alle diese wurden Stücke des Volkslandes zuerst meist verschenkt, später in der Form von Benefizien zuerst meist auf Lebenszeit des Königs verliehen[107] und so die Grundlage eines neuen Adels auf Kosten des Volks geschaffen.

Damit nicht genug. Die weite Ausdehnung des Reichs war mit den Mitteln der alten Gentilverfassung nicht zu regieren;

der Rat der Vorsteher, war er nicht längst abgekommen, hätte sich nicht versammeln können und wurde bald durch die ständige Umgebung des Königs ersetzt; die alte Volksversammlung blieb zum Schein bestehn, wurde aber ebenfalls mehr und mehr bloße Versammlung der Unterführer des Heers und der neuaufkommenden Großen. Die freien grundbesitzenden Bauern, die Masse des fränkischen Volks, wurden durch die ewigen Bürger- und Eroberungskriege, letztere namentlich unter Karl dem Großen, ganz so erschöpft und heruntergebracht wie früher die römischen Bauern in den letzten Zeiten der Republik. Sie, die ursprünglich das ganze Heer und nach der Eroberung Frankreichs dessen Kern gebildet hatten, waren am Anfang des neunten Jahrhunderts so verarmt, daß kaum noch der fünfte Mann ausziehen konnte. An die Stelle des direkt vom König aufgebotenen Heerbannes freier Bauern trat ein Heer, zusammengesetzt aus den Dienstleuten der neuaufgekommenen Großen, darunter auch hörige Bauern, die Nachkommen derer, die früher keinen Herrn als den König und noch früher gar keinen, nicht einmal einen König gekannt hatten. Unter den Nachfolgern Karls wurde der Ruin des fränkischen Bauernstandes durch innere Kriege, Schwäche der königlichen Gewalt und entsprechende Übergriffe der Großen, zu denen nun noch die von Karl eingesetzten und nach Erblichkeit des Amts strebenden Gaugrafen[108] kamen, endlich durch die Einfälle der Normannen vollendet. Fünfzig Jahre nach dem Tode Karls des Großen lag das Frankenreich ebenso widerstandslos zu den Füßen der Normannen, wie vierhundert Jahre früher das Römerreich zu den Füßen der Franken.

Und nicht nur die äußere Ohnmacht, sondern auch die innere Gesellschaftsordnung oder vielmehr -unordnung war fast dieselbe. Die freien fränkischen Bauern waren in eine ähnliche Lage versetzt wie ihre Vorgänger, die römischen Kolonen. Durch die Kriege und Plünderungen ruiniert, hatten sie sich in den Schutz der neuaufgekommenen Großen oder der Kirche begeben müssen, da die königliche Gewalt zu schwach war, sie zu schützen; aber diesen Schutz mußten sie teuer erkaufen. Wie früher die gallischen Bauern, mußten sie das Eigentum an ihrem Grundstück an den Schutzherrn übertragen und erhielten dies von ihm zurück als Zinsgut unter verschiednen und wechselnden Formen, stets aber nur gegen Leistung von Diensten und Abgaben; einmal in diese Form von Abhängigkeit versetzt, verloren sie nach und nach auch die persönliche Freiheit; nach wenig Generationen waren sie zumeist schon Leibeigne. Wie rasch der Untergang des freien Bauernstandes sich vollzog, zeigt Irminons Grundbuch[109] der Abtei Saint-Germain-des-Prés, damals bei, jetzt in Paris. Auf dem weiten, in der Umgegend zerstreuten Grundbesitz dieser Abtei saßen damals, noch zu Lebzeiten Karls des Großen, 2788 Haushaltungen, fast ausnahmslos Franken mit deutschen Namen. Darunter 2080 Kolonen, 35 Liten[110], 220 Sklaven und nur 8 freie Hintersassen! Die von Salvianus für gottlos erklärte Übung, daß der Schutzherr das Grundstück des Bauern sich zu Eigentum übertragen ließ und es ihm nur auf Lebenszeit zur Nutzung zurückgab, wurde jetzt von der Kirche gegen die Bauern allgemein praktiziert. Die Frondienste, die jetzt mehr und mehr in Gebrauch kamen, hatten in den römischen Angarien[111], Zwangsdiensten für den Staat, ihr Vorbild ebensosehr gehabt wie in den Diensten der deutschen Markgenossen für Brücken- und Wegebauten und andre gemeinsame Zwecke. Dem Schein nach war also die Masse der Bevölkerung nach vierhundert Jahren ganz wieder beim Anfang angekommen.

Das aber bewies nur zweierlei: Erstens, daß die gesellschaftliche Gliederung und die Eigentumsverteilung im sinkenden Römerreich der damaligen Stufe der Produktion in Ackerbau und Industrie vollständig entsprochen hatte, also unvermeidlich gewesen war; und zweitens, daß diese Produktionsstufe während der folgenden vierhundert Jahre weder wesentlich gesunken war noch sich wesentlich gehoben hatte, also mit derselben Notwendigkeit dieselbe Eigentumsverteilung und dieselben Bevölkerungsklassen wieder erzeugt hatte.

Die Stadt hatte in den letzten Jahrhunderten des Römerreichs ihre frühere Herrschaft über das Land verloren und in den ersten Jahrhunderten der deutschen Herrschaft sie nicht wiedererhalten. Es setzt dies eine niedrige Entwicklungsstufe sowohl des Ackerbaus wie der Industrie voraus. Diese Gesamtlage produziert mit Notwendigkeit große herrschende Grundbesitzer und abhängige Kleinbauern. Wie wenig es möglich war, einerseits die römische Latifundienwirtschaft mit Sklaven, andrerseits die neuere Großkultur mit Fronarbeit einer solchen Gesellschaft aufzupfropfen, beweisen Karls des Großen ungeheure, aber fast spurlos vorübergegangne Experimente mit den berühmten kaiserlichen Villen. Sie wurden fortgesetzt nur von Klöstern und waren nur für diese fruchtbar; die Klöster aber waren abnorme Gesellschaftskörper, gegründet auf Ehelosigkeit; sie konnten Ausnahmsweises leisten, mußten aber ebendeshalb auch Ausnahmen bleiben.

Und doch war man während dieser vierhundert Jahre weitergekommen. Finden wir auch am Ende fast dieselben Hauptklassen wieder vor wie am Anfang, so waren doch die Menschen andre geworden, die diese Klassen bildeten. Verschwunden war die antike Sklaverei, verschwunden die verlumpten armen Freien, die die Arbeit als sklavisch verachteten. Zwischen dem römischen Kolonen und dem neuen Hörigen hatte der freie fränkische Bauer gestanden. Das »unnütze Erinnern und der vergebliche Streit« des verfallenden Römertums war tot und begraben. Die Gesellschaftsklassen des neunten Jahrhunderts hatten sich gebildet, nicht in der Versumpfung einer untergehenden Zivilisation, sondern in den Geburtswehen einer neuen. Das neue Geschlecht, Herren wie Diener, war ein Geschlecht von Männern, verglichen mit seinen römischen Vorgängern. Das Verhältnis von mächtigen Grundherren und dienenden Bauern, das für diese die ausweglose Untergangsform der antiken Welt gewesen, es war jetzt für jene der Ausgangspunkt einer neuen Entwicklung. Und dann, so unproduktiv diese vierhundert Jahre auch scheinen, *ein* großes Produkt hinterließen sie: die modernen

Nationalitäten, die Neugestaltung und Gliederung der westeuropäischen Menschheit für die kommende Geschichte. Die Deutschen hatten in der Tat Europa neu belebt, und darum endete die Staatenauflösung der germanischen Periode nicht mit normännisch-sarazenischer Unterjochung, sondern mit der Fortbildung der Benefizien und der Schutzergebung (Kommendation[112]) zum Feudalismus und mit einer so gewaltigen Volksvermehrung, daß kaum zweihundert Jahre nachher die starken Aderlässe der Kreuzzüge ohne Schaden ertragen wurden.

Was aber war das geheimnisvolle Zaubermittel, wodurch die Deutschen dem absterbenden Europa neue Lebenskraft einhauchten? War es eine, dem deutschen Volksstamm eingeborne Wundermacht, wie unsre chauvinistische Geschichtsschreibung uns vordichtet? Keineswegs. Die Deutschen waren, besonders damals, ein hochbegabter arischer Stamm und in voller lebendiger Entwicklung begriffen. Aber nicht ihre spezifischen nationalen Eigenschaften waren es, die Europa verjüngt haben, sondern einfach – ihre Barbarei, ihre Gentilverfassung.

Ihre persönliche Tüchtigkeit und Tapferkeit, ihr Freiheitssinn und demokratischer Instinkt, der in allen öffentlichen Angelegenheiten seine eignen Angelegenheiten sah, kurz, alle die Eigenschaften, die dem Römer abhanden gekommen und die allein imstande, aus dem Schlamm der Römerwelt neue Staaten zu bilden und neue Nationalitäten wachsen zu lassen – was waren sie anders als die Charakterzüge des Barbaren der Oberstufe, Früchte seiner Gentilverfassung?

Wenn sie die antike Form der Monogamie umgestalteten, die Männerherrschaft in der Familie milderten, der Frau eine höhere Stellung gaben, als die klassische Welt sie je gekannt, was befähigte sie dazu, wenn nicht ihre Barbarei, ihre Gentilgewohnheiten, ihre noch lebendigen Erbschaften aus der Zeit des Mutterrechts?

Wenn sie wenigstens in dreien der wichtigsten Länder, Deutschland, Nordfrankreich und England, ein Stück echter

Gentilverfassung in der Form der Markgenossenschaften in den Feudalstaat hinüberretteten und damit der unterdrückten Klasse, den Bauern, selbst unter der härtesten mittelalterlichen Leibeigenschaft, einen lokalen Zusammenhalt und ein Mittel des Widerstands gaben, wie es weder die antiken Sklaven fertig vorfanden noch die modernen Proletarier – wem war das geschuldet, wenn nicht ihrer Barbarei, ihrer ausschließlich barbarischen Ansiedlungsweise nach Geschlechtern?

Und endlich, wenn sie die bereits in der Heimat geübte mildere Form der Knechtschaft, in die auch im Römerreich die Sklaverei mehr und mehr überging, ausbilden und zur ausschließlichen erheben konnten; eine Form, die, wie Fourier zuerst hervorgehoben[113], den Geknechteten die Mittel zur allmählichen Befreiung *als Klasse* gibt (fournit aux cultivateurs des moyens d'affranchissement *collectif et progressif*[1]); eine Form, die sich hierdurch hoch über die Sklaverei stellt, bei der nur die sofortige Einzelfreilassung ohne Übergangszustand möglich (Abschaffung der Sklaverei durch siegreiche Rebellion kennt das Altertum nicht) – während in der Tat die Leibeignen des Mittelalters nach und nach ihre Befreiung als Klasse durchsetzten –, wem verdanken wir das, wenn nicht ihrer Barbarei, kraft deren sie es noch nicht zur ausgebildeten Sklaverei gebracht hatten, weder zur antiken Arbeitssklaverei noch zur orientalischen Haussklaverei?

Alles, was die Deutschen der Römerwelt Lebenskräftiges und Lebenbringendes einpflanzten, war Barbarentum. In der Tat sind nur Barbaren fähig, eine an verendender Zivilisation laborierende Welt zu verjüngen. Und die oberste Stufe der Barbarei, zu der und in der die Deutschen sich vor der Völkerwanderung emporgearbeitet, war gerade die günstigste für diesen Prozeß. Das erklärt alles.

[1]liefert den Ackerbauern Mittel zu ihrer *kollektiven und fortschreitenden* Befreiung

IX
Barbarei und Zivilisation

Wir haben jetzt die Auflösung der Gentilverfassung an den drei großen Einzelbeispielen der Griechen, Römer und Deutschen verfolgt. Untersuchen wir zum Schluß die allgemeinen ökonomischen Bedingungen, die die gentile Organisation der Gesellschaft auf der Oberstufe der Barbarei bereits untergruben und mit dem Eintritt der Zivilisation vollständig beseitigten. Hier wird uns Marx' »Kapital« ebenso notwendig sein wie Morgans Buch.

Hervorgewachsen auf der Mittelstufe, weitergebildet auf der Oberstufe der Wildheit, erreicht die Gens, soweit unsre Quellen dies beurteilen lassen, ihre Blütezeit auf der Unterstufe der Barbarei. Mit dieser Entwicklungsstufe also beginnen wir.

Wir finden hier, wo uns die amerikanischen Rothäute als Beispiel dienen müssen, die Gentilverfassung vollkommen ausgebildet. Ein Stamm hat sich in mehrere, meistens zwei Gentes gegliedert; diese ursprünglichen Gentes zerfallen mit steigender Volkszahl jede in mehrere Tochtergentes, gegenüber denen die Muttergens als Phratrie erscheint; der Stamm selbst spaltet sich in mehrere Stämme, in deren jedem wir die alten Gentes großenteils wiederfinden; ein Bund umschließt wenigstens in einzelnen Fällen die verwandten Stämme. Diese einfache Organisation genügt vollkommen den gesellschaftlichen Zuständen, denen sie entsprungen ist. Sie ist weiter nichts als deren eigne, naturwüchsige Gruppierung, sie ist imstande, alle Konflikte auszugleichen, die innerhalb der so organisierten Gesellschaft entspringen können. Nach außen gleicht der Krieg aus; er kann mit Vernichtung des Stamms endigen, nie aber mit seiner Unterjochung. Es ist das Großartige, aber auch das Beschränkte der Gentilverfassung, daß sie für Herrschaft und Knechtung keinen Raum hat. Nach innen gibt es noch keinen Unterschied zwischen Rechten und Pflichten; die Frage, ob Teilnahme an den öffentlichen Angelegenheiten, Blutrache oder deren Sühnung, ein Recht oder eine Pflicht sei, besteht für den Indianer nicht; sie würde ihm ebenso absurd vorkommen wie die: ob Essen, Schlafen, Jagen ein Recht oder eine Pflicht sei. Ebensowenig kann eine Spaltung des Stammes und der Gens in verschiedne Klassen stattfinden. Und dies führt uns auf Untersuchung der ökonomischen Basis des Zustandes.

Die Bevölkerung ist äußerst dünn: verdichtet nur am Wohnort des Stamms, um den in weitem Kreise zunächst das Jagdgebiet liegt, dann der neutrale Schutzwald, der ihn von andern Stämmen trennt. Die Teilung der Arbeit ist rein naturwüchsig; sie besteht nur zwischen den beiden Geschlechtern. Der Mann führt den Krieg, geht jagen und fischen, beschafft den Rohstoff der Nahrung und die dazu nötigen Werkzeuge. Die Frau besorgt das Haus und die Zubereitung der Nahrung und Kleidung, kocht, webt, näht. Jedes von beiden ist Herr auf seinem Gebiet: der Mann im Walde, die Frau im Hause. Jedes ist Eigentümer der von ihm verfertigten und gebrauchten Werkzeuge: der Mann der Waffen, des Jagd- und Fischzeugs, die Frau des Hausrats. Die Haushaltung ist kommunistisch für mehrere, oft viele Familien.[1*] Was gemeinsam gemacht und genutzt wird, ist gemeinsames Eigentum: das Haus, der Garten, das Langboot. Hier also, und nur hier noch, gilt das von Juristen und Ökonomen der zivilisierten Gesellschaft angedichtete »selbstbearbeitete Eigentum«, der letzte verlogne Rechtsvorwand, auf den das heutige kapitalistische Eigentum sich noch stützt.

Aber die Menschen blieben nicht überall auf dieser Stufe stehn. In Asien fanden sie Tiere vor, die sich zähmen und gezähmt weiterzüchten ließen. Die wilde Büffelkuh mußte erjagt werden, die zahme lieferte jährlich ein Kalb und Milch

[1*] Besonders an der Nordwestküste Amerikas, siehe Bancroft. Bei den Haidahs auf Königin Charlottes Insel kommen Haushaltungen bis zu 700 Personen unter einem Dache vor. Bei den Nootkas lebten ganze Stämme unter einem Dache.

obendrein. Eine Anzahl der vorgeschrittensten Stämme – Arier, Semiten, vielleicht auch schon Turanier – machten erst die Zähmung, später nur noch die Züchtung und Wartung von Vieh zu ihrem Hauptarbeitszweig. Hirtenstämme sonderten sich aus von der übrigen Masse der Barbaren: *erste große gesellschaftliche Teilung der Arbeit.* Die Hirtenstämme produzierten nicht nur mehr, sondern auch andre Lebensmittel als die übrigen Barbaren. Sie hatten nicht nur Milch, Milchprodukte und Fleisch in größeren Massen vor diesen voraus, sondern auch Häute, Wolle, Ziegenhaare und die mit der Masse des Rohstoffs sich vermehrenden Gespinste und Gewebe. Damit wurde ein regelmäßiger Austausch zum erstenmal möglich. Auf früheren Stufen können nur gelegentliche Austäusche stattfinden; besondre Geschicklichkeit in der Verfertigung von Waffen und Werkzeugen kann zu vorübergehender Arbeitsteilung führen. So sind unzweifelhafte Reste von Werkstätten für Steinwerkzeuge aus dem späteren Steinzeitalter an vielen Orten gefunden worden; die Künstler, die hier ihre Geschicklichkeit ausbildeten, arbeiteten wahrscheinlich, wie noch die ständigen Handwerker indischer Gentilgemeinwesen, für Rechnung der Gesamtheit. Keinenfalls konnte auf dieser Stufe ein andrer Austausch als der innerhalb des Stammes entstehn, und dieser blieb ausnahmsweises Ereignis. Hier dagegen, nach der Ausscheidung der Hirtenstämme, finden wir alle Bedingungen fertig zum Austausch zwischen den Gliedern verschiedner Stämme, zu seiner Ausbildung und Befestigung als regelmäßige Institution. Ursprünglich tauschte Stamm mit Stamm, durch die gegenseitigen Gentilvorsteher; als aber die Herden anfingen in Sondereigentum überzugehn, überwog der Einzelaustausch mehr und mehr und wurde endlich einzige Form. Der Hauptartikel aber, den die Hirtenstämme an ihre Nachbarn im Tausch abgaben, war Vieh; Vieh wurde die Ware, in der alle andren Waren geschätzt und die überall gern im Austausch gegen jene genommen wurde – kurz, Vieh erhielt Geldfunktion und tat Gelddienste schon auf dieser Stufe. Mit solcher Notwendigkeit und Raschheit entwickelte sich schon im Anbeginn des Warenaustausches das Bedürfnis einer Geldware.

Der Gartenbau, den asiatischen Barbaren der Unterstufe wahrscheinlich fremd, kam spätestens in der Mittelstufe bei ihnen auf, als Vorläufer des Feldbaus. Das Klima der turanischen Hochebene läßt kein Hirtenleben zu ohne Futtervorräte für den langen und strengen Winter; Wiesenbau und Kultur von Kornfrucht war also hier Bedingung. Dasselbe gilt für die Steppen nördlich vom Schwarzen Meer. Wurde aber erst die Kornfrucht für das Vieh gewonnen, so wurde sie bald auch menschliche Nahrung. Das bebaute Land blieb noch Stammeseigentum, anfänglich der Gens, später von dieser den Hausgenossenschaften, endlich den einzelnen zur Benutzung überwiesen; sie mochten gewisse Besitzrechte daran haben, mehr aber auch nicht.

Von den industriellen Errungenschaften dieser Stufe sind zwei besonders wichtig. Die erste ist der Webstuhl, die zweite die Schmelzung von Metallerzen und die Verarbeitung der Metalle. Kupfer und Zinn und die aus beiden zusammengesetzte Bronze waren weitaus die wichtigsten; die Bronze lieferte brauchbare Werkzeuge und Waffen, konnte aber die Steinwerkzeuge nicht verdrängen; dies war nur dem Eisen möglich, und Eisen zu gewinnen verstand man noch nicht. Gold und Silber fingen an, zu Schmuck und Zierat verwandt zu werden, und müssen schon hoch im Wert gestanden haben gegenüber Kupfer und Bronze.

Die Steigerung der Produktion in allen Zweigen – Viehzucht, Ackerbau, häusliches Handwerk – gab der menschlichen Arbeitskraft die Fähigkeit, ein größeres Produkt zu erzeugen, als zu ihrem Unterhalt erforderlich war. Sie steigerte gleichzeitig die tägliche Arbeitsmenge, die jedem Mitglied der Gens, der Hausgemeinde oder der Einzelfamilie zufiel. Die Einschaltung neuer Arbeitskräfte wurde wünschenswert. Der Krieg lieferte sie: Die Kriegsgefangnen wurden in Sklaven verwandelt. Die erste große gesellschaftliche Teilung der Arbeit zog mit ihrer Steigerung der Produktivität der Arbeit, also des Reichtums, und mit ihrer Erweiterung des Produktionsfeldes, unter den gegebnen geschichtlichen Gesamtbedingungen, die Sklaverei mit Notwendigkeit nach sich. Aus der ersten großen gesellschaftlichen Arbeitsteilung entsprang die erste große Spaltung der Gesellschaft in zwei Klassen: Herren und Sklaven, Ausbeuter und Ausgebeutete.

Wie und wann die Herden aus dem Gemeinbesitz des Stammes oder der Gens in das Eigentum der einzelnen Familienhäupter übergegangen, darüber wissen wir bis jetzt nichts. Es muß aber im wesentlichen auf dieser Stufe geschehn sein. Mit den Herden nun und den übrigen neuen Reichtümern kam eine Revolution über die Familie. Der Erwerb war immer Sache des Mannes gewesen, die Mittel zum Erwerb von ihm produziert und sein Eigentum. Die Herden waren die neuen Erwerbsmittel, ihre anfängliche Zähmung und spätere Wartung sein Werk. Ihm gehörte daher das Vieh, ihm die gegen Vieh eingetauschten Waren und Sklaven. All der Überschuß, den der Erwerb jetzt lieferte, fiel dem Manne zu; die Frau genoß mit davon, aber sie hatte kein Teil am Eigentum. Der »wilde« Krieger und Jäger war im Hause zufrieden gewesen mit der zweiten Stelle, nach der Frau; der »sanftere« Hirt, auf seinen Reichtum pochend, drängte sich vor an die erste Stelle und die Frau zurück an die zweite. Und sie konnte sich nicht beklagen. Die Arbeitsteilung in der Familie hatte die Eigentumsverteilung zwischen Mann und Frau geregelt; sie war dieselbe geblieben; und doch stellte sie jetzt das bisherige häusliche Verhältnis auf den Kopf, lediglich weil die Arbeitsteilung außerhalb der Familie eine andre geworden war. Dieselbe Ursache, die der Frau ihre frühere Herrschaft im Hause gesichert: ihre Beschränkung auf die Hausarbeit, dieselbe Ursache sicherte jetzt die Herrschaft des Mannes im Hause: Die Hausarbeit der Frau verschwand jetzt neben der Erwerbsarbeit des Mannes; diese war alles, jene eine unbedeutende Beigabe. Hier zeigt sich schon, daß die Befreiung der Frau, ihre Gleichstellung mit dem Manne, eine Unmöglichkeit ist und bleibt, solange die Frau von der gesellschaftlichen produktiven Arbeit ausgeschlossen und auf die häusliche Privatarbeit beschränkt bleibt. Die Befreiung der Frau wird erst möglich, sobald diese auf großem, gesellschaftlichem Maßstab an der Produktion sich beteiligen kann und die häusliche Arbeit sie nur noch in unbedeutendem Maß in Anspruch nimmt. Und dies ist erst möglich geworden durch die moderne große Industrie, die nicht nur Frauenarbeit auf großer Stufenleiter zuläßt, sondern förmlich nach ihr verlangt, und die auch die private Hausarbeit mehr und mehr in eine öffentliche Industrie aufzulösen strebt.

Mit der faktischen Herrschaft des Mannes im Hause war die letzte Schranke seiner Alleinherrschaft gefallen. Diese Alleinherrschaft wurde bestätigt und verewigt durch Sturz des Mutterrechts, Einführung des Vaterrechts, allmählichen Übergang der Paarungsehe in die Monogamie. Damit aber kam ein Riß in die alte Gentilordnung: Die Einzelfamilie wurde eine Macht und erhob sich drohend gegenüber der Gens.

Der nächste Schritt führt uns auf die Oberstufe der Barbarei, die Periode, in der alle Kulturvölker ihre Heroenzeit durchmachen: die Zeit des eisernen Schwerts, aber auch der eisernen Pflugschar und Axt. Das Eisen war dem Menschen dienstbar geworden, der letzte und wichtigste aller Rohstoffe, die eine geschichtlich umwälzende Rolle spielten, der letzte – bis auf die Kartoffel. Das Eisen schuf den Feldbau auf größeren Flächen, die Urbarmachung ausgedehnterer Waldstrecken; es gab dem Handwerker Werkzeug von einer Härte und Schneide, der kein Stein, kein andres bekanntes Metall widerstand. Alles das allmählich; das erste Eisen war oft noch weicher als Bronze. So verschwand die Steinwaffe nur langsam; nicht nur im »Hildebrandslied«[95], auch noch bei Hastings[114] im Jahre 1066 kamen noch Steinäxte ins Gefecht. Aber der Fortschritt ging nun unaufhaltsam, weniger unterbrochen und rascher vor sich. Die mit steinernen Mauern, Türmen und Zinnen steinerne oder Ziegelhäuser umschließende Stadt wurde Zentralsitz des Stamms oder

Stämmebundes; ein gewaltiger Fortschritt in der Baukunst, aber auch ein Zeichen vermehrter Gefahr und Schutzbedürftigkeit. Der Reichtum wuchs rasch, aber als Reichtum einzelner; die Weberei, die Metallbearbeitung und die andern, mehr und mehr sich sondernden Handwerke entfalteten steigende Mannigfaltigkeit und Kunstfertigkeit der Produktion; der Landbau lieferte neben Korn, Hülsenfrüchten und Obst jetzt auch Öl und Wein, deren Bereitung man gelernt hatte. So mannigfache Tätigkeit konnte nicht mehr von demselben einzelnen ausgeübt werden; *die zweite große Teilung der Arbeit* trat ein: Das Handwerk sonderte sich vom Ackerbau. Die fortwährende Steigerung der Produktion und mit ihr der Produktivität der Arbeit erhöhte den Wert der menschlichen Arbeitskraft; die Sklaverei, auf der vorigen Stufe noch entstehend und sporadisch, wird jetzt wesentlicher Bestandteil des Gesellschaftssystems; die Sklaven hören auf, einfache Gehülfen zu sein, sie werden dutzendweise zur Arbeit getrieben auf dem Feld und in der Werkstatt. Mit der Spaltung der Produktion in die zwei großen Hauptzweige, Ackerbau und Handwerk, entsteht die Produktion direkt für den Austausch, die Warenproduktion; mit ihr der Handel, nicht nur im Innern und an den Stammesgrenzen, sondern auch schon über See. Alles dies aber noch sehr unentwickelt; die edlen Metalle fangen an, vorwiegende und allgemeine Geldware zu werden, aber noch ungeprägt, nur nach dem noch unverkleideten Gewicht sich austauschend.

Der Unterschied von Reichen und Ärmeren tritt neben den von Freien und Sklaven – mit der neuen Arbeitsteilung eine neue Spaltung der Gesellschaft in Klassen. Die Besitzunterschiede der einzelnen Familienhäupter sprengen die alte kommunistische Hausgemeinde überall, wo sie sich bis dahin erhalten; mit ihr die gemeinsame Bebauung des Bodens für Rechnung dieser Gemeinde. Das Ackerland wird den einzelnen Familien zunächst auf Zeit, später ein für allemal zur Nutzung überwiesen, der Übergang in volles Privateigentum vollzieht sich allmählich und parallel mit dem Übergang der

Paarungsehe in Monogamie. Die Einzelfamilie fängt an, die wirtschaftliche Einheit in der Gesellschaft zu werden.

Die dichtere Bevölkerung nötigt zu engerem Zusammenschließen nach innen wie nach außen. Der Bund verwandter Stämme wird überall eine Notwendigkeit; bald auch schon ihre Verschmelzung, damit die Verschmelzung der getrennten Stammesgebiete zu einem Gesamtgebiet des Volks. Der Heerführer des Volks – rex, basileus, thiudans – wird unentbehrlicher, ständiger Beamter. Die Volksversammlung kommt auf, wo sie nicht schon bestand. Heerführer, Rat, Volksversammlung bilden die Organe der zu einer militärischen Demokratie fortentwickelten Gentilgesellschaft. Militärisch – denn der Krieg und die Organisation zum Krieg sind jetzt regelmäßige Funktionen des Volkslebens geworden. Die Reichtümer der Nachbarn reizen die Habgier von Völkern, bei denen Reichtumserwerb schon als einer der ersten Lebenszwecke erscheint. Sie sind Barbaren: Rauben gilt ihnen für leichter und selbst für ehrenvoller als Erarbeiten. Der Krieg, früher nur geführt zur Rache für Übergriffe oder zur Ausdehnung des unzureichend gewordnen Gebiets, wird jetzt des bloßen Raubs wegen geführt, wird stehender Erwerbszweig. Nicht umsonst starren die dräuenden Mauern um die neuen befestigten Städte: In ihren Gräben gähnt das Grab der Gentilverfassung, und ihre Türme ragen bereits hinein in die Zivilisation. Und ebenso geht es im Innern. Die Raubkriege erhöhen die Macht des obersten Heerführers wie die der Unterführer; die gewohnheitsmäßige Wahl der Nachfolger in denselben Familien geht, namentlich seit Einführung des Vaterrechts, allmählich über in erst geduldete, dann beanspruchte, endlich usurpierte Erblichkeit; die Grundlage des Erbkönigtums und des Erbadels ist gelegt. So reißen sich die Organe der Gentilverfassung allmählich los von ihrer Wurzel im Volk, in Gens, Phratrie, Stamm, und die ganze Gentilverfassung verkehrt sich in ihr Gegenteil: Aus einer Organisation von Stämmen zur freien Ordnung ihrer eignen Angelegenheiten wird sie eine Organisation zur Plünderung und

Bedrückung der Nachbarn, und dementsprechend werden ihre Organe aus Werkzeugen des Volkswillens zu selbständigen Organen der Herrschaft und Bedrückung gegenüber dem eignen Volk. Das aber wäre nie möglich gewesen, hätte nicht die Gier nach Reichtum die Gentilgenossen gespalten in Reiche und Arme, hätte nicht »die Eigentumsdifferenz innerhalb derselben Gens die Einheit der Interessen verwandelt in Antagonismus der Gentilgenossen« (Marx)[2] und hätte nicht die Ausdehnung der Sklaverei bereits angefangen, die Erarbeitung des Lebensunterhalts für nur sklavenwürdige Tätigkeit, für schimpflicher gelten zu lassen als den Raub.

Damit sind wir angekommen an der Schwelle der Zivilisation. Sie wird eröffnet durch einen neuen Fortschritt der Teilung der Arbeit. Auf der untersten Stufe produzierten die Menschen nur direkt für eignen Bedarf; die etwa vorkommenden Austauschakte waren vereinzelt, betrafen nur den zufällig sich einstellenden Überfluß. Auf der Mittelstufe der Barbarei finden wir bei Hirtenvölkern in dem Vieh schon einen Besitz, der bei einer gewissen Größe der Herde regelmäßig einen Überschuß über den eignen Bedarf liefert, zugleich eine Teilung der Arbeit zwischen Hirtenvölkern und zurückgebliebnen Stämmen ohne Herden, damit zwei nebeneinander bestehende verschiedne Produktionsstufen und damit die Bedingungen eines regelmäßigen Austausches. Die Oberstufe der Barbarei liefert uns die weitere Arbeitsteilung zwischen Ackerbau und Handwerk, damit Produktion eines stets wachsenden Teils der Arbeitserzeugnisse direkt für den Austausch, damit Erhebung des Austausches zwischen Einzelproduzenten zu einer Lebensnotwendigkeit der Gesellschaft. Die Zivilisation befestigt und steigert alle diese vorgefundnen Arbeitsteilungen, namentlich durch Schärfung des Gegensatzes von Stadt und Land (wobei die Stadt das Land ökonomisch beherrschen kann, wie im Altertum, oder auch das Land die Stadt, wie im Mittelalter), und fügt dazu eine dritte, ihr eigentümliche, entscheidend wichtige Arbeitsteilung: Sie erzeugt eine Klasse, die sich nicht mehr mit der Produktion beschäftigt, sondern nur mit dem Austausch der Produkte – die *Kaufleute*. Alle bisherigen Ansätze zur Klassenbildung hatten es noch ausschließlich mit der Produktion zu tun; sie schieden die bei der Produktion beteiligten Leute in Leitende und Ausführende oder aber in Produzenten auf größerer und auf kleinerer Stufenleiter. Hier tritt zum erstenmal eine Klasse auf, die, ohne an der Produktion irgendwie Anteil zu nehmen, die Leitung der Produktion im ganzen und großen sich erobert und die Produzenten sich ökonomisch unterwirft; die sich zum unumgänglichen Vermittler zwischen je zwei Produzenten macht und sie beide ausbeutet. Unter dem Vorwand, den Produzenten die Mühe und das Risiko des Austausches abzunehmen, den Absatz ihrer Produkte nach entfernten Märkten auszudehnen, damit die nützlichste Klasse der Bevölkerung zu werden, bildet sich eine Klasse von Parasiten aus, echten gesellschaftlichen Schmarotzertieren, die als Lohn für sehr geringe wirkliche Leistungen sowohl von der heimischen wie von der fremden Produktion den Rahm abschöpft, rasch enorme Reichtümer und entsprechenden gesellschaftlichen Einfluß erwirbt und ebendeshalb während der Periode der Zivilisation zu immer neuen Ehren und immer größerer Beherrschung der Produktion berufen ist, bis sie endlich auch selbst ein eignes Produkt zutage fördert – die periodischen Handelskrisen.

Auf unsrer vorliegenden Entwicklungsstufe hat die junge Kaufmannschaft allerdings noch keine Ahnung von den großen Dingen, die ihr bevorstehn. Aber sie bildet sich und macht sich unentbehrlich, und das genügt. Mit ihr aber bildet sich aus das *Metallgeld*, die geprägte Münze, und mit dem Metallgeld ein neues Mittel zur Herrschaft des Nichtproduzenten über den Produzenten und seine Produktion. Die Ware der Waren, die alle andern Waren im Verborgnen in sich enthält, war entdeckt, das Zaubermittel, das sich nach Belieben in jedes wünschenswerte und gewünschte Ding verwandeln kann. Wer es hatte, beherrschte die Welt der Produktion, und wer hatte es vor allen? Der Kaufmann. In seiner Hand war der Kultus des Geldes sicher. Er sorgte dafür, daß es offenbar wurde, wie sehr alle Waren, damit alle Warenproduzenten, sich anbetend in den Staub werfen mußten vor dem Geld. Er bewies es praktisch, wie sehr alle andern Formen des Reichtums nur selber bloßer Schein werden gegenüber dieser Verkörperung des Reichtums als solchem. Nie wieder ist die Macht des Geldes aufgetreten in solch ursprünglicher Roheit und Gewaltsamkeit wie in dieser ihrer Jugendperiode. Nach dem Warenkauf für Geld kam der Geldvorschuß, mit diesem der Zins und der Wucher. Und keine Gesetzgebung späterer Zeit wirft den Schuldner so schonungs- und rettungslos zu den Füßen des wucherischen Gläubigers wie die altathenische und altrömische – und beide entstanden spontan, als Gewohnheitsrechte, ohne andern als den ökonomischen Zwang.

Neben den Reichtum an Waren und Sklaven, neben den Geldreichtum trat nun auch der Reichtum an Grundbesitz. Das Besitzrecht der einzelnen an den ihnen ursprünglich von Gens oder Stamm überlassenen Bodenparzellen hatte sich jetzt soweit befestigt, daß diese Parzellen ihnen erbeigentümlich gehörten. Wonach sie in der letzten Zeit vor allem gestrebt, das war die Befreiung von dem Anrecht der Gentilgenossenschaft an die Parzelle, das ihnen eine Fessel wurde. Die Fessel wurden sie los – aber bald nachher auch das neue Grundeigentum. Volles, freies Eigentum am Boden, das hieß nicht nur Möglichkeit, den Boden unverkürzt und unbeschränkt zu besitzen, das hieß auch Möglichkeit, ihn zu veräußern. Solange der Boden Gentileigentum, existierte diese Möglichkeit nicht. Als aber der neue Grundbesitzer die Fessel des Obereigentums der Gens und des Stamms endgültig abstreifte, zerriß er auch das Band, das ihn bisher unlöslich mit dem Boden verknüpft hatte. Was das hieß, wurde ihm klargemacht durch das mit dem Privatgrundeigentum gleichzeitig erfundne Geld. Der Boden konnte nun Ware werden, die man verkauft und verpfändet. Kaum war das Grundeigentum eingeführt, so war auch die Hypothek schon erfunden (sieh Athen). Wie der

Hetärismus und die Prostitution an die Fersen der Monogamie, so klammert sich von nun an die Hypothek an die Fersen des Grundeigentums. Ihr habt das volle, freie, veräußerliche Grundeigentum haben wollen, nun wohl, ihr habt's – tu l'as voulu, George Dandin![1] [115]

So ging mit Handelsausdehnung, Geld und Geldwucher, Grundeigentum und Hypothek die Konzentration und Zentralisation des Reichtums in den Händen einer wenig zahlreichen Klasse rasch voran, daneben die steigende Verarmung der Massen und die steigende Masse der Armen. Die neue Reichtumsaristokratie, soweit sie nicht schon von vornherein mit dem alten Stammesadel zusammengefallen war, drängte ihn endgültig in den Hintergrund (in Athen, in Rom, bei den Deutschen). Und neben dieser Scheidung der Freien in Klassen nach dem Reichtum ging besonders in Griechenland eine ungeheure Vermehrung der Zahl der Sklaven[1*], deren erzwungne Arbeit die Grundlage bildete, auf der sich der Überbau der ganzen Gesellschaft erhob.

Sehen wir uns nun danach um, was unter dieser gesellschaftlichen Umwälzung aus der Gentilverfassung geworden war. Gegenüber den neuen Elementen, die ohne ihr Zutun emporgewachsen, stand sie ohnmächtig da. Ihre Voraussetzung war, daß die Glieder einer Gens, oder doch eines Stammes, auf demselben Gebiet vereinigt saßen, es ausschließlich bewohnten. Das hatte längst aufgehört. Überall waren Gentes und Stämme durcheinandergeworfen, überall wohnten Sklaven, Schutzverwandte, Fremde mitten unter den Bürgern. Die erst gegen Ende der Mittelstufe der Barbarei erworbene Seßhaftigkeit wurde immer wieder durchbrochen durch die von Handel, Erwerbsveränderung, Grundbesitzwechsel bedingte Beweglichkeit und Veränderlichkeit des Wohnsitzes. Die Genossen der Gentilkörper konnten nicht mehr zusammen-

[1*] Die Anzahl für Athen siehe oben S. 117[2]. In Korinth betrug sie zur Blütezeit der Stadt 460 000, in Ägina 470 000, in beiden Fällen die zehnfache Anzahl der freien Bürgerbevölkerung.

[1] Du hast es nicht besser gewollt, George Dandin! – [2] *siehe vorl. Band, S. 140*

treten zur Wahrnehmung ihrer eignen gemeinsamen Angelegenheiten; nur unwichtige Dinge, wie die religiösen Feiern, wurden noch notdürftig besorgt. Neben den Bedürfnissen und Interessen, zu deren Wahrung die Gentilkörper berufen und befähigt, waren aus der Umwälzung der Erwerbsverhältnisse und der daraus folgenden Änderung der gesellschaftlichen Gliederung neue Bedürfnisse und Interessen entstanden, die der alten Gentilordnung nicht nur fremd waren, sondern sie in jeder Weise durchkreuzten. Die Interessen der durch Teilung der Arbeit entstandnen Handwerkergruppen, die besondern Bedürfnisse der Stadt im Gegensatz zum Land, erforderten neue Organe; jede dieser Gruppen aber war aus Leuten der verschiedensten Gentes, Phratrien und Stämme zusammengesetzt, sie schloß sogar Fremde ein; diese Organe mußten sich also bilden außerhalb der Gentilverfassung, neben ihr, und damit gegen sie. – Und wiederum in jeder Gentilkörperschaft machte sich dieser Konflikt der Interessen geltend, der seine Spitze erreichte in der Vereinigung von Reichen und Armen, Wucherern und Schuldnern in derselben Gens und demselben Stamm. – Dazu kam die Masse der neuen, den Gentilgenossenschaften fremden Bevölkerung, die wie in Rom eine Macht im Lande werden konnte und dabei zu zahlreich war, um allmählich in die blutsverwandten Geschlechter und Stämme aufgenommen zu werden. Dieser Masse gegenüber standen die Gentilgenossenschaften da als geschlossene, bevorrechtete Körperschaften; die ursprüngliche naturwüchsige Demokratie war umgeschlagen in eine gehässige Aristokratie. – Schließlich war die Gentilverfassung herausgewachsen aus einer Gesellschaft, die keine inneren Gegensätze kannte, und war auch nur einer solchen angepaßt. Sie hatte kein Zwangsmittel außer der öffentlichen Meinung. Hier aber war eine Gesellschaft entstanden, die kraft ihrer sämtlicher ökonomischer Lebensbedingungen sich in Freie und Sklaven, in ausbeutende Reiche und ausgebeutete Arme hatte spalten müssen, eine Gesellschaft, die diese Gegensätze nicht nur nicht wieder versöhnen konnte, sondern sie immer mehr auf die Spitze treiben mußte. Eine solche Gesellschaft konnte nur bestehn entweder im fortwährenden offnen Kampf dieser Klassen gegeneinander oder aber unter der Herrschaft einer dritten Macht, die, scheinbar über den widerstreitenden Klassen stehend, ihren offnen Konflikt niederdrückte und den Klassenkampf höchstens auf ökonomischem Gebiet, in sogenannter gesetzlicher Form, sich ausfechten ließ. Die Gentilverfassung hatte ausgelebt. Sie war gesprengt durch die Teilung der Arbeit und ihr Ergebnis, die Spaltung der Gesellschaft in Klassen. Sie wurde ersetzt durch den *Staat*.

Die drei Hauptformen, in denen der Staat sich auf den Ruinen der Gentilverfassung erhebt, haben wir oben im einzelnen betrachtet. Athen bietet die reinste, klassischste Form: Hier entspringt der Staat direkt und vorherrschend aus den Klassengegensätzen, die sich innerhalb der Gentilgesellschaft selbst entwickeln. In Rom wird die Gentilgesellschaft eine geschlossene Aristokratie inmitten einer zahlreichen, außer ihr stehenden, rechtlosen, aber pflichtenschuldigen Plebs; der Sieg der Plebs sprengt die alte Geschlechtsverfassung und errichtet auf ihren Trümmern den Staat, worin Gentilaristokratie und Plebs bald beide gänzlich aufgehn. Bei den deutschen Überwindern des Römerreichs endlich entspringt der Staat direkt aus der Eroberung großer fremder Gebiete, die zu beherrschen die Gentilverfassung keine Mittel bietet. Weil aber mit dieser Eroberung weder ernstlicher Kampf mit der alten Bevölkerung verbunden ist noch eine fortgeschrittnere Arbeitsteilung; weil die ökonomische Entwicklungsstufe der Eroberten und die der Eroberer fast dieselbe ist, die ökonomische Basis der Gesellschaft also die alte bleibt, deshalb kann sich die Gentilverfassung lange Jahrhunderte hindurch in veränderter, territorialer Gestalt als Markverfassung forterhalten und selbst in den späteren Adels- und Patriziergeschlechtern, ja selbst in Bauerngeschlechtern wie in Dithmarschen, eine Zeitlang in abgeschwächter Form verjüngen.[1*]

[1*] Der erste Geschichtsschreiber, der wenigstens eine annähernde Vorstellung

Der Staat ist also keineswegs eine der Gesellschaft von außen aufgezwungne Macht; ebensowenig ist er »die Wirklichkeit der sittlichen Idee«, »das Bild und die Wirklichkeit der Vernunft«, wie Hegel behauptet.[117] Er ist vielmehr ein Produkt der Gesellschaft auf bestimmter Entwicklungsstufe; er ist das Eingeständnis, daß diese Gesellschaft sich in einen unlösbaren Widerspruch mit sich selbst verwickelt, sich in unversöhnliche Gegensätze gespalten hat, die zu bannen sie ohnmächtig ist. Damit aber diese Gegensätze, Klassen mit widerstreitenden ökonomischen Interessen nicht sich und die Gesellschaft in fruchtlosem Kampf verzehren, ist eine scheinbar über der Gesellschaft stehende Macht nötig geworden, die den Konflikt dämpfen, innerhalb der Schranken der »Ordnung« halten soll; und diese, aus der Gesellschaft hervorgegangne, aber sich über sie stellende, sich ihr mehr und mehr entfremdende Macht ist der Staat.

Gegenüber der alten Gentilorganisation kennzeichnet sich der Staat erstens durch die Einteilung der Staatsangehörigen *nach dem Gebiet*. Die alten, durch Blutbande gebildeten und zusammengehaltnen Gentilgenossenschaften, wie wir gesehn, waren unzureichend geworden, großenteils weil sie eine Bindung der Genossen an ein bestimmtes Gebiet voraussetzten und diese längst aufgehört hatte. Das Gebiet war geblieben, aber die Menschen waren mobil geworden. Man nahm also die Gebietseinteilung als Ausgangspunkt und ließ die Bürger ihre öffentlichen Rechte und Pflichten da erfüllen, wo sie sich niederließen, ohne Rücksicht auf Gens und Stamm. Diese Organisation der Staatsangehörigen nach der Ortsangehörigkeit ist allen Staaten gemeinsam. Uns kommt sie daher natürlich vor; wir haben aber gesehn, wie harte und langwierige Kämpfe erfordert waren, bis sie in Athen und Rom sich an die Stelle der alten Organisation nach Geschlechtern setzen konnte.

vom Wesen der Gens hatte, war Niebuhr, und das – aber auch seine ohne weiteres mit übertragnen Irrtümer – verdankt er seiner Bekanntschaft mit den dithmarsischen Geschlechtern.[116]

Das zweite ist die Einrichtung einer *öffentlichen Gewalt,* welche nicht mehr unmittelbar zusammenfällt mit der sich selbst als bewaffnete Macht organisierenden Bevölkerung. Diese besondre, öffentliche Gewalt ist nötig, weil eine selbsttätige bewaffnete Organisation der Bevölkerung unmöglich geworden seit der Spaltung in Klassen. Die Sklaven gehören auch zur Bevölkerung; die 90 000 athenischen Bürger bilden gegenüber den 365 000 Sklaven nur eine bevorrechtete Klasse. Das Volksheer der athenischen Demokratie war eine aristokratische öffentliche Gewalt gegenüber den Sklaven und hielt sie im Zaum; aber auch um die Bürger im Zaum zu halten, wurde eine Gendarmerie nötig, wie oben erzählt. Diese öffentliche Gewalt existiert in jedem Staat; sie besteht nicht bloß aus bewaffneten Menschen, sondern auch aus sachlichen Anhängseln, Gefängnissen und Zwangsanstalten aller Art, von denen die Gentilgesellschaft nichts wußte. Sie kann sehr unbedeutend, fast verschwindend sein in Gesellschaften mit noch unentwickelten Klassengegensätzen und auf abgelegnen Gebieten, wie zeit- und ortsweise in den Vereinigten Staaten Amerikas. Sie verstärkt sich aber in dem Maß, wie die Klassengegensätze innerhalb des Staats sich verschärfen und wie die einander begrenzenden Staaten größer und volkreicher werden – man sehe nur unser heutiges Europa an, wo Klassenkampf und Eroberungskonkurrenz die öffentliche Macht auf eine Höhe emporgeschraubt haben, auf der sie die ganze Gesellschaft und selbst den Staat zu verschlingen droht.

Um diese öffentliche Macht aufrechtzuerhalten, sind Beiträge der Staatsbürger nötig – die *Steuern.* Diese waren der Gentilgesellschaft vollständig unbekannt. Wir aber wissen heute genug davon zu erzählen. Mit der fortschreitenden Zivilisation reichen auch sie nicht mehr; der Staat zieht Wechsel auf die Zukunft, macht Anleihen, *Staatsschulden.* Auch davon weiß das alte Europa ein Liedchen zu singen.

Im Besitz der öffentlichen Gewalt und des Rechts der Steuereintreibung, stehn die Beamten nun da als Organe der

Gesellschaft *über* der Gesellschaft. Die freie, willige Achtung, die den Organen der Gentilverfassung gezollt wurde, genügt ihnen nicht, selbst wenn sie sie haben könnten; Träger einer der Gesellschaft entfremdenden Macht, müssen sie in Respekt gesetzt werden durch Ausnahmsgesetze, kraft deren sie einer besondren Heiligkeit und Unverletzlichkeit genießen. Der lumpigste Polizeidiener des zivilisierten Staats hat mehr »Autorität« als alle Organe der Gentilgesellschaft zusammengenommen; aber der mächtigste Fürst und der größte Staatsmann oder Feldherr der Zivilisation kann den geringsten Gentilvorsteher beneiden um die unerzwungne und unbestrittene Achtung, die ihm gezollt wird. Der eine steht eben mitten in der Gesellschaft; der andre ist genötigt, etwas vorstellen zu wollen außer und über ihr.

Da der Staat entstanden ist aus dem Bedürfnis, Klassengegensätze im Zaum zu halten; da er aber gleichzeitig mitten im Konflikt dieser Klassen entstanden ist, so ist er in der Regel Staat der mächtigsten, ökonomisch herrschenden Klasse, die vermittelst seiner auch politisch herrschende Klasse wird und so neue Mittel erwirbt zur Niederhaltung und Ausbeutung der unterdrückten Klasse. So war der antike Staat vor *allem* Staat der Sklavenbesitzer zur Niederhaltung der Sklaven, wie der Feudalstaat Organ des Adels zur Niederhaltung der leibeignen und hörigen Bauern und der moderne Repräsentativstaat Werkzeug der Ausbeutung der Lohnarbeit durch das Kapital. Ausnahmsweise indes kommen Perioden vor, wo die kämpfenden Klassen einander so nahe das Gleichgewicht halten, daß die Staatsgewalt als scheinbare Vermittlerin momentan eine gewisse Selbständigkeit gegenüber beiden erhält. So die absolute Monarchie des 17. und 18. Jahrhunderts, die Adel und Bürgertum gegeneinander balanciert; so der Bonapartismus des ersten und namentlich des zweiten französischen Kaiserreichs, der das Proletariat gegen die Bourgeoisie und die Bourgeoisie gegen das Proletariat ausspielte. Die neueste Leistung in dieser Art, bei der Herrscher und Beherrschte gleich komisch erscheinen, ist das neue deutsche Reich Bismarckscher Nation: Hier werden Kapitalisten und Arbeiter gegeneinander balanciert und gleichmäßig geprellt zum Besten der verkommnen preußischen Krautjunker.

In den meisten geschichtlichen Staaten werden außerdem die den Staatsbürgern zugestandnen Rechte nach dem Vermögen abgestuft und damit direkt ausgesprochen, daß der Staat eine Organisation der besitzenden Klasse zum Schutz gegen die nichtbesitzende ist. So schon in den athenischen und römischen Vermögensklassen. So im mittelalterlichen Feudalstaat, wo die politische Machtstellung sich nach dem Grundbesitz gliederte. So im Wahlzensus der modernen Repräsentativstaaten. Diese politische Anerkennung des Besitzunterschieds ist indes keineswegs wesentlich. Im Gegenteil, sie bezeichnet eine niedrige Stufe der staatlichen Entwicklung. Die höchste Staatsform, die demokratische Republik, die in unsern modernen Gesellschaftsverhältnissen mehr und mehr unvermeidliche Notwendigkeit wird und die Staatsform ist, in der der letzte Entscheidungskampf zwischen Proletariat und Bourgeoisie allein ausgekämpft werden kann – die demokratische Republik weiß offiziell nichts mehr von Besitzunterschieden. In ihr übt der Reichtum seine Macht indirekt, aber um so sicherer aus. Einerseits in der Form der direkten Beamtenkorruption, wofür Amerika klassisches Muster, andrerseits in der Form der Allianz von Regierung und Börse, die sich um so leichter vollzieht, je mehr die Staatsschulden steigen und je mehr Aktiengesellschaften nicht nur den Transport, sondern auch die Produktion selbst in ihren Händen konzentrieren und wiederum in der Börse ihren Mittelpunkt finden. Dafür ist außer Amerika die neueste französische Republik ein schlagendes Beispiel, und auch die biedre Schweiz hat auf diesem Felde das ihrige geleistet. Daß aber zu diesem Bruderbund von Regierung und Börse keine demokratische Republik erforderlich, beweist außer England das neue deutsche Reich, wo man nicht sagen kann, wen das allgemeine Stimmrecht höher gehoben hat, Bismarck oder Bleichröder. Und endlich herrscht die besitzende Klasse direkt mittelst des allgemeinen Stimmrechts. Solange die unterdrückte Klasse, also in unserm Fall das Proletariat, noch nicht reif ist zu seiner Selbstbefreiung, solange wird sie, der Mehrzahl nach, die bestehende Gesellschaftsordnung als die einzig mögliche erkennen und politisch der Schwanz der Kapitalistenklasse, ihr äußerster linker Flügel sein. In dem Maß aber, worin sie ihrer Selbstemanzipation entgegenreift, in dem Maß konstituiert sie sich als eigne Partei, wählt ihre eignen Vertreter, nicht die der Kapitalisten. Das allgemeine Stimmrecht ist so der Gradmesser der Reife der Arbeiterklasse. Mehr kann und wird es nie sein im heutigen Staat; aber das genügt auch. An dem Tage, wo das Thermometer des allgemeinen Stimmrechts den Siedepunkt bei den Arbeitern anzeigt, wissen sie sowohl wie die Kapitalisten, woran sie sind.

Der Staat ist also nicht von Ewigkeit her. Es hat Gesellschaften gegeben, die ohne ihn fertig wurden, die von Staat und Staatsgewalt keine Ahnung hatten. Auf einer bestimmten Stufe der ökonomischen Entwicklung, die mit Spaltung der Gesellschaft in Klassen notwendig verbunden war, wurde durch diese Spaltung der Staat eine Notwendigkeit. Wir nähern uns jetzt mit raschen Schritten einer Entwicklungsstufe der Produktion, auf der das Dasein dieser Klassen nicht nur aufgehört hat, eine Notwendigkeit zu sein, sondern ein positives Hindernis der Produktion wird. Sie werden fallen, ebenso unvermeidlich, wie sie früher entstanden sind. Mit ihnen fällt unvermeidlich der Staat. Die Gesellschaft, die die Produktion auf Grundlage freier und gleicher Assoziation der Produzenten neu organisiert, versetzt die ganze Staatsmaschine dahin, wohin sie dann gehören wird: ins Museum der Altertümer, neben das Spinnrad und die bronzene Axt.

Die Zivilisation ist also nach dem Vorausgeschickten die Entwicklungsstufe der Gesellschaft, auf der die Teilung der Arbeit, der aus ihr entspringende Austausch zwischen einzelnen und die beides zusammenfassende Warenproduktion zur vollen Entfaltung kommen und die ganze frühere Gesellschaft umwälzen.

Die Produktion aller früheren Gesellschaftsstufen war wesentlich eine gemeinsame, wie auch die Konsumtion unter direkter Verteilung der Produkte innerhalb größerer oder kleinerer kommunistischer Gemeinwesen vor sich ging. Diese Gemeinsamkeit der Produktion fand statt innerhalb der engsten Schranken; aber sie führte mit sich die Herrschaft der Produzenten über ihren Produktionsprozeß und ihr Produkt. Sie wissen, was aus dem Produkt wird: Sie verzehren es, es verläßt ihre Hände nicht; und solange die Produktion auf dieser Grundlage betrieben wird, kann sie den Produzenten nicht über den Kopf wachsen, keine gespenstischen fremden Mächte ihnen gegenüber erzeugen, wie dies in der Zivilisation regelmäßig und unvermeidlich der Fall ist.

Aber in diesen Produktionsprozeß schiebt sich die Teilung der Arbeit langsam ein. Sie untergräbt die Gemeinsamkeit der Produktion und Aneignung, sie erhebt die Aneignung durch einzelne zur überwiegenden Regel und erzeugt damit den Austausch zwischen einzelnen – wie, das haben wir oben untersucht. Allmählich wird die Warenproduktion herrschende Form.

Mit der Warenproduktion, der Produktion nicht mehr für eignen Verbrauch, sondern für den Austausch, wechseln die Produkte notwendig die Hände. Der Produzent gibt sein Produkt im Tausch weg, er weiß nicht mehr, was daraus wird. Sowie das Geld, und mit dem Geld der Kaufmann, als Vermittler zwischen die Produzenten tritt, wird der Austauschprozeß noch verwickelter, das schließliche Schicksal der Produkte noch ungewisser. Der Kaufleute sind viele, und keiner von ihnen weiß, was der andre tut. Die Waren gehn nun schon nicht bloß von Hand zu Hand, sie gehn auch von Markt zu Markt; die Produzenten haben die Herrschaft über die Gesamtproduktion ihres Lebenskreises verloren, und die Kaufleute haben sie nicht überkommen. Produkte und Produktion verfallen dem Zufall.

Aber Zufall, das ist nur der eine Pol eines Zusammenhangs, dessen andrer Pol Notwendigkeit heißt. In der Natur, wo auch der Zufall zu herrschen scheint, haben wir längst auf jedem einzelnen Gebiet die innere Notwendigkeit und Gesetzmäßigkeit nachgewiesen, die in diesem Zufall sich durchsetzt. Was aber von der Natur, das gilt auch von der Gesellschaft. Je mehr eine gesellschaftliche Tätigkeit, eine Reihe gesellschaftlicher Vorgänge der bewußten Kontrolle der Menschen zu mächtig wird, ihnen über den Kopf wächst, je mehr sie dem puren Zufall überlassen scheint, desto mehr setzen sich in diesem Zufall die ihr eigentümlichen, innewohnenden Gesetze wie mit Naturnotwendigkeit durch. Solche Gesetze beherrschen auch die Zufälligkeiten der Warenproduktion und des Warenaustausches; dem einzelnen Produzenten und Austauschenden stehn sie gegenüber als fremde, anfangs sogar unerkannte Mächte, deren Natur erst mühsam erforscht und ergründet werden muß. Diese ökonomischen Gesetze der Warenproduktion modifizieren sich mit den verschiednen Entwicklungsstufen dieser Produktionsform; im ganzen und großen aber steht die gesamte Periode der Zivilisation unter ihrer Herrschaft. Und noch heute beherrscht das Produkt die Produzenten; noch heute wird die Gesamtproduktion der Gesellschaft geregelt, nicht durch gemeinsam überlegten Plan, sondern durch blinde Gesetze, die sich geltend machen mit elementarer Gewalt, in letzter Instanz in den Gewittern der periodischen Handelskrisen.

Wir sahen oben, wie auf einer ziemlich frühen Entwicklungsstufe der Produktion die menschliche Arbeitskraft befähigt wird, ein beträchtlich größeres Produkt zu liefern, als zum Unterhalt der Produzenten erforderlich ist, und wie diese Entwicklungsstufe in der Hauptsache dieselbe ist, auf der Teilung der Arbeit und Austausch zwischen einzelnen aufkommen. Es dauerte nun nicht lange mehr, bis die große »Wahrheit« entdeckt wurde, daß auch der Mensch eine Ware sein kann; daß die menschliche Kraft austauschbar und vernutzbar ist, indem man den Menschen in einen Sklaven verwandelt. Kaum hatten die Menschen angefangen auszutauschen, so wurden sie auch schon selbst ausgetauscht. Das Aktivum wurde zum Passivum, die Menschen mochten wollen oder nicht.

Mit der Sklaverei, die unter der Zivilisation ihre vollste Entfaltung erhielt, trat die erste große Spaltung der Gesellschaft ein in eine ausbeutende und eine ausgebeutete Klasse. Diese Spaltung dauerte fort während der ganzen zivilisierten Periode. Die Sklaverei ist die erste, der antiken Welt eigentümliche Form der Ausbeutung; ihr folgt die Leibeigenschaft im Mittelalter, die Lohnarbeit in der neueren Zeit. Es sind dies die drei großen Formen der Knechtschaft, wie sie für die drei großen Epochen der Zivilisation charakteristisch sind; offne, und neuerdings verkleidete, Sklaverei geht stets danebenher.

Die Stufe der Warenproduktion, womit die Zivilisation beginnt, wird ökonomisch bezeichnet durch die Einführung 1. des Metallgeldes, damit des Geldkapitals, des Zinses und Wuchers; 2. der Kaufleute als vermittelnder Klasse zwischen den Produzenten; 3. des Privatgrundeigentums und der Hypothek und 4. der Sklavenarbeit als herrschender Produktionsform. Die der Zivilisation entsprechende und mit ihr definitiv zur Herrschaft kommende Familienform ist die Monogamie, die Herrschaft des Mannes über die Frau, und die Einzelfamilie als wirtschaftliche Einheit der Gesellschaft. Die Zusammenfassung der zivilisierten Gesellschaft ist der Staat, der in allen mustergültigen Perioden ausnahmslos der Staat der herrschenden Klasse ist und in allen Fällen wesentlich Maschine zur Niederhaltung der unterdrückten, ausgebeuteten Klasse bleibt. Bezeichnend für die Zivilisation ist noch: einerseits die Fixierung des Gegensatzes von Stadt und Land als der Grundlage der gesamten gesellschaftlichen Arbeitsteilung; andrerseits die Einführung der Testamente, wodurch der Eigentümer auch noch über seinen Tod hinaus über sein Eigentum verfügen kann. Diese der alten Gentilverfassung direkt ins Gesicht schlagende Einrichtung war in Athen bis auf Solon unbekannt; in Rom ist sie schon früh eingeführt, wann, wissen wir nicht[1*]; bei den Deutschen führten die Pfaffen sie ein, damit der biedre Deutsche sein Erbteil der Kirche ungehindert vermachen könne.

Mit dieser Grundverfassung hat die Zivilisation Dinge vollbracht, denen die alte Gentilgesellschaft nicht im entferntesten gewachsen war. Aber sie hat sie vollbracht, indem sie die schmutzigsten Triebe und Leidenschaften der Menschen in Bewegung setzte und auf Kosten seiner ganzen übrigen Anlagen entwickelte. Die platte Habgier war die treibende Seele der Zivilisation von ihrem ersten Tag bis heute, Reichtum und abermals Reichtum und zum drittenmal Reichtum, Reichtum nicht der Gesellschaft, sondern dieses einzelnen lumpigen Individuums, ihr einzig entscheidendes Ziel. Wenn ihr dabei die steigende Entwicklung der Wissenschaft und zu wiederholten Perioden die höchste Blüte der Kunst in den Schoß gefallen ist, so doch nur, weil ohne diese die volle Reichtumserrungenschaft unsrer Zeit nicht möglich gewesen wäre.

Da die Grundlage der Zivilisation die Ausbeutung einer Klasse durch eine andre Klasse ist, so bewegt sich ihre ganze Entwicklung in einem fortdauernden Widerspruch. Jeder Fortschritt der Produktion ist gleichzeitig ein Rückschritt in der Lage der unterdrückten Klasse, d. h. der großen Mehrzahl. Jede Wohltat für die einen ist notwendig ein Übel für die andern, jede neue Befreiung der einen Klasse eine neue Unterdrückung für eine andre Klasse. Den schlagendsten Be-

[1*] Lassalles »System der erworbenen Rechte« dreht sich im zweiten Teil hauptsächlich um den Satz, das römische Testament sei so alt wie Rom selbst, es habe für die römische Geschichte nie »eine Zeit ohne Testament gegeben«; das Testament sei vielmehr in vorrömischer Zeit aus dem Kultus der Verstorbenen entstanden. Lassalle, als gläubiger Althegelianer[118], leitet die römischen Rechtsbestimmungen ab nicht aus den gesellschaftlichen Verhältnissen der Römer, sondern aus dem »spekulativen Begriff« des Willens, und kommt dabei zu jener total ungeschichtlichen Behauptung. Man kann sich darüber nicht wundern in einem Buch, das auf Grund desselben spekulativen Begriffs zu dem Ergebnis kommt, bei der römischen Erbschaft sei die Übertragung des Vermögens reine Nebensache gewesen. Lassalle glaubt nicht nur an die Illusionen der römischen Juristen, besonders der früheren Zeit; er übergipfelt sie noch.

weis dafür liefert die Einführung der Maschinerie, deren Wirkungen heute weltbekannt sind. Und wenn bei den Barbaren der Unterschied von Rechten und Pflichten, wie wir sahen, noch kaum gemacht werden konnte, so macht die Zivilisation den Unterschied und Gegensatz beider auch dem Blödsinnigsten klar, indem sie einer Klasse so ziemlich alle Rechte zuweist, der andern dagegen so ziemlich alle Pflichten.

Das soll aber nicht sein. Was für die herrschende Klasse gut ist, soll gut sein für die ganze Gesellschaft, mit der die herrschende Klasse sich identifiziert. Je weiter also die Zivilisation fortschreitet, je mehr ist sie genötigt, die von ihr mit Notwendigkeit geschaffnen Übelstände mit dem Mantel der Liebe zu bedecken, sie zu beschönigen oder wegzuleugnen, kurz eine konventionelle Heuchelei einzuführen, die weder früheren Gesellschaftsformen noch selbst den ersten Stufen der Zivilisation bekannt war und die zuletzt in der Behauptung gipfelt: Die Ausbeutung der unterdrückten Klasse werde betrieben von der ausbeutenden Klasse einzig und allein im Interesse der ausgebeuteten Klasse selbst; und wenn diese das nicht einsehe, sondern sogar rebellisch werde, so sei das der schnödeste Undank gegen die Wohltäter, die Ausbeuter.[1*]

Und nun zum Schluß Morgans Urteil über die Zivilisation:

»Seit dem Eintritt der Zivilisation ist das Wachstum des Reichtums so ungeheuer geworden, seine Formen so verschiedenartig, seine Anwendung so umfassend und seine Verwaltung so geschickt im Interesse der Eigentümer, daß dieser Reichtum, dem Volk gegenüber, *eine nicht zu bewältigende Macht geworden ist. Der Menschengeist steht ratlos und gebannt da vor seiner eignen Schöpfung.* Aber dennoch wird die Zeit kommen, wo die menschliche Vernunft erstarken

[1*] Ich beabsichtigte anfangs, die brillante Kritik der Zivilisation, die sich in den Werken Charles Fouriers zerstreut vorfindet, neben diejenige Morgans und meine eigne zu stellen. Leider fehlt mir die Zeit dazu. Ich bemerke nur, daß schon bei Fourier Monogamie und Grundeigentum als Hauptkennzeichen der Zivilisation gelten und daß er sie einen Krieg des Reichen gegen den Armen nennt. Ebenfalls findet sich bei ihm schon die tiefe Einsicht, daß in allen mangelhaften, in Gegensätze gespaltenen Gesellschaften Einzelfamilien (les familles incohérentes) die wirtschaftlichen Einheiten sind.

wird zur Herrschaft über den Reichtum, wo sie feststellen wird sowohl das Verhältnis des Staats zu dem Eigentum, das er schützt, wie die Grenzen der Rechte der Eigentümer. Die Interessen der Gesellschaft gehn den Einzelinteressen absolut vor, und beide müssen in ein gerechtes und harmonisches Verhältnis gebracht werden. Die bloße Jagd nach Reichtum ist nicht die Endbestimmung der Menschheit, wenn anders der Fortschritt das Gesetz der Zukunft bleibt, wie er es war für die Vergangenheit. Die seit Anbruch der Zivilisation verflossene Zeit ist nur ein kleiner Bruchteil der verflossenen Lebenszeit der Menschheit; nur ein kleiner Bruchteil der ihr noch bevorstehenden. Die Auflösung der Gesellschaft steht drohend vor uns als Abschluß einer geschichtlichen Laufbahn, deren einziges Endziel der Reichtum ist; denn eine solche Laufbahn enthält die Elemente ihrer eignen Vernichtung. Demokratie in der Verwaltung, Brüderlichkeit in der Gesellschaft, Gleichheit der Rechte, allgemeine Erziehung werden die nächste höhere Stufe der Gesellschaft einweihen, zu der Erfahrung, Vernunft und Wissenschaft stetig hinarbeiten. *Sie wird eine Wiederbelebung sein – aber in höherer Form – der Freiheit, Gleichheit und Brüderlichkeit der alten Gentes.«* (Morgan, »Ancient Society«, p. 552.)

Anhang

1. [Über die Assoziation der Zukunft.]
   Geschrieben 1884.
   Erstmalig in deutscher Sprache veröffentlicht in: MEW, Bd. 21, S. 391.
   Dem Text liegt die Handschrift zugrunde.

2. Ein neuentdeckter Fall von Gruppenehe.
   Geschrieben Ende November bis 4. Dezember 1892.
   Erstmalig veröffentlicht in: Die Neue Zeit (Stuttgart), XI. Jahrgang 1892–93, Erster Band, S. 373–375.
   Nach: MEW, Bd. 22, S. 351–354.
   Dem Text liegt die Zeitschrift zugrunde.

1
[Über die Assoziation der Zukunft][119]

Die bisherigen – naturwüchsigen oder auch gemachten Assoziationen waren der Sache nach für ökonomische Zwecke, aber diese Zwecke versteckt und vergraben unter ideologischen Nebendingen. Die antike Polis[120], die mittelalterliche Stadt oder Zunft, der Feudalverband des Grundadels, alle hatten ideologische Nebenzwecke, die sie heiligten und die beim Patrizier-Geschlechterverband und der Zunft nicht minder aus Erinnerungen, Traditionen und Vorbildern der Gentilgesellschaft entsprangen als die antike Polis. – Erst die kapitalistischen Handelsgesellschaften sind ganz nüchtern und sachlich – aber kommun. Die Assoziation der Zukunft wird die Nüchternheit der letzteren vereinigen mit der Sorge für die gemeinsame gesellschaftliche Wohlfahrt der alten und dadurch ihren Zweck erfüllen.

2

Ein neuentdeckter Fall von Gruppenehe[121]

Gegenüber der neuerdings bei gewissen rationalistischen *Ethnographen* Mode gewordnen Ableugnung der Gruppenehe ist der unten folgende Bericht von Interesse, den ich aus den »Russkija Vjedomosti« (Russische Zeitung)[122] von Moskau, 14. Oktober 1892 alten Stils, übersetze. Nicht nur wird hier die Gruppenehe, d. h. das Recht des gegenseitigen geschlechtlichen Verkehrs zwischen einer Reihe von Männern und einer Reihe von Frauen, ausdrücklich als in voller Giltigkeit stehend konstatiert, sondern auch eine Form derselben, die sich eng an die Punaluaehe der Hawaiier anschließt, also an die entwickeltste und klassischste Phase der Gruppenehe. Während der Typus der Punaluafamilie aus einer Reihe von Brüdern (leiblichen und entfernteren) besteht, die mit einer Reihe von leiblichen und entfernteren Schwestern verheiratet sind, finden wir hier auf der Insel Sachalin, daß ein Mann mit allen Frauen seiner Brüder und allen Schwestern seiner Frau verheiratet ist, was, von der weiblichen Seite angesehn, bedeutet, daß seine Frau mit den Brüdern ihres Mannes und mit den Männern ihrer Schwestern frei geschlechtlich zu verkehren berechtigt ist. Der Unterschied von der typischen Form der Punaluaehe ist also nur der, daß die Brüder des Mannes und die Männer der Schwestern nicht notwendig dieselben Leute sind.

Es ist ferner zu bemerken, daß auch hier bestätigt wird, was ich im »Ursprung der Familie«, 4. Aufl., S. 28–29, sagte: Daß die Gruppenehe keineswegs so aussieht, wie die Bordellphantasie unsers Spießbürgers sie sich vorstellt; daß die Gruppeneheleute nicht etwa dasselbe lüsterne Leben öffentlich betreiben, das er im geheimen praktiziert, sondern daß diese Eheform, wenigstens in den uns heute noch vorkommenden

Beispielen, sich in der Praxis von einer lockern Paarungsehe oder auch Vielweiberei nur dadurch unterscheidet, daß eine Reihe von Fällen geschlechtlichen Verkehrs durch die Sitte erlaubt sind, die sonst strenger Strafe verfallen.[1] Daß die praktische Ausübung dieser Rechte allmählich ausstirbt, beweist nur, daß diese Eheform selbst auf den Aussterbeetat gesetzt ist, was auch durch ihr seltenes Vorkommen bestätigt wird.

Im übrigen ist die ganze Schilderung interessant dadurch, daß sie wieder beweist, wie ähnlich, ja in den Grundzügen identisch, die gesellschaftlichen Einrichtungen solcher auf ziemlich gleicher Entwicklungsstufe stehenden Urvölker sind. Das meiste von diesen Mongoloiden von Sachalin Gesagte paßt auf dravidische Stämme Indiens, auf Südseeinsulaner zur Zeit der Entdeckung, auf amerikanische Rothäute. Der Bericht lautet:

»In der Sitzung des 10. Oktober« (alten Stils; 22. Oktober neuen Stils) »der anthropologischen Abteilung der Gesellschaft der Freunde der Naturwissenschaft in Moskau verlas N. A. Jantschuk eine interessante Mitteilung des Herrn Sternberg über die Giljaken, einen wenig erforschten Stamm der Insel Sachalin, der auf der Kulturstufe der Wildheit steht. Die Giljaken kennen weder den Ackerbau noch die Töpferkunst, sie ernähren sich hauptsächlich durch Jagd und Fischfang, sie erwärmen Wasser in hölzernen Trögen durch Hineinwerfen glühender Steine usw. Besonders interessant sind ihre Institutionen in bezug auf Familie und Gens. Der Giljak nennt Vater nicht bloß seinen leiblichen Vater, sondern auch alle Brüder seines Vaters; die Frauen dieser Brüder ebenso wie die Schwestern seiner Mutter nennt er allesamt Mütter; die Kinder aller dieser ›Väter‹ und ›Mütter‹ nennt er seine Brüder und Schwestern. Diese Benennungsweise besteht bekanntlich auch bei den Irokesen und andern Indianerstämmen Nordamerikas, wie auch bei einigen Stämmen in Indien. Während sie aber bei diesen schon seit langer Zeit nicht mehr den wirklichen Verhältnissen entspricht, dient sie bei den Giljaken zur Bezeichung *eines noch heute giltigen Zustandes.* Noch heute *hat jeder Giljak Gattenanrecht auf die Frauen seiner Brüder und auf die Schwestern seiner Frau;*

[1] *Siehe vorl. Band, S. 57*

wenigstens wird die Ausübung solcher Rechte nicht als etwas Unerlaubtes angesehn. Diese Überbleibsel der Gruppenehe auf Grund der Gens erinnern an die bekannte Punaluaehe, die auf den Sandwichinseln noch in der ersten Hälfte unsres Jahrhunderts bestand. Diese Form der Familien- und Gentilverhältnisse bildet die Grundlage der ganzen Gentilordnung und Gesellschaftsverfassung der Giljaken.

Die Gens eines Giljaken besteht aus allen – näheren und entfernteren, wirklichen und nominellen – Brüdern seines Vaters, aus deren Vätern und Müttern (?), aus den Kindern seiner Brüder und seinen eignen Kindern. Es ist begreiflich, daß eine so konstituierte Gens eine ungeheure Menge Menschen umfassen kann. Das Leben in der Gens verläuft nun nach folgenden Grundsätzen. Die Ehe innerhalb der Gens ist unbedingt verboten. Die Frau eines verstorbnen Giljaken geht durch Entscheidung der Gens auf einen seiner leiblichen oder nominellen Brüder über. Die Gens sorgt für den Unterhalt aller ihrer arbeitsunfähigen Genossen. ›Bei uns gibt's keine Arme‹, sagte dem Referenten ein Giljak, ›wer bedürftig ist, den füttert die Chal (Gens).‹ Die Gentilgenossen sind ferner vereinigt durch gemeinsame Opferfeiern und Feste, einen gemeinsamen Begräbnisplatz usw.

Die Gens garantiert jedem ihrer Mitglieder Leben und Sicherheit vor Angriffen von Nichtgentilgenossen; als Repressionsmittel gilt die Blutrache, deren Ausübung jedoch unter der russischen Herrschaft sehr in Abnahme gekommen ist. Die Frauen sind von der Gentilblutrache gänzlich ausgenommen. – In einzelnen, übrigens sehr seltenen Fällen adoptiert die Gens auch Angehörige andrer Gentes. Als allgemeine Regel gilt, daß das Vermögen eines Verstorbnen nicht aus der Gens herausgehn darf; in dieser Beziehung herrscht bei den Giljaken buchstäblich die bekannte Vorschrift der zwölf Tafeln: Si suos heredes non habet, gentiles familiam habento – wenn er keine eignen Erben hat, so sollen die Gentilgenossen erben[80]. Kein wichtiges Ereignis im Leben des Giljaken vollzieht sich ohne Teilnahme der Gens. Vor noch nicht sehr langer Zeit, vor einer oder zwei Generationen, war der älteste Gentilgenosse der Vorsteher der Gemeinschaft, der ›Starost‹ der Gens; heutzutage beschränkt sich die Rolle des Gentilältesten fast nur noch auf die Leitung religiöser Zeremonien. Die Gentes sind oft zerstreut über weit voneinander entlegne Orte, aber auch in der Trennung fahren die Genossen fort, sich aneinander zu erinnern, beieinander zu Gast zu gehn, sich gegenseitig Hilfe und Schutz zu gewähren usw. Ohne die äußerste Not verläßt der Giljak nie seine

Gentilgenossen oder die Gräber seiner Gens. Das Gentilwesen hat dem ganzen Geistesleben, dem Charakter, den Sitten, den Institutionen der Giljaken einen sehr bestimmten Stempel aufgedrückt. Die Gewohnheit, alles gemeinschaftlich zu verhandeln, die Notwendigkeit, fortwährend in die Interessen der Gentilgenossen einzugreifen, die Solidarität bei der Blutrache, der Zwang und die Gewohnheit des Zusammenwohnens mit zehn oder mehr von seinesgleichen in großen Jurtenzelten, kurz, gewissermaßen stets unterm Volk zu sein, alles das hat dem Giljaken einen geselligen, redseligen Charakter gegeben. Der Giljak ist außerordentlich gastfrei, er liebt es, Gäste zu bewirten und selbst wieder als Gast zu kommen. Die schöne Sitte der Gastfreiheit zeigt sich besonders hervorstechend bei bösen Zeiten. Im Unglücksjahr, wenn's beim Giljaken nichts zu beißen gibt, weder für ihn noch für seine Hunde, streckt er nicht die Hand aus nach Almosen, er geht unverzagt zu Gaste und wird da ernährt, oft auf ziemlich lange Zeit.

Bei den sachalinischen Giljaken kommen Verbrechen aus Eigennutz so gut wie gar nicht vor. Seine Kostbarkeiten bewahrt der Giljak in einem Vorratshaus, das nie verschlossen wird. Der Giljak ist so empfindlich gegen Schande, daß, sobald er einer schimpflichen Handlung überführt ist, er in den Wald geht und sich erhängt. Totschlag ist sehr selten und kommt fast nur im Zorn vor; in keinem Fall aber aus gewinnsüchtiger Absicht. Im Verkehr mit andern zeigt der Giljak Rechtschaffenheit, Zuverlässigkeit und Gewissenhaftigkeit.

Trotz ihrer langen Unterwerfung unter die zu Chinesen gewordenen Mandschuren, trotz des verderblichen Einflusses der Besiedlung des Amurgebiets haben die Giljaken in sittlicher Beziehung viele Tugenden eines primitiven Stammes sich bewahrt. Aber das Geschick ihrer gesellschaftlichen Ordnung ist unabwendbar. Noch eine oder zwei Generationen, und die Giljaken des Kontinents sind vollständig zu Russen geworden und eignen sich mit den Wohltaten der Kultur auch ihre Gebrechen an. Die sachalinischen Giljaken, mehr oder weniger entlegen von den Zentren russischer Ansiedlung, haben Aussicht, sich etwas länger unverfälscht zu erhalten. Aber auch bei ihnen fängt der Einfluß der russischen Nachbarschaft an, sich fühlbar zu machen. Sie kommen des Handels wegen in die Dörfer, sie gehen nach Nikolajewsk auf Arbeit, und jeder Giljak, der von solcher Arbeit in seinen heimischen Ort zurückkommt, bringt dieselbe Atmosphäre mit, die der Arbeiter aus der Stadt in sein russisches Dorf mit sich zurücknimmt. Und zudem vernichtet die Arbeit in der Stadt mit ihren wechselnden Glücksfällen mehr und mehr jene ursprüngliche Gleichheit, die einen vorherrschenden Zug bildet im kunstlos-einfachen Wirtschaftsleben dieser Völker.

Der Artikel des Herrn Sternberg, der auch Nachrichten über die religiösen Vorstellungen und Gebräuche und ihre Rechtsinstitutionen enthält, wird vollständig in der ›Ethnographischen Revue‹ (Etnografitscheskoje Obozrenie)[123] erscheinen.«

Register

Anmerkungen

1 Die erste Auflage erschien 1884 in der Schweizerischen Genossenschaftsbuchdruckerei und Volksbuchhandlung Hottingen-Zürich, dem Verlag der illegalen deutschen Sozialdemokratie während des Sozialistengesetzes. Eine Herausgabe in Deutschland war damals nicht möglich, erst 1886 und 1889 konnten die folgenden Auflagen im Verlag von J. H. W. Dietz in Stuttgart erscheinen. 9

2 Engels bezieht sich hier auf Marx' Auszüge aus Lewis Henry Morgans »Ancient society«, George Grotes »A history of Greece«, London 1869, u. a.; sie wurden erstmalig (in russischer Übersetzung) veröffentlicht im »Архив Маркса и Энгельса«, т. IX, Москва 1941. 9 40 48 52 69 71 75 116 118–121 124 125 143 190

3 Engels' Vorwort zur vierten deutschen Auflage wurde bereits vor dem Erscheinen des Buches mit seiner Zustimmung in der »Neuen Zeit« (Stuttgart), IX. Jahrgang 1890–91, Zweiter Band, S. 460–467, veröffentlicht.

Diese letzte von Engels überarbeitete Auflage erschien im November 1891 in Stuttgart (auf dem Titelblatt steht: 1892). 12

4 *»Contemporanul«* (Jassy) – rumänische literaturwissenschaftliche und politische Zeitschrift sozialistischer Richtung; erschien von Juli 1881 bis Dezember 1890, zuerst zweimal, dann einmal monatlich. 13

5 Aischylos, »Die Eumeniden« aus der Trilogie »Oresteia«. 15

6 Engels benutzte für seine Arbeit folgende Bücher von John Ferguson McLennan: »Primitive marriage. An inquiry into the origin of the form of capture in marriage ceremonies«, Edinburgh 1865; »Studies in ancient history comprising a reprint of Primitive marriage. An inquiry into the origin of the form of capture in marriage ceremonies«, London 1876. Während der Vorbereitung der vierten deutschen Auflage des »Ursprungs der Familie« studierte er u. a. die 1886 in London und New York erschienene Neuauflage des letztgenannten Buches von McLennan. 18 39

7 Lewis H. Morgan, »Letters of the Iroquois by Skenandoah«, veröffentlicht in »The American Review: A whig journal to politics, literature, art and science« (New York), vol. V, February 1847, p. 177–189. 19

8 Engels hatte im August/September 1888 zusammen mit Edward Aveling, Eleanor Marx-Aveling und Carl Schorlemmer eine Reise nach den Vereinigten Staaten und Kanada unternommen. 24

9 John Ferguson McLennan, »Studies in ancient history«, London 1876, p. 333. 25

10 Mit der Schrift *»Der Ursprung der Familie, des Privateigentums und des Staats«* leistete Engels einen hervorragenden Beitrag zur Vertiefung und Weiterentwicklung der marxistischen Staatstheorie. Er gab eine tiefgründige historisch-materialistische Analyse der Geschichte der Urgesellschaft, ihres allmählichen Zerfalls und der Herausbildung der in antagonistische Klassen gespaltenen Gesellschaft. Anhand einer Fülle geschichtlicher Fakten wies Engels nach, daß die Formen der Familien- und Eigentumsverhältnisse, der Klassen und des Staates historisch bedingt und folglich veränderlich sind und die materialistische Geschichts- und Gesellschaftsauffassung Allgemeingültigkeit für alle Epochen der Menschheitsgeschichte besitzt.

Engels schrieb den »Ursprung der Familie, des Privateigentums und des Staats« in der Zeit von Ende März bis Ende Mai 1884. Bei der Durchsicht der Manuskripte von Marx hatte er einen von Marx 1880/1881 angefertigten ausführlichen Konspekt des Buches des amerikanischen Völkerkundlers Lewis Henry Morgan »Ancient society, or researches in the lines of human progress from savagery, through barbarism to civilization«, London 1877, gefunden, und er entschloß sich unter Verwendung der kritischen Anmerkungen von Marx zu Morgans Buch, dessen Forschungsergebnisse vom Standpunkt des historischen Materialismus zu analysieren und zu verallgemeinern. Gleichzeitig wertete Engels kritisch die neuesten Forschungsergebnisse nordamerikanischer, englischer, deutscher, russischer und französischer Wissenschaftler über die vorkapitalistischen Gesellschaftsformationen aus. Außerdem kamen ihm die Resultate seiner eigenen früheren, lange Jahre hindurch betriebenen Forschungen zur Geschichte Griechenlands und Roms sowie der Germanen und Altirlands zugute.

Ursprünglich wollte Engels seine Schrift in der legalen theoretischen Zeitschrift der deutschen Sozialdemokratie »Die Neue Zeit« veröffentlichen. Seine Arbeit konnte jedoch unter den Bedingungen des Sozialistengesetzes in Deutschland nicht gedruckt werden. Sie erschien Anfang Oktober 1884 als Buch in Zürich.

Kurz danach wurde Engels' Schrift in die italienische, rumänische, dänische und französische Sprache übersetzt.

Nachdem Engels neues Material zur Geschichte der Urgemeinschaft zusammengetragen hatte, begann er 1890 mit der Vorbereitung einer neuen Ausgabe. Er studierte alle Neuerscheinungen zu dieser Frage, insbesondere die Veröffentlichungen des russischen Gelehrten Maxim Kowalewski. Aufgrund der neuesten Erkenntnisse – vor allem auf dem Gebiet der Archäologie und Ethnographie – nahm er am ursprünglichen Text viele Veränderungen vor und machte wesentliche Zusätze, besonders im Kapitel II »Die Familie«. Die vierte, verbesserte und ergänzte Auflage der Schrift erschien im November 1891 in Stuttgart; danach wurden keinerlei Änderungen an der Arbeit mehr vorgenommen. 27

11 Lewis H. Morgan, »Ancient society...«, London 1877, p. 19. 31

12 Lewis H. Morgan, »Ancient society...«, p. 435. 40

13 Alexis Giraud-Teulon zitiert diese Äußerung Henri de Saussures in seinem Buch »Les origines du mariage et de la famille«, Genève, Paris 1884, p. XV. 43

14 Charles Letourneau, »L'évolution du mariage et de la famille«, Paris 1888, p. 41. 43

15 Engels zitiert Alfred Espinas nach Alexis Giraud-Teulon, »Les origines du mariage et de la famille«, p. 518, in dem als Anhang ein Ausschnitt dieser Arbeit enthalten ist. 43

16 Edward Westermarck, »The history of human marriage«, London, New York 1891, p. 70/71. 47

17 Über den Verbleib dieses Briefes ist uns nichts bekannt. Engels erwähnt ihn in einem Brief an Karl Kautsky vom 11. April 1884 (siehe MEW, Bd. 36, S. 133). 47

18 Engels bezieht sich auf Richard Wagners Operntetralogie »Der Ring des Nibelungen«, die der Komponist nach dem skandinavischen Epos »Edda« und dem »Nibelungenlied« selbst schrieb, und zitiert aus »Die Walküre«, 2. Aufzug.

»Nibelungenlied« – bedeutendes deutsches Heldenepos, auf der Grundlage germanischer Mythen und Sagen aus der Zeit der sogenannten Völkerwanderung (3.–5. Jh.) geschaffen. In der uns überlieferten Form entstand das Epos im 12. Jahrhundert. 47

19 *»Edda«* – eine Sammlung von mythologischen Heldensagen und Liedern der skandinavischen Völker; sie ist erhalten geblieben in Form einer aus dem 13. Jahrhundert stammenden Handschrift,

die 1643 von dem isländischen Bischof Sveinsson entdeckt wurde (die »Ältere Edda«), sowie in Form einer Abhandlung über die Dichtung der Skalden, die zu Beginn des 13. Jahrhunderts von dem Dichter und Chronisten Snorri Sturluson verfaßt worden war (die »Jüngere Edda«). Die Lieder der Edda widerspiegeln die skandinavische Gesellschaft in der Periode des Verfalls der Gentilordnung und der Völkerwanderung. In ihnen begegnen wir Gestalten und Fabeln aus den Überlieferungen der Germanen.

»Ögisdrecka« – ein Lied aus der »Älteren Edda«, das zu den älteren Texten der Sammlung zählt. Engels zitiert hier Stellen aus den Strophen 32 und 36 dieses Liedes. 48

20 *»Ynglinga Saga«* – erste der 16 Sagen über die norwegischen Könige von der älteren Zeit bis zum Ausgang des 12. Jahrhunderts aus dem Buch *»Heimskringla«*, das der isländische Dichter und Chronist Snorri Sturluson in der ersten Hälfte des 13. Jahrhunderts verfaßte. Ihm liegen Chroniken über die norwegischen Könige sowie isländische und norwegische Stammessagen zugrunde. Engels zitiert hier aus Kapitel 4 dieser Saga. 48

21 Lewis H. Morgan, »Ancient society...«, p. 425. 50

22 Johann Jakob Bachofen, »Das Mutterrecht«, Stuttgart 1861, S. XXIII, 385 u.a. 52

23 Gaius Iulius Caesar, »De bello Gallico«, liber V, cap. 14. 52

24 *australisches Klassensystem* – die Heiratsklassen oder Ehegruppen, in die sich die meisten australischen Stämme aufteilten. Es gab vier oder acht Heiratsklassen. Die Eheregelung sah vor, daß stets Partner aus zwei bestimmten Heiratsklassen die Ehe schlossen. Ihre Kinder gehörten stets einer dritten Heiratsklasse an (indirekte Abstammungsrechnung). 53

25 Siehe Lewis H. Morgan, »Systems of consanguinity and affinity of the human family«, Washington 1871. 54 100

26 Lewis H. Morgan, »Ancient society...«, p. 459. 59

27 Engels zitiert den Brief Arthur Wrights vom 19. Mai 1874 nach Morgans Buch »Ancient society...«, p. 455. 61

28 Siehe Hubert Howe Bancroft, »The native races of the Pacific States of North America«, vol. 1, New York 1875, p. 352/353. 62

29 *Saturnalien* – zu Ehren des römischen Gottes Saturn – zur Zeit der Wintersonnenwende nach Beendigung der Landarbeiten – gefeiertes altrömisches Volksfest. Während dieses Festes, an dem die Sklaven teilnehmen und am Tisch der Freien sitzen durften, wurden Massenessen und Orgien veranstaltet; es herrschte freier

Geschlechtsverkehr. Das Wort »Saturnalien« wurde zum Begriff für zügellose Gelage und Orgien. 62

30 Es handelt sich um die sogenannte Guadaluper Sentenz vom 21. April 1486, den dritten Schiedsspruch des spanischen Königs Ferdinand V., des Katholischen. Der Bauernaufstand in Katalonien zwang den König zu Zugeständnissen an die Bauern, und er trat als Vermittler zwischen den aufständischen Bauern und den Feudalherren auf. Der Schiedsspruch sah vor die Aufhebung der Hörigkeit und der »üblen Gebräuche« (u. a. das Recht der ersten Nacht, Abgaben des zukünftigen Bräutigams bzw. der Braut) unter der Bedingung des Loskaufs. 64

31 Lewis H. Morgan, »Ancient society...«, p. 465/466. 70

32 Ebenda, p. 470. 71

33 Siehe Maxim Kowalewski, »Первобытное право«, выпускъ I., »Родъ«, Москва 1886. 72

34 Als *Prawda des Jaroslaw* wird der erste Teil der ältesten Fassung der »Russkaja Prawda«, der Gesetzsammlung der Alten Rus bezeichnet. Sie war im 11. und 12. Jahrhundert entstanden und widerspiegelte die ökonomischen und sozialen Verhältnisse der damaligen Gesellschaft. 72

35 *dalmatinische Gesetze* – eine Sammlung von Gesetzen, die vom 15. bis 17. Jahrhundert in Poljica, einem Gebiet in Dalmatien, Gültigkeit besaßen und unter der Bezeichnung Poljizzer Statut bekannt waren. 72

36 Siehe Andreas Heusler, »Institutionen des Deutschen Privatrechts«, Bd. 2, Leipzig 1886, S. 271. 72

37 Die Bemerkung Nearchos' wird erwähnt in Strabos »Geographica«, liber XV, cap. 1. 73

38 *Calpullis* – Hausgenossenschaft bei den Indianern Mexikos zur Zeit der spanischen Eroberung. Jede Hausgenossenschaft, deren Mitglieder alle gleicher Herkunft waren, besaß gemeinsam ein Stück Land, das weder enteignet noch unter Erben aufgeteilt werden konnte. Über die Calpullis berichtet Alonzo de Zurita in seiner Arbeit »Rapport sur les différentes classes de chefs de la Nouvelle-Espagne, sur les lois, les mœurs des habitants, sur les impôts établis avant et depuis la conquête, etc., etc.«, die erstmalig veröffentlicht wurde in dem Buch »Voyages, relations et mémoires originaux pour servir à l'histoire de la découverte de l'Amérique, publiés pour la première fois en français, par H. Ternaux-Compans«, t. 11, Paris 1840, p. 50—64. 73

39 Siehe Heinrich Cunow, »Die altperuanischen Dorf- und Markgenossenschaften«, in der Zeitschrift »Das Ausland« (Stuttgart), vom 20., 27. Oktober und 3. November 1890.

»Das Ausland. Wochenschrift für Erd- und Völkerkunde« – Tageszeitung, seit 1853 Wochenzeitung, erschien von 1828 bis 1893, seit 1873 in Stuttgart. 73

40 Engels bezieht sich hier auf den Artikel 230 des 1804 unter Napoleon I. eingeführten Code civil des Français, des französischen Zivilgesetzbuches, das 1807 als *Code Napoléon* neu gefaßt wurde. 75

41 Siehe Georg Friedrich Schoemann, »Griechische Alterthümer«, Bd. 1, Berlin 1855, S. 268. 77

42 Siehe Wilhelm Wachsmuth, »Hellenische Alterthumskunde aus dem Gesichtspunkte des Staates«, Th. 2, Abt. 2, Halle 1830, S. 77. 77

43 Siehe Karl Marx/Friedrich Engels, »Die deutsche Ideologie. I. Feuerbach« (Karl Marx/Friedrich Engels: Ausgewählte Werke in sechs Bänden, Bd. I, S. 222). 79

44 Lewis H. Morgan, »Ancient society...«, p. 504. 79

45 *Hierodulen* – im alten Griechenland und in den griechischen Kolonien Sklaven und Sklavinnen, die den Tempeln gehörten. Die weiblichen Hierodulen gaben sich an vielen Orten, besonders in den Städten Vorderasiens und in Korinth, der Tempelprostitution hin. 80

46 Publius Cornelius Tacitus, »Germania«, cap. 18 und 19. 82

47 Engels bezieht sich offensichtlich auf Marx' Auszüge aus Lewis H. Morgans »Ancient society...«, wo Marx im 2. Teil, Kapitel 2 (»Die irokesische Gens«), Kapitel 3 (»Die irokesische Phratrie«), Kapitel 4 (»Der irokesische Stamm«), Kapitel 5 (»Der Irokesenbund«) sowie Kapitel 7 (»Die aztekische Konföderation«) wiederholt auf die gleichgeartete Entwicklung bei den Germanen hinweist. 82

48 Siehe Charles Fourier, »Théorie de l'unité universelle«, vol. 3 (Œuvres complètes, t. 4, 2. éd., Paris 1841, p. 120). 85

49 Der altgriechische Hirtenroman »Daphnis und Chloe« von Longos hat in der Schäferdichtung der Barockzeit, aber auch in der bildenden und darstellenden Kunst stark nachgewirkt. 92

50 »Das Nibelungenlied«, 10. Âventiure, Strophe 613. 93

51 *»Gutrun«* (»Kudrun«) – mittelhochdeutsche anonyme epische Dichtung des 13. Jahrhunderts. 93

52 Siehe Henry Sumner Maine, »Ancient law: its connection with the early history of society, and its relation to modern ideas«, 3. ed., London 1866, p. 170; die Erstausgabe dieses Werkes erschien 1861 in London. 95

53 Karl Marx/Friedrich Engels, »Manifest der Kommunistischen Partei. I. Bourgeois und Proletarier« (MEW, Bd. 4, S. 462–474). 95

54 Lewis H. Morgan, »Ancient society...«, p. 491/492. 99

55 Ebenda, p. 85/86. 105

56 Gemeint ist die Eroberung Mexikos durch die Spanier 1519–1521. 107

57 Lewis H. Morgan, »Ancient society...«, p. 115. 108

58 *»Neutrale Nation«* nannte man im 17. Jahrhundert den Kriegsbund einiger mit den Irokesen verwandter Indianerstämme, die am Nordufer des Eriesees lebten. Diese Bezeichnung erhielt der Kriegsbund von den französischen Kolonisatoren, weil er in den Kriegen zwischen den Stämmen der Irokesen und Huronen Neutralität bewahrte. 114

59 Engels bezieht sich hier auf den nationalen Befreiungskampf der Zulus und Nubier gegen die englischen Kolonisatoren. Die Zulus, die im Januar 1879 von den Engländern überfallen worden waren, leisteten unter Führung von Cetewayo ein halbes Jahr lang erbitterten Widerstand. Dank der überlegenen militärischen Ausrüstung gelang es den Engländern, nach einigen Schlachten die Zulus zu besiegen. Endgültig wurden die Zulus 1887 der englischen Herrschaft unterworfen, wobei die Engländer den Bruderkrieg zwischen den Zulustämmen, den sie provoziert hatten, ausnutzten.

Der nationale Befreiungskampf der Nubier, Araber und anderer Volksstämme des Sudans unter Führung des muselmanischen Propheten Mohammed Achmed, der sich selbst »Mahdi«, d.h. »Retter«, nannte, begann 1881. Einen Höhepunkt erreichte dieser Kampf 1883/1884, als fast das gesamte Territorium des Sudans von den bereits in den siebziger Jahren eingedrungenen englischen Kolonisatoren befreit worden war. Im Verlaufe des Kampfes bildete sich ein selbständiger, zentralisierter Mahdi-Staat. Erst gegen 1899 gelang es den Engländern, aufgrund der inneren Schwäche des Staates – die Folge ununterbrochener Kriege und Zwistigkeiten zwischen den Stämmen – und dank ihrer überlegenen militärischen Ausrüstung, den Sudan zu erobern. 115

60 Siehe George Grote, »A history of Greece«, vol. 3, a new ed., London 1869, p. 54/55. 117

61 Engels bezieht sich auf die Gerichtsrede Demosthenes' gegen Eubulides, in der von dem alten Brauch gesprochen wird, auf den gemeinsamen Begräbnisplätzen nur Blutsverwandte zu beerdigen. 118

62 Engels bezieht sich hier auf eine Stelle aus dem uns nicht erhalten gebliebenen Werk des altgriechischen Philosophen Dikäarchos, die angeführt ist bei Wilhelm Wachsmuth, »Hellenische Alterthumskunde aus dem Gesichtspunkte des Staates«, Th. 1, Abt. 1, Halle 1826, S. 312. 118

63 Siehe Wilhelm Adolph Becker, »Charikles, Bilder altgriechischer Sitte. Zur genaueren Kenntniss des griechischen Privatlebens«, Th. 2, Leipzig 1840, S. 447. 118

64 George Grote, »A history of Greece«, vol. 3, p. 66. 120

65 Ebenda, p. 60. 120

66 Ebenda, p. 58/59. 121

67 Homer, »Ilias«, Zweiter Gesang. 121

68 Siehe Dionysius Halicarnessensis, »Antiquitates Romanae«, liber 2, cap. 12. 123

69 Aischylos, »Die Sieben gegen Theben«. 123

70 Georg Friedrich Schoemann, »Griechische Alterthümer«, Bd. 1, S. 27. 123

71 Lewis H. Morgan, »Ancient society ...«, p. 248. 124

72 Homer, »Ilias«, Zweiter Gesang. 125

73 Siehe Thucydides, »De bello Peloponnesiaco«, liber 1, cap. 13. 126

74 Siehe Aristoteles, »Politica«, liber 3, cap. 10. 126

75 Die Neuerung, daß die Bürger der vierten Klasse, die Theten (Freie, aber Besitzlose), das Recht erhielten, öffentliche Ämter zu bekleiden, schreibt ein Teil der Quellen Aristides zu. 136

76 Gemeint sind die Metöken (Mitbewohner), Fremde, die ständig in Athen lebten. Sie waren persönlich frei, konnten jeden Beruf ausüben, meist waren sie Handwerker oder Händler, und durften an Kultfeiern teilnehmen, sie mußten jedoch eine besondere Kopfsteuer zahlen und Kriegsdienst leisten. Politische Rechte besaßen sie nicht und konnten sich nur durch Vermittlung von Vollbürgern an die öffentlichen Organe wenden. 137

77 Kleisthenes, der von 510 bis 507 v. u. Z. den Kampf des athenischen Demos gegen die Herrschaft des alten Gentiladels führte, sicherte den errungenen Sieg der Aufständischen durch

Gesetze, die die letzten Reste der Gentilverfassung beseitigten. 137

78 Siehe Lewis H. Morgan, »Ancient society...«, p. 271. 138

79 Pisistratos (Peisistratos) errichtete 560 v. u. Z. in Athen eine Diktatur, die mit Unterbrechung bis etwa 510 v. u. Z. bestand; bald danach entstand unter Kleisthenes die Sklavenhalterdemokratie. 140

80 Die *Gesetze der zwölf Tafeln* sind das älteste Denkmal des römischen Rechts; sie wurden aufgestellt in der Mitte des 5. Jahrhunderts v. u. Z. nach dem Kampf der Plebejer gegen die Patrizier und ersetzten das vorher in Rom herrschende Gewohnheitsrecht. Die in zwölf Erztafeln eingeschnittenen Gesetze widerspiegeln die Vermögensdifferenzierung innerhalb der römischen Gesellschaft, die Entwicklung der Sklaverei und die Herausbildung des Sklavenhalterstaates. 141 212

81 Die Schlacht im *Teutoburger Wald* (im Jahre 9 u. Z.) zwischen den gegen die römischen Eindringlinge sich erhebenden Germanenstämmen und den römischen Truppen unter Führung von Varus endete mit der völligen Vernichtung des römischen Heeres. 142

82 Appius Claudius wurde für das Jahr 451/450 v. u. Z. in ein aus zehn Männern bestehendes Kollegium zur Aufzeichnung der Gesetze (Dezemvirn) gewählt. Das Kollegium besaß außerordentliche Gewalt. Nach Ablauf der festgesetzten Frist versuchten die Dezemvirn mit Appius Claudius, durch Usurpation die Macht des Kollegiums auch auf das Jahr 449 auszudehnen. Die Willkür und die Gewaltmaßnahmen der Dezemvirn, insbesondere des Appius Claudius, riefen jedoch einen Aufstand der Plebejer hervor, der zum Sturz der Dezemvirn führte; Appius Claudius wurde ins Gefängnis geworfen, wo er bald darauf starb. 143

83 Der *zweite Punische Krieg* (218–201 v. u. Z.) war einer der Kriege, der zwischen den beiden größten Sklavenhalterstaaten des Altertums – Rom und Karthago – um die Herrschaft im westlichen Mittelmeergebiet, die Eroberung neuer Territorien und die Gewinnung von Sklaven geführt wurde. Der Krieg endete mit der Niederlage Karthagos. 143

84 In seinem Buch »Römische Alterthümer«, Bd. 1, Berlin 1856, S. 195, bezieht sich Lange auf Philipp Eduard Huschkes Dissertation »De privilegiis Feceniae Hispalae senatusconsulto concessis (Liv[ius] XXXIX, 19)«, Göttingen 1822. 147

85 Siehe Theodor Mommsen, »Römische Geschichte«, Bd. 1, 5. Aufl., Berlin 1868, Buch 1, Kap. 6. 149

86 Die Eroberung von Wales durch die Engländer war 1283 abgeschlossen, Wales bewahrte sich jedoch weiter seine Autonomie; Mitte des 16. Jahrhunderts wurde es vollständig mit England vereint. 153

87 Engels verweist hier auf sein Fragment zur »Geschichte Irlands« (siehe MEW, Bd. 16, S. 459–498). 154

88 »Ancient laws and institutes of Wales«, vol. 1, o. O. 1841, p. 93. 154

89 Im September 1891 machte Engels eine Reise durch Schottland und Irland. 156

90 Der Aufstand, der 1745 unter den schottischen Hochlandbewohnern ausbrach, war deren Antwort auf die Unterdrückung und die Vertreibung von Grund und Boden, die im Interesse der englisch-schottischen Landaristokratie und Bourgeoisie erfolgte. Ein Teil des Adels im schottischen Hochland, der an der Beibehaltung des feudal-patriarchalischen Clansystems interessiert war und die Ansprüche der Vertreter der gestürzten Dynastie der Stuarts auf den englischen Thron unterstützte, nutzte die Unzufriedenheit der Bauern aus. Die Niederschlagung des Aufstands hatte die völlige Vernichtung des Clansystems im schottischen Hochland zur Folge und beschleunigte die Verjagung der schottischen Bauernschaft von ihrem Boden. 156

91 Lewis H. Morgan, »Ancient society ...«, p. 357/358. 157

92 Siehe Beda Venerabilis, »Historiae ecclesiasticae gentis Anglorum«, liber 1, cap. 1. 157

93 Siehe Gaius Iulius Caesar, »De bello Gallico«, liber VI, cap. 22. 157

94 *»Alamannisches Volksrecht«* – eine aus dem Ende des 6. oder Anfang des 7. Jahrhunderts und aus dem 8. Jahrhundert stammende Aufzeichnung des Gewohnheitsrechts des germanischen Stammes der Alemannen (Alamannen). Die Alemannen bewohnten seit dem 5. Jahrhundert das Territorium des heutigen Elsaß, der heutigen Schweiz und Südwestdeutschlands. Engels bezieht sich hier auf das Gesetz LXXXI (LXXXIV). 157

95 *»Hildebrandslied«* – fragmentarisch erhaltenes althochdeutsches Heldengedicht aus dem 8. Jahrhundert; ältester überlieferter deutscher Sagentext. 158 187

96 Siehe Publius Cornelius Tacitus, »Germania«, cap. 7. 159

97 Diodorus Siculus, »Bibliothecae historicae quae supersunt«, vol. 4. 160

98 *»Völuspâ«* – eines der Lieder aus der »Älteren Edda« (siehe Anm. 19). 160

99 Der Aufstand der gallischen und germanischen Stämme unter Civilis gegen die römische Herrschaft in den Jahren 69 bis 70 (nach einigen Quellen 69 bis 71) wurde hervorgerufen durch Steuererhöhungen, verstärkte Aushebungen und Übergriffe römischer Beamter. Er erfaßte einen beträchtlichen Teil Galliens und germanische Gebiete, die sich unter römischer Herrschaft befanden. Die genannten Territorien schienen Rom verlorenzugehen. Nach anfänglichen Erfolgen erlitten die Aufständischen jedoch einige Niederlagen, die sie zwangen, mit Rom Frieden zu schließen. 161

100 Siehe Gaius Iulius Caesar, »De bello Gallico«, liber IV, cap. 1. 163

101 Siehe Publius Cornelius Tacitus, »Germania«, cap. 26. 163

102 *»Codex Laureshamensis«* (»Lorscher Chartular«) – Kopialbuch des Klosters von Lorsch, in dem die Abschriften empfangener Urkunden über Schenkungen, Privilegien u. a. gesammelt sind. Das in der zweiten Hälfte des 8. Jahrhunderts im Fränkischen Reich unweit von Worms gegründete Lorscher Kloster verfügte über einen großen Feudalbesitz in Südwestdeutschland. Das im 12. Jahrhundert angefertigte Kopialbuch zählt zu den wichtigsten Quellen über die Geschichte des bäuerlichen und des feudalen Grundbesitzes im 8. und 9. Jahrhundert. 165

103 Siehe Gaius Plinius Secundus, »Naturalis historia«, liber XVIII, cap. 17. 165

104 Siehe ebenda, liber IV, cap. 14. 170

105 Liutprand, »Antapodosis«, liber VI, cap. 6. 174

106 Salvianus, »De gubernatione dei«, liber V, cap. 8. 174

107 *Benefizium (Wohltat)* – Form der Landverleihung, die in der ersten Hälfte des 8. Jahrhunderts im Frankenreich weit verbreitet war. Der als Benefizium übertragene Grund und Boden ging mit den auf ihm lebenden abhängigen Bauern auf Lebenszeit in Nutznießung des Empfängers (Benefiziar) unter der Bedingung bestimmter Dienstleistungen über; meistens waren sie militärischer Art. Starb der Verleiher oder der Empfänger, so fiel es dem Eigentümer oder dessen Erben zu. Zur Verleihung von Benefizien gingen auch große Magnaten und die Kirche über. Das Benefizialsystem trug zur Bildung der Klasse der Feudalen, besonders des kleinen und mittleren Adels, zur Versklavung der Bauernmassen, zur Herausbildung der Vasallenverhältnisse und der

Feudalhierarchie bei. Im Verlaufe der Zeit entwickelte sich das Benefizium mehr und mehr zum Erblehen (siehe Engels' »Fränkische Zeit«, MEW, Bd. 19, S. 474–518). 176

108 *Gaugrafen* – im Frankenreich königliche Beamte, die an der Spitze eines Gaues oder einer Grafschaft standen und richterliche, polizeiliche und militärische Obliegenheiten wahrzunehmen hatten. Für ihre Dienste bezogen sie ein Drittel der königlichen Einkünfte aus ihren Gauen, außerdem wurden sie mit Grundstücken belehnt. Im Verlaufe der Zeit verwandelten sich die Gaugrafen in Feudalherren, die souveräne Macht besaßen; dies geschah besonders nach 877, als die Grafenämter erblich wurden. 177

109 *Irminons Grundbuch* (Polyptichon) – ein Verzeichnis der Ländereien und Hörigen sowie der Einkünfte des Klosters Saint-Germain-des-Prés, das der Abt Irminon im 9. Jahrhundert zusammengestellt hat. Offensichtlich zitiert Engels die Angaben nach Paul Roth, »Geschichte des Beneficialwesens von den ältesten Zeiten bis ins zehnte Jahrhundert«, Erlangen 1850, S. 378. 178

110 *Liten* – halbfreie, fron- und abgabepflichtige Bauern, die neben den Kolonen und Sklaven eine der Hauptgruppen der abhängigen Bauern in der Epoche der Merowinger und Karolinger bildeten. 178

111 *Angarien* – zur römischen Kaiserzeit Verpflichtungen der Bewohner, für Staatszwecke Fuhrwerke und Träger zu stellen. Da diese Verpflichtungen in der Folgezeit immer umfangreicheren Charakter annahmen, wurden sie zur schweren Last für die Bevölkerung. 178

112 *Kommendation* – ein in Europa im 8. und 9. Jahrhundert verbreitetes Übereinkommen, durch das sich ein Schwächerer dem »Schutz« eines Stärkeren unter bestimmten Bedingungen unterstellte. Sie bedeutete für die Bauern den Verlust der persönlichen Freiheit, für die kleinen Grundbesitzer die Abhängigkeit von den großen Feudalherren und festigte die Feudalhierarchie. 180

113 Siehe Charles Fourier, »Théorie des quatre mouvements et des destinées générales« (Œuvres complètes, t. 1, 3. éd., Paris 1846, p. 220). 181

114 Die *Schlacht bei Hastings* fand 1066 zwischen den Truppen des in England eingedrungenen Herzogs der Normandie, Wilhelm, und den Angelsachsen unter König Harold statt. Die Angelsachsen, die in ihrer militärischen Organisation Reste der Gentil-

gesellschaft beibehalten und primitive Waffen hatten, wurden vernichtend geschlagen. Anstelle des in der Schlacht getöteten Königs Harold wurde Wilhelm – unter dem Namen Wilhelm I., der Eroberer – König von England. 187

115 Jean-Baptiste Molière, »George Dandin, ou le mari confondu«, 1. Akt, 9. Szene. 193

116 *Dithmarschen* – eine Landschaft an der Westküste Holsteins gelegen, war das Siedlungsgebiet einer Stammesgruppe der Sachsen. Diese standen formell unter der Lehnshoheit der Bremer Erzbischöfe, waren aber faktisch vom Anfang des 13. Jahrhunderts bis zum Ende des 16. Jahrhunderts politisch selbständig. Die Grundlage der Verfassung Dithmarschens war in dieser Periode die Gesamtheit der sich selbst verwaltenden Bauerngemeinden, die in vielen Fällen auf den alten bäuerlichen Gentes beruhten. Bis zum 14. Jahrhundert übte die Landesversammlung aller freien Grundbesitzer die oberste Macht aus, danach ging sie an ein Repräsentativsystem – drei gewählte Körperschaften – über.

Siehe auch die Notiz von Engels »Über die Assoziation der Zukunft«, vorl. Band, S. 209. 196

117 G. W. F. Hegel, »Grundlinien der Philosophie des Rechts, oder Naturrecht und Staatswissenschaft im Grundrisse«, §§ 257 und 360. 196

118 *Althegelianer* – Schüler und Anhänger Hegels in den dreißiger und vierziger Jahren des 19. Jahrhunderts, die das System seiner Lehre betonten und sich zur gesellschaftlichen und politischen Praxis des deutschen Vormärz konservativ bis reaktionär verhielten. Im Gegensatz dazu stützten sich die Junghegelianer besonders auf die dialektische Methode Hegels und kritisierten die christliche Religion und den preußischen Staat. 204

119 Das vorliegende Fragment wurde von Engels offensichtlich im Zusammenhang mit der Arbeit an seinem Buch »Der Ursprung der Familie, des Privateigentums und des Staats« geschrieben. Dem Inhalt nach schließt es sich an die Stelle des IX. Kapitels dieses Buches an, wo von der Erhaltung der Reste der Gentilverfassung in den mittelalterlichen Adels-, Patrizier- und Bauerngeschlechtern die Rede ist (siehe vorl. Band, S. 195). Die Datierung dieses auf einem einzelnen Blatt handgeschriebenen Fragments bleibt eine bloße Vermutung, da keinerlei Angaben vorhanden sind. (Die von Engels abgekürzten Wörter wurden stillschweigend ausgeschrieben.) 209

120 *Polis* – Stadtstaat, eine der Formen der sozialökonomischen und politischen Organisationen der Sklavenhaltergesellschaft, die sich in ihren typischsten Zügen im alten Griechenland im 8. bis 6. Jahrhundert v. u. Z. gebildet hatte. Jede Polis stellte eine Gemeinde dar, die aus der Stadt selbst und einem ihr angeschlossenen kleinen Territorium bestand. Vollberechtigte Bürger der Polis waren nur die Ureinwohner, die über Grundeigentum und Sklaven verfügten. 209

121 Für den vorliegenden Artikel benutzte Engels als Quelle den in der Zeitung »Russkija Wedomosti«, Nr. 284 vom 14. Oktober 1892, veröffentlichten Bericht des russischen Ethnographen Lew Jakowlewitsch Sternberg über die Ergebnisse des Studiums der Lebensweise uund der gesellschaftlichen Ordnung der sachalinischen Giljaken (Nivchen). Diesen Bericht hat Engels mit unbedeutenden Abweichungen vom Original – er präzisierte einzelne Stellen – fast vollständig in seinen Artikel aufgenommen. 210

122 »Русскія Ведомости« (Moskau) – russische Tageszeitung, erschien von 1863 bis 1867 dreimal wöchentlich, von 1868 bis 1918 täglich; Organ der liberalen Gutsbesitzer und Bourgeois. 210

123 »Этнографическое Обозренiе« (Moskau) – russische Zeitschrift, erschien von 1889 bis 1916 viermal jährlich, herausgegeben von der ethnographischen Abteilung der Gesellschaft der Freunde der Naturwissenschaften, der Anthropologie und der Ethnographie an der Moskauer Universität.

Sternbergs Artikel »Сахалинскія Гиляки« wurde 1893 in Nr. 2 der Zeitschrift veröffentlicht. 214

Literaturverzeichnis

Bei den von Engels zitierten und erwähnten Schriften werden, soweit sie sich feststellen ließen, die vermutlich von ihm benutzten Ausgaben angegeben. In einigen Fällen, besonders bei allgemeinen Quellen- und Literaturhinweisen, wird keine bestimmte Ausgabe angeführt. Gesetze und Dokumente werden nur dann nachgewiesen, wenn aus ihnen zitiert wurde. Einige Quellen konnten nicht ermittelt werden.

Agassiz, Louis, [Elizabeth] Agassiz: A journey in Brazil. London 1868. 63 64

Aischylos: Oresteia. 15 16 76

– Die Schutzflehenden. 123

– Die Sieben gegen Theben. 123

Ammianus Marcellinus: Auszüge aus Ammianus Marcellinus, übersetzt von D. Coste. In: Die Geschichtschreiber der deutschen Vorzeit in deutscher Bearbeitung. Urzeit. Bd. 2. Leipzig 1879. 83 110

Ancient laws and institutes of Wales. Vol. 1. O. O. 1841. 154

Aristophanes: Die Weiber am Thesmophorienfest. 77

Aristoteles: Politica. 126

Bachofen, Johann Jakob: Das Mutterrecht. Eine Untersuchung über die Gynaikokratie der alten Welt nach ihrer religiösen und rechtlichen Natur. Stuttgart 1861. 12 14–17 19 21 41 42 52 53 61 63 65 97

Bancroft, Hubert Howe: The native races of the Pacific States of North America. Vol. 1–5. New York 1875–1876. 46 62 64 183

Bang, Anton Christian: Vøluspaa og de Sibyllinske Orakler. Christiana 1879 [1880]. 160

Becker, Wilhelm Adolph: Charikles, Bilder altgriechischer Sitte. Zur genaueren Kenntniss des griechischen Privatlebens. Th. 1.2. Leipzig 1840. Th. 2. 118

Beda Venerabilis: Historiae ecclesiasticae gentis Anglorum. 157

Die Bibel. Das Alte Testament.

1. Buch Mose (Genesis). 13 66
2. Buch Mose (Exodus). 13
3. Buch Mose (Leviticus). 13
4. Buch Mose (Numeri). 13
5. Buch Mose (Deuteronomium). 13

Bugge, Sophus: Studier over de nordiske Gude – og Heltesagns Oprindelse. Christiana 1881–1889. 160

Caesar, Gaius Iulius: De bello Gallico. 21 36 52 107 157 163 165 167 169
Code Napoléon. 75 81
Coulanges → Fustel de Coulanges, Numa Denis
Cunow, Heinrich: Die altperuanischen Dorf- und Markgenossenschaften. In: Das Ausland (Stuttgart), vom 20. und 27. Oktober und 3. November 1890. 73

Demosthenes: Rede gegen Eubulides. 118
Diodorus Siculus: Bibliothecae historicae quae supersunt. Vol. 4.5. 159 160 169
Dionysius Halicarnessensis: Antiquitates Romanae. 123
Dureau de La Malle [,Adolphe-Jules-César-Auguste]: Économie politique des Romains. T. 1.2. Paris 1840. 151

Die Edda (siehe auch Anm. 19). 48 160
Engels, Friedrich: Die Geschichte Irlands (MEW, Bd. 16, S. 459–498). 154
– Der Ursprung der Familie, des Privateigenthums und des Staats. Im Anschluß an Lewis H. Morgans Forschungen (MEW, Bd. 21, S. 25–173).
  – Der Ursprung der Familie, des Privateigentums und des Staats. Im Anschluss an Lewis H. Morgan's Forschungen. Hottingen-Zürich 1884. 9 12 163
  – Der Ursprung der Familie, des Privateigenthums und des Staats. Im Anschluß an Lewis H. Morgan's Forschungen. 2. Aufl. Stuttgart 1886. 12 163
  – Der Ursprung der Familie, des Privateigenthums und des Staats. Im Anschluß an Lewis H. Morgan's Forschungen. 3. Aufl. Stuttgart 1889. 12 163
  – Der Ursprung der Familie, des Privateigenthums und des Staats. Im Anschluß an Lewis H. Morgan's Forschungen. 4. Aufl. Stuttgart 1892. 13 156 210
  – L'origine della famiglia, della proprietà privata e dello stato. In relazione alle ricerche di Luigi H. Morgan. Versione riveduta dall'autore di Pasquale Martignetti. Benevento 1885. 12
  – Originea familiei, proprietăţei private şi a statului. In legătură cu cercetările lui Lewis H. Morgan. In: Contemporanul (Iaşi). Nr. 17–21, 1885, und 22–24, 1886. 12

– Familjens, Privatejendommens og Statens Oprindelse. I Tilstutning til Lewis H. Morgans Undersøgelser. Dansk, af Forfatteren gennemgaaet Udgave, besørget af Gerson Trier. København 1888. 13
– L'origine de la famille, de la propriété privée et de l'état (pour faire suite aux travaux de Lewis H. Morgan). Trad. française par Henri Ravé. [Paris] 1893. 13
Espinas, Alfred: Des sociétés animales. Étude de psychologie comparée. Paris, Dijon 1877. 43 44
Euripides: Orestes. 77

Fison, Lorimer, Alfred William Howitt: Kamilaroi and Kurnai; group-marriage and relationship, and marriage by elopement. Drawn chiefly from the usage of the Australian Aborigines. Also the Kurnai tribe; their customs in peace and war. With an introduction by L. H. Morgan. Melbourne, Sidney, Adelaide, Brisbane 1880. 55 57
Fourier, Charles: Théorie de l'unité universelle. Vol. 3 (Œuvres complètes. T. 4. 2. éd. Paris 1841). 85
– Théorie des quatre mouvements et des destinées générales (Œuvres complètes. T. 1. 3. éd. Paris 1846). 181 205
Freeman, Edward Augustus: Comparative politics. London 1873. 11
Fustel de Coulanges [,Numa Denis]: La cité antique; étude sur le culte, le droit, les institutions de la Grèce et de Rome. Paris, Strasbourg 1864. 122

Giraud-Teulon, Alexis: Les origines de la famille. Questions sur les antécédents des sociétés patriarcales. Genève, Paris 1874. 22 25
– Les origines du mariage et de la famille. Genève, Paris 1884. 25 43 44
Gladstone, William Ewart: Juventus Mundi. The gods and men of the heroic age. London 1869. 124
Goethe, Johann Wolfgang von: Der Gott und die Bajadere. Indische Legende. 48
Grote, George: A history of Greece; from the earliest period to the close of the generation contemporary with Alexander the Great. Vol. 3. A new ed. London 1869. 117–121
Gutrun (Kudrun) (siehe auch Anm. 51). 93

Hegel, Georg Wilhelm Friedrich: Grundlinien der Philosophie des Rechts, oder Naturrecht und Staatswissenschaft im Grundrisse. 196

Herodotus Halicarnessensis: Historiae. 53

Heusler, Andreas: Institutionen des Deutschen Privatrechts. Bd. 2. Leipzig 1886. 72

Hildebrandslied (siehe auch Anm. 95). 158 187

Homer: Ilias. 36 75 121 122 124 125

– Odyssee. 36 75 76 122 125

Huschke, Philipp Eduard: De privilegiis Feceniae Hispalae senatusconsulto concessis (Liv. XXXIX, 19). Göttingen 1822. 147

[Kowalewski] Kovalevsky, Maxime: Tableau des origines et de l'évolution de la famille et de la propriété. Stockholm 1890. 70 71 153 163

– *Ковалевскій, Максимъ:* Первобытное право. Выпускъ I. Родъ. Москва 1886. 72 73 157 158

Lange, Ludwig: Römische Alterthümer. Bd. 1. Berlin 1856. 147

Lassalle, Ferdinand: Das System der erworbenen Rechte. Eine Versöhnung des positiven Rechts und der Rechtsphilosophie. Th. 1.2. Leipzig 1861. 204

Latham, Robert Gordon: Descriptive ethnology. Vol. 1.2. London 1859. 18

Letourneau, Charles: L'évolution du mariage et de la famille. Paris 1888. 42 43

Liutprand: Antapodosis. 174

Livius, Titus: Ab urbe condita. 144 145 147

Longos: Daphnis und Chloe. 92

Lubbock, John: The origin of civilisation and the primitive condition of man. Mental and social condition of savages. London 1870. 20

– The origin of civilisation and the primitive condition of man. Mental and social condition of savages. 4. ed. London 1882. 22

Maine, Henry Sumner: Ancient law: its connection with the early history of society, and its relation to modern ideas. 3. ed. London 1866. 95

Marx, Karl: Das Kapital. Kritik der politischen Oekonomie. Bd. 1. Buch 1: Der Produktionsprozess des Kapitals. 3., verm. Aufl. Hamburg 1883 (MEW, Bd. 23). 9 182

Marx, Karl, Friedrich Engels: Die deutsche Ideologie (MEW, Bd. 3, S. 9–530). 79

– Manifest der Kommunistischen Partei. London 1848 (MEW, Bd. 4, S. 459–493). 95

Maurer, Georg Ludwig von: Einleitung zur Geschichte der Mark-, Hof-, Dorf- und Stadt-Verfassung und der öffentlichen Gewalt. München 1854. 112 113
– Geschichte der Dorfverfassung in Deutschland. Bd. 1–2. Erlangen 1865–1866. 112 113
– Geschichte der Fronhöfe, der Bauernhöfe und der Hofverfassung in Deutschland. Bd. 1–4. Erlangen 1862–1863. 112 113
– Geschichte der Markenverfassung in Deutschland. Erlangen 1856. 112 113
– Geschichte der Städteverfassung in Deutschland. Bd. 1–4. Erlangen 1869–1871. 112 113 161
McLennan, John Ferguson: Studies in ancient history comprising a reprint of Primitive marriage. An inquiry into the origin of the form of capture in marriage ceremonies. London 1876. 21–23 39 153
– Studies in ancient history comprising a reprint of Primitive marriage. An inquiry into the origin of the form of capture in marriage ceremonies. A new ed. London, New York 1886. 18–20 22 39 153
M'Lennan, John: Primitive marriage. An inquiry into the origin of the form of capture in marriage ceremonies. Edinburgh 1865. 17 39 102 153
Molière, Jean-Baptiste: George Dandin, ou le mari confondu. 193
Mommsen, Theodor: Römische Forschungen. Bd. 1. 2. Aufl. Berlin 1864. 119 144–148
– Römische Geschichte. Bd. 1–3. 5. Aufl. Berlin 1868–1869. 149
Morgan, Lewis Henry: Ancient society, or researches in the lines of human progress from savagery, through barbarism to civilization. London 1877. 9–12 22–25 31 33 37 38 40–42 50 54 59 61 70 79 80 99–102 105 108 112 124 126 128 138 147 148 156 157 162 182 205 206
– League of the Ho-dé-no-sau-nee, or Iroquois. Rochester 1851. 18 19
– Letters of the Iroquois by Skenandoah. New York 1847. 18
– Systems of consanguinity and affinity of the human family. Washington 1871. 20–22 54 55 100
– Die Urgesellschaft. Untersuchungen über den Fortschritt der Menschheit aus der Wildheit durch die Barbarei zur Zivilisation. Aus dem Engl. übertragen von W. Eichhoff unter Mitw. von Karl Kautsky, Stuttgart 1891. 24

Das Nibelungenlied (siehe auch Anm. 18). 47 93
Niebuhr, Barthold Georg: Römische Geschichte. Bd. 1–3. 3. Ausg. Berlin 1828. 119 148 195 196

Plinius Secundus, Gaius: Naturalis historia. 165 170
Plutarchos Chaeronensis: Moralia. 77
Prokopius: De bello Gothico. 83

Salvianus: De gubernatione dei. 174 178
Schoemann, Georg Friedrich: Griechische Alterthümer. Bd. 1.2. Berlin 1855–1859. 77 123
Snorri Sturluson: Heimskringla (siehe auch Anm. 20). 48
Strabo: Geographica. 73
Sugenheim, Samuel: Geschichte der Aufhebung der Leibeigenschaft und Hörigkeit in Europa bis um die Mitte des neunzehnten Jahrhunderts. St. Petersburg 1861. 65

Tacitus, Publius Cornelius: Germania. 11 21 36 82 110 159 161–169
Thucydides: De bello Peloponnesiaco. 125
Tylor, Edward Burnet: Researches into the early history of mankind and the development of civilization. London 1865. 13

Wachsmuth, Wilhelm: Hellenische Alterthumskunde aus dem Gesichtspunkte des Staates. Th. 1.2. Halle 1826–1830. 77 118
Wagner, Richard: Der Ring des Nibelungen. Erster Tag. Die Walküre. 44 48
Watson, John Forbes, John William Kaye: The people of India. A series of photographic illustrations. With descriptive letterpress, of the races and tribes of Hindustan, originally prepared under the authority of the Government of India, and reproduced by order of the Secretary of State for India in council. Vol. 2. London 1868. 53
Westermarck, Edward: The history of human marriage. London, New York 1891. 43 45 47 63

Zurita, Alonzo de: Rapport sur les différentes classes de chefs de la Nouvelle-Espagne, sur les lois, les mœurs des habitants, sur les impôts établis avant et depuis la conquête, etc., etc. In: Voyages, relations et mémoires originaux pour servir à l'histoire de la découverte de l'Amérique, publiés pour la première fois en français, par H. Ternaux-Compans. T. 11. Paris 1840. 73

Personenverzeichnis

Herodot (etwa 484 bis etwa 425 v. u. Z.) griechischer Historiker. 53 77
Heusler, Andreas (1834–1921) Schweizer Jurist. 72
Homer (Homeros) (vermutl. 8. Jh. v. u. Z.) legendärer griechischer Dichter; gilt als Verfasser der Epen »Ilias« und »Odyssee«. 36 37 75 76 121–123 125
Howitt, Alfred William (1830–1908) englischer Ethnograph und Australienforscher, Kolonialbeamter in Australien (1862–1901). 57
Huschke, Georg Philipp Eduard (1801–1886) Jurist, Verfasser von Arbeiten über das römische Recht. 147

Irminon (gest. etwa 826) Abt des Klosters von Saint-Germain-des-Prés bei Paris (812–817). 178

Jantschuk, Nikolai Andrejewitsch (1859–1921) russischer Ethnograph. 212
Jaroslaw der Weise (978–1054) Großfürst von Kiew (1019–1054). 72

Karl der Große (742–814) König der Franken (768–800) und römischer Kaiser (800–814). 177–179
Kaye, Sir John William (1814–1876) englischer Kriegshistoriker und Kolonialbeamter. 53
Kleisthenes (2. Hälfte des 6. Jh. v. u. Z.) athenischer Staatsmann; seine Reformen um 508 beseitigten die Reste der Gentilverhältnisse und leiteten die Entwicklung zur Sklavenhalterdemokratie ein. 137
Kowalewski, Maxim Maximowitsch (1851–1916) russischer Soziologe, Historiker, Ethnograph und Jurist; Politiker liberal-bürgerlicher Richtung. 70 71 73 153 157 163 164

Lange, Christian Konrad Ludwig (1825–1885) Philologe. 147
Lassalle, Ferdinand (1825–1864) Schriftsteller, kleinbürgerlicher Arbeiteragitator; nahm an der Revolution 1848/49 teil, seitdem mit Marx und Engels bekannt; mit der Gründung des Allgemeinen Deutschen Arbeitervereins im Mai 1863 entsprach er dem Streben der fortgeschrittenen Arbeiter nach organisatorischer Trennung von der liberalen Bourgeoisie, vermittelte der Arbeiterklasse jedoch keine revolutionäre Perspektive. 204
Latham, Robert Gordon (1812–1888) englischer Philologe und Ethnograph. 18
Letourneau, Charles-Jean-Marie (1831–1902) französischer bürgerlicher Soziologe und Ethnograph. 42 43 46

Liutprand (etwa 922 bis etwa 972) Kirchenpolitiker und Historiker langobardischer Herkunft; seit 961 Bischof von Cremona. 174
Livius, Titus (59 v. u. Z. bis 17 u. Z.) römischer Historiker. 144 147
Longos (2.–3. Jh.) griechischer Dichter. 92
Lubbock, Sir John (seit 1899) *Lord Avebury* (1834–1913) englischer Biologe, Ethnograph und Archäologe, Anhänger Darwins. 20–22
Lucian (etwa 120 bis nach 180) griechischer Schriftsteller. 48
Luther, Martin (1483–1546) Theologe; Begründer des Protestantismus in Deutschland; Wortführer der gemäßigten Richtung in der deutschen frühbürgerlichen Revolution. 95

Macmillan, Sir Frederick Orridge (1851–1936) englischer Verleger, Mitinhaber des Verlages Macmillan & Co. Ltd. 9
Maine, Sir Henry James Sumner (1822–1888) englischer Jurist, Rechtshistoriker. 95
Martignetti, Pasquale (1844–1920) italienischer Sozialist, übersetzte Arbeiten von Marx und Engels ins Italienische. 12
Marx, Karl (1818–1883). 9 23 25 40 47 48 52 69 71 75 79 82 116 118–120 123 125 182
Maurer, Georg Ludwig Ritter von (1790–1872) bayrischer Staatsmann und Rechtshistoriker; erforschte die Rechtsverhältnisse Deutschlands der Frühzeit und des Mittelalters. 112 113 161 163
McLennan, John Ferguson (1827–1881) schottischer Jurist und Historiker. 17–25 39 60 74 102 153
Mommsen, Theodor (1817–1903) Historiker. 119 144–146 148 149
Morgan amerikanischer General; Bruder von Lewis Henry Morgan. 26
Morgan, Lewis Henry (1818–1881) amerikanischer Ethnologe, Archäologe und Historiker der Urgesellschaft, Vertreter des spontanen Materialismus. 9–12 18–26 31 37 38 40–42 47 50 54 55 59 80 99–102 105 112 119 120 124 126 128 138 147 148 156 162 182 205 206
Moschos (2. Jh. v. u. Z.) griechischer Dichter. 92

Nădejde, Joan (1859–1928) rumänischer Publizist, Sozialdemokrat; übersetzte Arbeiten von Engels ins Rumänische; in den neunziger Jahren Opportunist, schloß sich 1899 der nationalliberalen Partei an und trat gegen die Arbeiterbewegung auf. 12
Napoleon I. Bonaparte (1769–1821) Kaiser der Franzosen (1804–1814 und 1815). 102
Nearchos (etwa 360 bis etwa 312 v. u. Z.) makedonischer Admiral,

Verzeichnis der literarischen und mythologischen Namen

Abraham Gestalt aus dem Alten Testament. 67

Achilles (Achilleus) in der griechischen Sage tapferster Held im Trojanischen Krieg. 75 125

Agamemnon in der griechischen Sage König von Mykene, Anführer der Griechen im Trojanischen Krieg. 15 75 76 121 125

Ägisthos (Aigisthos) in der griechischen Sage Sohn des Thyestes, Geliebter der Klytaimnestra. 15

Althäa (Althaia) in der griechischen Sage Tochter des Königs Thestius, Mutter des Meleagros. 159

Anaitis griechischer Name der Anachita, der Göttin des Wassers und der Fruchtbarkeit in der altiranischen Mythologie. 63 80

Aphrodite griechische Göttin der Liebe und Schönheit. 80

Apollo griechischer Gott des Lichts, auch dem Sonnengott Helios gleichgesetzt; Orakelgott von Delphi; Beschützer des geistigen Lebens und der Künste, Herr der Musen. 15 16

Argonauten in der griechischen Sage die vielbesungenen Helden, die auf dem Schiff »Argo« nach Kolchis am Schwarzen Meer fuhren, um das von einem Drachen bewachte Goldene Vlies zu holen. 159

Asen Göttergeschlecht in der germanischen Mythologie. 48

Athene (Pallas Athene) griechische Göttin der Weisheit und der Künste, Schutzherrin Athens. 15 16

Boreaden in der griechischen Sage die Kinder des Nordwinds Boreas und der Herrscherin von Athen, Oreithya. 159

Brünhild (Brunhild) Gestalt des mittelhochdeutschen »Nibelungenliedes«; isländische Königin, später Gattin des Burgunderkönigs Gunther. 93

Chloe Titelgestalt des Romans »Daphnis und Chloe« von Longos; verliebte Schäferin. 92

[illegible]phnis Titelgestalt des Romans »Daphnis und Chloe« von Longos; [illegible]rliebter Schäfer. 92

[illegible]dokos Gestalt aus Homers Epos »Odyssee«; blinder Sänger am [illegible] des mythischen Königs der Phäaken, Alkinoos. 125

Kassandra in der griechischen Sage Tochter des Königs Priamos von Troja; Prophetin; wurde nach dem Sieg über Troja von Agamemnon als Sklavin entführt; Gestalt aus Aischylos' Tragödie »Agamemnon«. 76

Kekrops in der griechischen Sage der älteste attische König, Gründer der Burg von Athen. 128

Kleopatra in der griechischen Sage die Tochter Boreas', des Gottes des Nordwinds. 159

Klytämnestra (Klytaimnestra) in der griechischen Sage Gemahlin des Agamemnon, den sie nach dessen Rückkehr aus dem Trojanischen Krieg tötete; Gestalt in Aischylos' Tragödie »Oresteia«. 15

Kriemhild Gestalt des mittelhochdeutschen »Nibelungenliedes«; Schwester Gunthers; Braut, dann Gattin Siegfrieds, heiratete nach seiner Ermordung den Hunnenkönig Etzel. 93

Loki germanischer Gott des Feuers; arglistig und falsch; Gestalt des altskandinavischen Volksepos »Ältere Edda«. 48

Meleager (Meleagros) in der griechischen Sage Sohn des Oineus und der Althaia; tötete die Brüder seiner Mutter. 159

Mephisto(pheles) Gestalt in Goethes Tragödie »Faust«. 48

Mosis (Moses) Gestalt aus dem Alten Testament. 13 66

Mulios Gestalt aus Homers Epos »Odyssee«. 125

Mylitta babylonische Naturgöttin. 63

Nestor Gestalt aus Homers Epos »Ilias«, König von Pylos; der älteste der griechischen Helden vor Troja. 121

Niördhr germanischer Gott der Fruchtbarkeit; Gestalt des altskandinavischen Volksepos »Ältere Edda«. 48

Odysseus in der griechischen Sage König von Ithaka, ein kluger und listenreicher Seefahrer und Krieger, Held aus Homers Epos »Odyssee«. 125

Orestes in der griechischen Sage Sohn des Agamemnon und der Klytaimnestra; erschlug seine Mutter, um ihren Mord an seinem Vater zu rächen. 15

[illegible]neus in der griechischen Sage blinder Prophet; angestiftet durch [illegible]ne zweite Frau, blendete er die Söhne aus seiner ersten Ehe mit [illegible]opatra, wofür er von den Göttern bestraft wurde. 159

Polynikes (Polyneikes) in der griechischen Sage Sohn des Oidipus und der Iokaste, Bruder des Eteokles. 123

Romulus in der römischen Geschichtslegende mit seinem Zwillingsbruder Remus Gründer Roms (753 v. u. Z.) und dessen erster König. 143 148

Siegebant von Irland Gestalt des mittelhochdeutschen »Gudrunliedes«, König der Irländer. 93
Siegfried Gestalt der altgermanischen Sage und des mittelhochdeutschen »Nibelungenliedes«. 93
Siegfried von Morland Gestalt des mittelhochdeutschen »Gudrunliedes«; einer der abgewiesenen Freier Gudruns. 93
Sif Gattin des germanischen Donnergottes Thor; Gestalt aus dem altskandinavischen Volksepos »Ältere Edda«. 158

Telamon Gestalt aus Homers Epos »Ilias«, König von Salamis. 76
Telemachos Gestalt aus Homers Epos »Odyssee«; Sohn des Odysseus. 75
Teukros Gestalt aus Homers Epos »Ilias«, Sohn des Telamon. 76
Theseus in der griechischen Sage König von Athen; auch als Heros verehrt. 129
Thestius in der griechischen Sage legendärer König von Pleuron in Ätolien. 159

Ute, norwegische Gestalt des mittelhochdeutschen »Gudrunliedes«. 93

Vanen Göttergeschlecht in der germanischen Mythologie. 48

Zeus oberster griechischer Gott. 125

Verzeichnis der Völker, Stämme und Gentes

Achäer (Achaier) eine der griechischen Stammesgruppen, deren Machtzentren Mykenä, Argos, Amyklä u. a. waren, von den Dorern unterworfen und z. T. nach Arkadien und Achaia abgedrängt bzw. an die Nordwestküste Kleinasiens ausgewichen (bei Homer die vor Troja kämpfenden Griechen). 125

Afrikanische Stämme und Völker. 20 39 63

Alamannen (Alemannen) eine germanische Völkerschaft, die sich im 3./4. Jahrhundert im Gebiet zwischen Main und Oberlauf des Rheins herausbildete und sich allmählich auf dem Gebiet des heutigen Elsaß, der östlichen Schweiz und Südwestdeutschlands ausbreitete; im 6. Jahrhundert in das Frankenreich einbezogen. 110 157 158

Alaskas Einwohner hier: indianische Ureinwohner Alaskas. 64

Amerikaner → *Indianer*

Aragonien, Bevölkerung von. 64

Arier, arisch die Ende des 2. Jahrtausends v. u. Z. in Indien eingewanderten indoeuropäischen Hirtenstämme; im 19. Jahrhundert weitverbreiteter Ausdruck zur Bezeichnung der Völker der indoeuropäischen Sprachgruppe. 35 66 71 121 180 184

Asiaten, asiatisch. 16 20 39 63 153 185

Athener, athenisch Bewohner des antiken Stadtstaats Athen. 77 78 117 119 128 129 131–140 192 197

Augiler Berberbevölkerung der Oase Awjila in Nordostlibyen. 64

Australier, australisch Urbevölkerung Australiens. 20 21 32 39 53–55 57 58

Australneger veralteter Begriff für die Urbevölkerung Australiens. → *Australier*

Azteken Indianervolk im Hochland von Mexiko, zur Nahua-Sprachgruppe gehörend. 126

Babylonien, babylonisch Bevölkerung von. 63

Balearen, Bevölkerung der. 64

Barbaren (griech.: »Stammler«) bei den antiken Griechen und Römern Bezeichnung für Angehörige fremder (fremdsprachiger) Völker, besonders für solche niedriger sozialökonomischer Entwicklungsstufe; im 19. Jahrhundert verwendeter Begriff für die Völker der von Morgan aufgestellten urgesellschaftlichen Periode der Barbarei; von Engels meist in diesem Sinn gebraucht. 21 35 39 50 52–54 61 77 100 102 113 114 152 153 169 171 174 180 181 184 185 189 205

Barea Stamm, der auf dem Gebiet des heutigen Westäthiopiens und Eritreas an der Grenze des Ostsudan lebt. 64

Bastarner Volksstamm, der zu Beginn u. Z. das Gebiet zwischen den Karpaten und der Donau bevölkerte; nach bisheriger, aber zweifelhafter Lehrmeinung als germanisch und aus dem unteren Weichselgebiet stammend bezeichnet; im 3. Jahrhundert in der Völkerschaft der Goten aufgegangen. 170

Bataver (Batavi) Germanenstamm, der zu Beginn u. Z. das Gebiet zwischen den Flüssen Maas, Rhein und Waal bewohnte. 161

Belgier hier: die keltischen Stämme zu Beginn u. Z. im Gebiet des Unterrheins. 161

Briten Gruppe keltischer Stämme, die die älteste bekannte Bevölkerung Britanniens bildete; wurden (nach vierhundertjähriger Beherrschung durch die Römer, 1. bis Anfang 5. Jh.) durch das Eindringen der Angelsachsen (nach 449) teils assimiliert, teils nach Wales, Schottland und in die Bretagne verdrängt. 21 52

Brukterer Germanenstamm, der zu Beginn u. Z. auf dem Gebiet zwischen den Flüssen Lippe und Ems ansässig war. 161

Bulgaren slawisches Volk in Südosteuropa; benannt nach den im 5. bis 7. Jahrhundert von der mittleren Wolga eingewanderten finnischen Stämmen (Wolgabulgaren), die in der slawischen Grundbevölkerung aufgingen. 71

Burgunder Germanenstamm, der zu Beginn u. Z. im Gebiet zwischen Weichsel und Oder siedelte, seit dem 3./4. Jahrhundert in südwestlicher Richtung vordrang, 413 bis 437 ein Reich am Mittelrhein (Worms, Nibelungensage) und nach dessen Vernichtung durch die Hunnen ein Reich an der Rhône errichtete; 533 von den Franken unterworfen. 158 170

Cayuga Stamm der Irokesen-Indianer Nordamerikas, siedelte an der Ostküste des Cayugasees (Gebiet des heutigen Staates New York); einer der fünf Stämme des Irokesenbundes. 111

Chinesen. 213

Chippeway-Indianer → *Ojibwa*

Cimbern germanischer Stamm, der gegen Ende des 2. Jahrhunder v. u. Z. von Jütland nach Süden wanderte und unter Zuzug Teutonen und Ambronen in das Römerreich eindrang; nach

fänglichen Erfolgen von den Römern (101 v. u. Z.) geschlagen. 157
Claudia patrizische Gens im alten Rom. 142
Cucu Indianerstamm, der auf dem Territorium des heutigen Chile lebte. 46

Dakota frühere Bezeichnung für eine Gruppe von sprachverwandten Indianerstämmen Nordamerikas (Sioux-Sprachfamilie), die am Mississippi und westlich davon im großen Einzugsgebiet des Missouri und Arkansas wohnten; bestimmte Hauptstämme heißen selbst Dakota oder Sioux. 105 111
Dänen, die alten. 107
Delawaren (Lenape) Stamm der östlichen Algonkin-Indianer Nordamerikas; lebten zu Beginn des 17. Jahrhunderts im weiten Gebiet um die Delaware Bay (Atlantik); in der Mitte des 18. Jahrhunderts übersiedelten sie, von den Europäern und Irokesenstämmen verdrängt, in das Tal des Ohioflusses und wurden Anfang des 19. Jahrhunderts von den amerikanischen Kolonisatoren nach dem Westen an den Mississippi verdrängt. 69
Deutsche, deutsch → auch *Germanen.* 11 21 36 72 82–84 93 107–110 113 123 157–165 167–170 173–175 178 180–182 193 203 204
Dorier (Dorer) eine der Hauptgruppen der griechischen Stämme, die im 12. bis 11. Jahrhundert v. u. Z. von Norden her auf die Peloponnesische Halbinsel und auf die Inseln im südlichen Teil des Ägäischen Meeres umsiedelten (Dorische Wanderung). 76 117
Dravida (Drawidische Stämme) Grundbevölkerung Indiens; Ende des 2. Jahrtausends v. u. Z. von den Ariern unterworfen; heute in Süd- und Mittelindien verbreitet. 39 211

Erie den Irokesen verwandte Indianerstämme Nordamerikas; sie wurden von den Irokesen aus ihren ursprünglichen Wohnsitzen (Gebiet des Eriesees) vertrieben. 114

Fabier patrizische Gens im alten Rom. 148
Franken germanische Völkerschaft, die sich im 3. Jahrhundert am Mittel- und Unterlauf des Rheins herausgebildet hatte; sie eroberten bis Anfang des 6. Jahrhunderts das römische Gallien und unterwarfen andere germanische Völkerschaften (Alemannen, Thüringer, Burgunder). 167 170 176–179

Gallier (gallische Kelten) keltische Stämme, die im alten Gallien (heutiges Gebiet Frankreich, Norditalien, Belgien, Luxemburg, Teile der Niederlande, der Schweiz und Westdeutschlands) ansässig waren, im 1. Jahrhundert v. u. Z. wurden sie von den Römern unterworfen. 169 171 176 178

Gaura (Gauda) indische Stämme Westbengalens. 39

Germanen von den Römern seit dem 1. Jahrhundert v. u. Z. gebrauchte Sammelbezeichnung für zahlreiche Stämme östlich des Rheins und nördlich der Donau; Bezeichnung für Völker einer Gruppe der indoeuropäischen Sprachfamilie: Deutsche, Engländer, Dänen, Isländer, Niederländer, Norweger, Schweden. 36 108 153 164 166 180

Giljaken, giljakisch seßhaftes Fischer- und Jägervolk im Mündungsgebiet des Amurstromes sowie auf der nördlichen Hälfte der Insel Sachalin; die Giljaken selbst nennen sich »Nivchen«, d. h. Menschen. 211–213

Goten germanische Stammesgruppierung, die zu Beginn u. Z. unter Zuwanderung aus Skandinavien im Gebiet der unteren Wisła entstand, im 3. Jahrhundert an die Nordküste des Schwarzen Meeres wanderte und von dort im 4. Jahrhundert von den Hunnen verdrängt wurde (375); sie teilten sich in die Ostgoten, die Ende des 5. Jahrhunderts auf der Apenninenhalbinsel ihr Königreich gründeten, und in die Westgoten, die Anfang des 5. Jahrhunderts ihr Königreich zuerst in Südgallien und dann auf der Pyrenäenhalbinsel errichteten. 149 158 170

Griechen, die alten (Hellenen), griechisch Bewohner des alten Griechenlands und Mazedoniens; sie setzten sich aus drei Hauptgruppen von Stämmen zusammen: Ionier, Achäer und Dorier. 14 16 23 36 37 42 46 70 71 75–78 82 100 107 113 117–126 132 141 149 159 167 168 170 182

Haidah (Haida) Stamm der Dene-Indianer an der Nordwestküste Nordamerikas (Queen Charlotte Islands und Südteil der Prince of Wales Island). 183

Hawaii, Bewohner von; polynesische Inselbevölkerung. 21 39 40 48 50 51 54 210

Hekatäus (Hekataios) im alten Griechenland Name einer Phratrie. 121

Hellenen → Griechen

Herminonen (Hermionen), herminonisch eine von Plinius überliefe

Bezeichnung für eine Gruppe germanischer Stämme, die zu Beginn u. Z. auf dem Gebiet zwischen Elbe und Main ansässig waren; zu ihnen gehörten die Sueven, Langobarden, Markomannen, Hermunduren u. a.; wahrscheinlich bildeten sie eine Kultgemeinschaft. 158 170

Heruler Germanenstamm, der zu Beginn u. Z. auf der skandinavischen Halbinsel lebte; im 3. Jahrhundert siedelte sich ein Teil der Heruler an der Nordküste des Schwarzen Meeres an, von wo sie durch die Hunnen verdrängt wurden; sie wurden ostgotischer Herrschaft unterworfen. 83

Ho Stamm der mundasprachigen Bevölkerung Indiens, im Südteil des heutigen Staates Bihar. 63

Hunnen mongoloide Nomadenstämme Zentralasiens, im 1. Jahrhundert u. Z. aus den zentralasiatischen Steppen verdrängt; auf ihren Wanderzügen nach Westen besiegten sie 375 die Goten und beherrschten unter Attila (445–453) Mitteleuropa. 46

Iberer Urbevölkerung Spaniens und des südlichen Frankreichs; wurden von den Römern bezwungen und romanisiert; ihre Überreste sind die heutigen Basken. 171

Inder, indisch Einwohner Indiens. 13 39 63 74 153 184 211

Indianer (amerikanische Rothäute) Urbevölkerung Amerikas. 10 21–23 34 35 38–40 51 52 54 59 60 63 64 67 69 100 104 105 107 108 110 111 113 114 117 121 124 141 143 162 166 167 182 183 211

Indianer, nordwestliche indianische Stämme der Nordwestküste Nordamerikas. 33 62 211

Indianer, südamerikanische. 62

Ingävonen (Ingväonen) von Plinius überlieferte Bezeichnung für eine Gruppe Germanenstämme, die zu Beginn u. Z. an der Nordseeküste ansässig waren; zu ihnen gehörten die Friesen, Chauken, Angrivarier, Amsivarier u. a. 170

Ionier eine der Hauptgruppen der altgriechischen Stämme; sie waren seit den ältesten Zeiten in Attika und im nördlichsten Teil der Peloponnesischen Halbinsel ansässig; besiedelten später auch einen Teil der Inseln im Ägäischen Meer und die Küste Kleinasiens. 76–78

Iren, irisch Bewohner Irlands; hier: die alten, in der Clanverfassung lebenden keltischen Bewohner. 154–156

Irokesen, irokesisch (Iroquois), Irokesenbund eine Hauptgruppe der Indianerstämme Nordamerikas; zu ihr gehören sprachlich verwandte Stämme, die im Gebiet des Erie- und Ontariosees und am

sich seit dem 5. Jahrhundert v. u. Z. vom westlichen Mitteleuropa und Westeuropa (Süd- und Südwestdeutschland, Schweiz, Frankreich) über weite Gebiete Europas ausbreiteten (Spanien, Italien, Donauländer, Griechenland, Britannien, Mitteldeutschland, Tschechoslowakei, Südpolen); vom 3. bis 1. Jahrhundert v. u. Z. von den Römern unterworfen; Nachkommen der Kelten heute in Irland, Schottland, Wales und der Bretagne. 11 63 64 72 108 153 154 162 165 169

Kotar (Kota) Drawida-Stamm im Gebiet der Nilgiri-Berge Südindiens. 63

Kroki Name einer Hälfte des Mount-Gambier-Stammes in Südaustralien. 55

Kumite Name einer Hälfte des Mount-Gambier-Stammes in Südaustralien. 55

Langobarden Germanenstamm, lebte bis zum Beginn des 5. Jahrhunderts am linken Ufer der Unterelbe, siedelte dann in das mittlere Donaubecken (Pannonien) über und später nach Nord- und Mittelitalien (Lombardei). 158

Latiner, latinisch Gruppe mittelitalischer Stämme; zu ihnen gehörten die alten Römer. 71 141 142 148 150

Ligurer Gruppe altitalischer Stämme, die den größten Teil der Apenninenhalbinsel bewohnten; im 6. Jahrhundert v. u. Z. wurden sie von den italischen Stämmen in den nordwestlichen Teil der Halbinsel und die Küstengebiete des südöstlichen Teils Galliens gedrängt; seit Beginn u. Z. allmählich romanisiert. 171

Magar Stamm, heute Völkerschaft, im westlichen Gebiet Nepals. 18 153

Malaiische Völker Bewohner der Halbinsel Malaia; früher begrifflich weiter gefaßt für die Bewohner des Malaiischen Archipels (Indonesien und Malaysia). 63

Mandschuren Hauptzweig der tungusischen Stämme in Nordostchina (ehem. Mandschurei), heute fast völlig im chinesischen Volk aufgegangen. 213

nipuri tibetoburmanisches Volk im Staat Manipur (Indische ion), zur Völkergruppe der Tschin gehörig; in den benachbarten ieten der Indischen Union und der Union von Burma ebenfalls eitet. 153

maurisch veraltete Bezeichnung für die berberisch-arabische

Mischbevölkerung Nordwestafrikas; hier: Bezeichnung für die nach 711 in Spanien eingefallenen mohammedanischen Völker. 173

Mexikaner hier: die indianische Bevölkerung Mexikos, im speziellen die Nahua-Gruppen, zu denen die Azteken und verwandte sowie benachbarte Stämme gehören. 34 111 126 159

Miami Stamm der südwestlichen Algonkin-Indianer Nordamerikas, vom Westufer des Michigansees im 17. bis Anfang des 18. Jahrhunderts sich nach Süden in das Gebiet der heutigen Staaten Illinois, Indiana und Ohio bewegend; jetzt Reste zerstreut in Indiana und auf einer Reservation des Indianergebietes. 69

Missouristämme Indianerstämme im Missourigebiet. 69

Mohawk Stamm der Irokesen-Indianer Nordamerikas, der im Süden des St.-Lorenz-Stromes und Ontariosees lebte; einer der fünf Stämme des Irokesenbundes; jetzt leben nur noch wenige Nachfahren nördlich vom Ontariosee und im Innern Oberkanadas. 111

Mongoloiden. 211

Munnipuri → *Manipuri*

Nair Kriegerkaste des drawidischen Volkes der Malabar (Staat Kerala, Indische Union). 74

Nenzen kleines Volk in den nördlichen Bezirken der UdSSR vom östlichen Ufer des Weißen Meeres bis zum Unterlauf des Jenissej und auf den Inseln Kolgujew, Waigatsch und Nowaja Semlja; früher von den Europäern Samojeden genannt. 153

Neumexikaner → *Pueblo*

Nootka (Nutka) ein Hauptstamm der Wakasch-Selisch-Gruppe der Nordwestküsten-Indianer Nordamerikas; bewohnen den südwestlichen Teil der Insel Vancouver und die Festlandküste bei Kap Flattery. 183

Nordamerikanische Stämme → *Indianer*

Nordfranzosen. 84

Noriker Gruppe keltisierter Stämme, die in den Jahrhunderten v. u. Z. das Gebiet der heutigen Steiermark und Teile von Kärnten bewohnten; nach der Eroberung durch die Römer (15 v. u. Z.) Provinz Noricum. 171

Normannen (Wikinger) im frühen Mittelalter Sammelbezeichnung für Norweger, Schweden und Dänen. 36 160 177 180

Nubier Völkerschaft am Nil im Norden der Republik Sudan und in Südägypten. 115

Ojibwa (Ojibway, Odschibwä, Chippeway) Stamm der Algonkin-Indianer Nordamerikas; lebte im nördlichen und nordwestlichen Teil der Gebiete der Großen Seen; heute u. a. Restgruppen in Nordminnesota. 46 105

Omaha Stamm der Sioux- (Dakota-) Indianer Nordamerikas; lebte im Becken des Mittellaufs des Missouri (heutiger Staat Nebraska). 105

Oneida Stamm der Irokesen-Indianer Nordamerikas; lebte auf dem Gebiet des heutigen Staates New York; einer der fünf Stämme des Irokesenbundes. 111

Onondaga Stamm der Irokesen-Indianer Nordamerikas; lebte auf dem Gebiet des heutigen Staates New York; einer der fünf Stämme des Irokesenbundes. 111

Orientalische Völker. 13 71

Pandscha (Dschat, Jat) Pandschabi sprechendes Volk im heutigen Pakistan (besonders östliches Belutschistan, teilweise auch in Afghanistan). 63

Parther eine Gruppe altiranischer Stämme, die seit Mitte des 1. Jahrhunderts v. u. Z. den nordöstlichen Teil des Hochlandes von Iran bevölkerten; im 6./7. Jahrhundert wurden sie von den Nachbarvölkern assimiliert. 46

Pelasger Sammelbezeichnung für die vorgriechische Bevölkerung Griechenlands; lebten in der Hauptsache in Thessalien. 117

Perser, die alten iranische Gruppe der indogermanischen Völker; bewohnten seit ältester Zeit den südwestlichen Teil des Hochlandes von Iran. 46

Peruaner hier: die indianische Urbevölkerung Perus, deren Hauptgruppen die Quechua und Aimara bilden; hochentwickelte Inkakultur. 34 111

Peukiner Gruppe der Bastarner. 170

Phönizier (Phöniker) altes semitisches Handels- und Seefahrervolk an der syrischen Küste (Phönizien); Blütezeit zwischen dem 12. und 9. Jahrhundert v. u. Z. 128

Pikten Sammelbezeichnung für die Ureinwohner Schottlands; vom 6. bis 9. Jahrhundert u. Z. mit den von Irland eingewanderten Skoten verschmolzen. 157

Polynesier Urbevölkerung Polynesiens und einiger kleinerer Inseln des östlichen Teiles von Melanesien. 32 48 52

ovenzalen. 84

haven (Pschawen) Gruppe der Georgier, die hauptsächlich im

Bergland am Mittellauf des Agrava und am Unterlauf des Jura lebt. 153

Pueblo Bezeichnung für Indianerstämme im Südwesten Nordamerikas, die auf kulturell-wirtschaftlichem Gebiet (Siedlungsweise) zusammengefaßt werden; bekannteste Stämme: Zuñi und Hopi (Arizona, Neumexiko). 34 35 111 126

Quinctilia patrizische Gens im alten Rom. 142

Römer, römisch. 23 46 70 72 82 100 112 113 124 141 143 144 147–150 157 161 162 164 165 167–182 192 204

Russon, 72 74 213

Sabeller (sabellische Stämme) eine der Hauptgruppen mittelitalischer Stämme. 141

salische Franken (Salier) einer der beiden Hauptzweige der germanischen Völkerschaft der Franken; gegen Mitte des 4. Jahrhunderts lebten sie an der Nordseeküste von der Mündung des Rheins bis zur Schelde; sie schoben sich im 4./5. Jahrhundert nach Nordgallien vor (→ auch *Franken*). 176

Samojeden → Nenzen

Santal Munda-Stamm, heute Völkerschaft; bewohnt das Gebiet um den Santal-Parganas im Staate Bihar (Indische Union). 63

Sarazenen veraltete Sammelbezeichnung der Europäer für die Araber, später für alle mohammedanischen Völker. 180

Schevsuren (Chewsuren) Gruppe des georgischen Volkes, die in den Bergbezirken Ostgeorgiens lebt (Schluchtenbewohner). 153

Schotten, schottisch Bevölkerung Schottlands, im engeren Sinn die Bewohner des Hochlandes (Gälen) und der Hebriden. 156 157

Semiten Bezeichnung für die Völker des semitischen Zweiges der hamito-semitischen Sprachfamilie (Vorderasien, Nordafrika). 35 66 70 71 74 184

Seneca (Seneka, Seneka-Irokesen) Stamm der Irokesen-Indianer Nordamerikas; lebte auf dem Gebiet des heutigen Staates New York; einer der fünf Stämme des Irokesenbundes; zahlenmäßig geringe Überreste leben in Kanada, New York und in Reservationen westlich des Mississippi. 38 39 61 101 102 104–107 111

Serben südslawisches Volk, verwandt mit den Kroaten. 71

Shawnee südlichster Stamm der Algonkin-Indianer Nordamerikas

lebte am Fluß Savannah, auf dem Gebiet der heutigen Staaten Georgia und Südkarolina. 69

Skoten Sammelbezeichnung irischer Stämme, die im 5./6. Jahrhundert in Schottland einwanderten; durch Verschmelzung mit den Pikten bildeten sie den Kern der schottischen Völkerschaft. 157

Skythen (Scythen) altgriechische Sammelbezeichnung für die seit dem 7. Jahrhundert v. u. Z. in den Gebieten nördlich des Schwarzen Meeres und den östlich anschließenden Steppengebieten lebenden Stämme und Völkerschaften. 46 83

Slawen Sammelbezeichnung für eine Gruppe von Völkern der indoeuropäischen Sprachfamilie: Russen, Bulgaren, Serben, Kroaten, Slowenen, Tschechen, Slowaken, Sorben und Polen. 107

Spartaner Bewohner des antiken Sparta. 77 83 112

Steppennomaden am Schwarzen Meer. 83

Südseeinsulaner Bewohner der Inselgruppen Polynesien, Mikronesien, Melanesien. 63 211

Sueven (Sueben, Sweben) Gruppe germanischer Stämme, die zu Beginn u. Z. im Elbgebiet ansässig waren; Kern und Rest des alten Suevenbundes waren die Alemannen; in Deutschland hat sich der Name Sueven in dem der Schwaben erhalten. 107 157 163

Svaneten (Swanen) Gruppe des georgischen Volkes, die in Swanetien an den Südwestabhängen des Kaukasus lebt. 153

Tahu Indianerstamm Nordamerikas, lebte im nördlichen Teil des heutigen Mexikos. 64

Taifaler mit den Goten verwandter Germanenstamm, um das 3. Jahrhundert an der Nordküste des Schwarzen Meeres ansässig; wurde von dort in der zweiten Hälfte des 4. Jahrhunderts von den Hunnen verdrängt. 83

Tamilen (Tamulen, Tamiler) hochentwickeltes Drawida-Volk im südlichen Vorderindien und nördlichen Ceylon. 39

Tenkterer Germanenstamm, in der Mitte des 1. Jahrhunderts v. u. Z. auf dem östlichen Rheinufer zwischen Lahn und Wupper lebend; wurde im Jahre 55 v. u. Z. von den Römern fast völlig aufgerieben. 169

Teutonen germanischer Stamm, der gegen Ende des 2. Jahrhunderts v. u. Z. mit Cimbern und Ambronen nach dem Süden Europas wanderte; sie wurden von den Römern geschlagen (102 v. u. Z.). 157

Thraker (Thracier) Gruppe indoeuropäischer Stämme, die im Altertum den östlichen Teil der Balkanhalbinsel (Thrakien) bewohnte. 63

Tibet, Bewohner von. 13 74
Tikur indischer Stamm, der in Audh (Teil des heutigen Staates Uttar Pradesh) lebte. 53
Tinneh (Dene, Athapasken) Gruppe sprachverwandter Indianerstämme Nordamerikas, die in den Wäldern Westkanadas und im Innern Alaskas sowie an der Küste des Stillen Ozeans bei der Halbinsel Kenai (Südalaska) lebten. 46
Tscherkessen bis zur Großen Sozialistischen Oktoberrevolution weit verbreitete Bezeichnung für die Gruppe der Adygé-Berg-Völkerschaften des Nordwestkaukasus (Adygé, Tscherkessen und Karbadiner). 153
Tscherokesen (Cherokee) Stamm der Irokesen-Indianer Nordamerikas; lebte in den südlichen Gebieten des Appalachen-Gebirges; wurde 1838 in das Indianerterritorium eingegliedert. 108
Turanier alte Sammelbezeichnung für die Bewohner der nördlich an das Hochland von Iran angrenzenden aralo-kaspischen Senke, dem Tiefland von Turan. 184 185
Tuscarora (Tuskarora) Stamm der Irokesen-Indianer Nordamerikas; lebte auf dem Gebiet der heutigen Staaten Virginia und Nordkarolina an der Küste des Atlantischen Ozeans; der Rest des Stammes bewohnt eine Reservation im Staate New York. 104

Usipeter Germanenstamm, der am östlichen unteren Rheinufer lebte; in der Mitte des 1. Jahrhunderts v. u. Z. von den Römern geschlagen. 169

Venetianer Bewohner von Venedig. 173
Vorderasiatische Völker. 63

Waliser Völkerschaft keltischer Herkunft (Eigenbezeichnung Cymry); bewohnen die Halbinsel Wales und die Insel Anglesey. 153 154 157
Warali indische Völkerschaft, die auf dem Gebiet des heutigen Staates Bombay und z. T. im Norden des heutigen Staates Madhya Pradesh lebt. 153
Wikinger → *Normannen*

Zentralamerikaner hier: die Indianer Zentralamerikas. 34
Zulukaffern → *Kaffern*

Inhalt